Le codex

Du même auteur,
aux Éditions J'ai lu

En collaboration avec Lincoln Child :

La chambre des curiosités, *J'ai lu* 7619
Les croassements de la nuit, *J'ai lu* 8227
Ice limit, *J'ai lu* 8433

Douglas Preston

Le codex

Traduit de l'américain par Philippe Beaudoin

Titre original :
THE CODEX
Publié par Forge, New York, 2004

*À Aletheia Vaune Preston
et Isaac Jerome Preston*

1

Après avoir négocié le dernier virage de l'allée, Tom Broadbent aperçut ses deux frères, qui attendaient déjà devant le grand portail en fer de la propriété paternelle. D'un air irrité, Philip cognait sa pipe contre un des piliers pour en faire tomber la cendre, tandis que Vernon appuyait avec vigueur sur la sonnette. La maison silencieuse et sombre se dressait derrière eux. Ses claires-voies, ses cheminées et ses tourelles, dignes d'un palais arabe, prenaient un éclat doré dans la riche lumière d'après-midi qui inondait Santa Fe.

« Ce n'est pas son genre d'être en retard », déclara Philip. Il porta la pipe à sa bouche et referma ses dents blanches sur le tuyau en produisant un léger cliquètement. Après avoir donné à son tour un coup de sonnette énergique, il vérifia l'heure à sa montre et boutonna sa veste. Il n'avait pratiquement pas changé, pensa Tom en retrouvant la pipe de bruyère, le regard narquois, les joues rasées de près et enduites de lotion, les cheveux coiffés en arrière du grand front, la montre en or qui scintillait au poignet gauche, le pantalon gris en laine peignée et la veste de marin de son frère. Son accent aristocratique paraissait plus prononcé. À côté de lui, Vernon, avec sa culotte de gaucho, ses sandales, sa longue chevelure et sa barbe, présentait une curieuse ressemblance avec Jésus.

« Il s'amuse à nos dépens, comme d'habitude », intervint Vernon en écrasant de nouveau le doigt sur la sonnette. Le vent qui murmurait à travers les pins apportait avec lui une odeur de résine chaude et de poussière. Pas un bruit ne provenait de la vaste demeure.

Philip se tourna vers Tom. Le parfum du tabac coûteux qu'il fumait flottait dans les airs. « Comment ça se passe, là-bas, chez les Indiens ?

— Bien.

— Heureux de l'apprendre.

— Et pour toi ?

— Formidable. Ça ne peut pas aller mieux.

— Vernon ?

— Tout baigne. Super ! »

La conversation retomba. Ils se dévisagèrent, puis détournèrent les yeux d'un air gêné. Tom n'avait jamais eu grand-chose à leur dire. Un corbeau les survola en croassant. Un silence embarrassé planait sur le trio réuni devant le portail. Après un long moment, Philip redonna une série de coups de sonnette. Il agrippa les barreaux de fer forgé, à travers lesquels il lança un regard mauvais à la bâtisse. « Sa voiture est au garage. La sonnette doit être cassée. » Il prit une profonde inspiration. « Ohééé ! Père ! Tes fils dévoués sont là ! »

Un grincement se fit entendre lorsque la grille s'entrouvrit sous son poids.

« Ce n'est pas fermé, dit-il d'un ton surpris. Il ne laisse *jamais* le portail ouvert.

— Il nous attend à l'intérieur, expliqua Vernon. Voilà tout. »

Ils appuyèrent l'épaule sur la lourde grille, dont les gonds protestèrent lorsqu'elle s'ouvrit à toute volée. Pendant que Vernon et Philip retournaient chercher leur voiture pour la garer à l'intérieur de la propriété, Tom s'avança. Il se trouvait face à la maison où il avait grandi. À combien d'années remontait sa dernière visite ? Trois ? Des sensations insolites se combattaient en lui. L'adulte était revenu sur les lieux de l'enfance. C'était une résidence – au sens le plus noble du terme – caractéristique du Nouveau-Mexique. L'allée de gravier s'achevait en demi-cercle devant deux énormes portes de *zaguan* du XVIIe siècle, dont les planches, taillées à la main dans le bois de *mesquite*, étaient assemblées par des clous en forme de pointes de diamant. La demeure elle-même était une construction de pisé, tout en longueur, dont les murs incurvés s'ornaient de contreforts, de *vigas*, de *latillas*, de *nichos*, de *portales* et de conduits de cheminées. Une sculpture à part entière, entourée de cotonniers et de pelouses émeraude... Bâtie sur une hauteur, elle surplombait un immense paysage où s'étageaient les lumières de la ville, les plateaux arides et les reliefs que menaçaient les fronts orageux nés au-delà des monts Jemez. Bien qu'elle soit restée égale à elle-même, elle suscitait en Tom une impression différente. Il se demanda si le changement ne venait pas de lui.

Par une porte du garage restée ouverte, il vit le 4×4 Mercedes vert de son père garé dans un box. Les deux autres emplacements étaient fermés. Il entendit les voitures de Philip et Vernon faire crisser le gravier, puis s'arrêter devant la galerie. Les portières claquèrent et ses frères vinrent le retrouver à l'entrée.

C'est alors qu'un sentiment de malaise se mit à poindre au creux de son estomac.

« Qu'est-ce qu'on attend ? », demanda Philip en s'engouffrant dans le *portal*. Parvenu aux portes du *zaguan*, il appuya à plusieurs reprises sur la sonnette. Vernon et Tom s'avancèrent.

Seul le silence leur répondit.

Impatient, comme toujours, Philip sonna une dernière fois. Tom entendit les deux notes graves se perdre dans les profondeurs de la maison. Par leur sonorité, elles évoquaient un enfant qui aurait appelé « Maman ». Typique de l'humour paternel, se dit-il.

Philip plaça ses mains en porte-voix. « Ohééé ! », criat-il.

Toujours rien.

« Il ne lui serait pas arrivé quelque chose ? s'inquiéta Tom, dont le sentiment de malaise se renforçait.

— Bien sûr que non, répondit Philip d'un ton contrarié. C'est encore une de ses blagues. »

Il asséna plusieurs coups de poing à la grande porte mexicaine, qui se mit à vibrer.

Tom, qui observait les alentours, remarqua l'aspect négligé du jardin. Le gazon n'avait pas été tondu et les mauvaises herbes poussaient dans les parterres de tulipes.

« Je vais jeter un coup d'œil à l'intérieur », déclarat-il.

Il se fraya un passage à travers une haie de chamise, franchit un massif de fleurs sur la pointe des pieds et s'approcha de la fenêtre du salon. Il lui fallut un certain temps pour comprendre ce qui clochait. La pièce semblait normale. Les canapés de cuir, les bergères à oreilles, la cheminée de pierre et la table basse étaient identiques. Mais, autrefois, il y avait un grand tableau au-dessus de l'âtre. Lequel ? Impossible de s'en souvenir. Il avait disparu. Tom se tritura les méninges. S'agissait-il du Braque ou du Monet ? Il s'aperçut alors que le bronze romain représentant un enfant ne montait plus la garde à gauche de la cheminée. Sur les rayonnages, des vides indiquaient que des livres manquaient. Le salon avait l'air en désordre. Au-delà de la porte qui ouvrait sur le vestibule, Tom distinguait du papier froissé, une bande d'emballage à bulles et un rouleau d'adhésif abandonnés au sol.

« Alors, docteur ? » La voix de Philip avait retenti derrière lui.

« Viens voir. »

Une expression d'ennui plaquée sur ses traits, Philip écarta les buissons de la pointe de ses Ferragamo. Vernon lui emboîta le pas.

Après avoir observé la scène par la fenêtre, Philip étouffa une exclamation. « Le Lippi, souffla-t-il. Au-dessus du canapé. Le Lippi n'est plus là ! Et le Braque au-dessus de la cheminée ! Il a tout emporté ! Il a tout vendu ! »

Vernon prit la parole. « On se calme ! Il a dû les emballer, un point, c'est tout. Il déménage peut-être. Depuis des années, tu lui dis que cette baraque est trop grande et trop isolée. »

Le visage de Philip se décontracta d'un seul coup. « Mais oui, bien sûr !

— C'est sans doute ce qui explique cette mystérieuse réunion », ajouta Vernon.

Philip hocha la tête et se tamponna le front à l'aide d'un mouchoir de soie. « L'avion m'a fatigué. Tu as raison. C'est un déménagement. Mais quel bazar ils ont fichu ! Quand Père verra ça, il en aura une attaque. »

Debout dans les buissons, les trois frères se regardèrent sans mot dire. Le sentiment de malaise de Tom atteignit un palier critique. Si leur père déménageait, il s'y prenait d'une bien étrange façon.

Philip ôta la pipe de sa bouche. « Dites donc ! Il ne nous imposerait pas encore une épreuve ? Il ne nous soumettrait pas encore une énigme ?

— Je vais entrer, décréta Tom.

— Et l'alarme ?

— Tant pis. »

Suivi par ses deux frères, Tom contourna la maison et escalada le mur qui fermait un jardinet où bruissait une fontaine. La fenêtre d'une chambre se situait au niveau de son regard. Après avoir arraché une pierre au muret qui soutenait un massif surélevé, il s'en revint face à la fenêtre, prit position et leva le projectile à hauteur de son épaule.

« Vraiment, tu vas casser les carreaux ? demanda Philip. Quel homme ! »

Tom lança la pierre, qui fit voler la vitre en éclats. Lorsque le bruit de verre brisé eut cessé, ils se figèrent, l'oreille tendue.

Silence.

« Pas d'alarme », dit Philip.

Tom secoua la tête. « Je n'aime pas ça. »

Il vit une pensée se peindre brusquement sur les traits de Philip, qui inspectait la pièce par l'ouverture. Son frère lâcha un juron et disparut en un clin d'œil à l'intérieur. Les souliers à bout pointu, la pipe, tout y passa.

Vernon se tourna vers Tom. « Qu'est-ce qui lui prend ? »

Sans répondre, Tom enjamba la fenêtre à son tour. Vernon l'imita.

La chambre était dans le même état que le reste de la maison. Toutes les œuvres d'art s'étaient envolées. Le désordre régnait. Des traces de pas maculaient le tapis jonché de détritus, de morceaux d'adhésif et d'emballage à bulles, mais aussi de billes de polystyrène, de clous et de chutes de bois. Tom se rendit dans le vestibule. À la place du Picasso, d'un autre Braque et d'une paire de stèles mayas, il y découvrit des murs nus. Il ne restait plus rien.

En proie à une panique croissante, il traversa le vestibule et s'arrêta devant l'arche qui ouvrait sur le salon. Debout au milieu de la pièce, Philip promenait les yeux autour de lui. Son visage était livide. « Je lui ai pourtant dit et répété que ça arriverait un jour, qu'il était imprudent de garder tous ces trucs ici. Foutrement imprudent !

— Quoi ? s'écria Vernon d'un ton inquiet. Qu'est-ce qu'il y a, Philip ? Qu'est-ce qui s'est passé ? »

D'une voix blanche, à peine audible, Philip lâcha : « Nous nous sommes fait voler ! »

2

Hutch Barnaby, inspecteur principal de la police de Santa Fe, posa la main sur son maigre torse, prit appui sur ses talons et fit basculer son siège en arrière. Il porta un gobelet de Starbucks, le dixième depuis le matin, à ses lèvres. L'arôme amer vint chatouiller ses narines arquées, tandis qu'il regardait le cotonnier solitaire par la fenêtre. Agréable journée à Santa Fe, Nouveau-Mexique, États-Unis d'Amérique, se dit-il en repliant ses longues jambes sous le fauteuil. Le 15 avril. Les ides d'avril. La date limite pour payer ses impôts. Chacun était chez soi, occupé à faire ses comptes, déprimé par des pensées de mort et de restrictions. Ce jour-là, même les criminels se mettaient en congé.

Il sirota son café avec un immense contentement. Abstraction faite de la faible sonnerie de téléphone dans le bureau voisin, la vie était belle.

Au bord de l'inconscience, il entendit la voix compétente de Doreen qui répondait. Les intonations sèches de la jeune femme lui parvinrent par la porte ouverte : « Ne quittez pas. Excusez-moi, mais vous pourriez parler un peu moins vite ? Je vous passe… »

Barnaby fit taire la voix en aspirant une bruyante gorgée de café, tendit le pied vers la porte du bureau et la ferma d'une légère poussée. Le merveilleux silence reprit. Il attendit. C'est alors que le coup retentit.

Saloperie d'appel !

Il posa le gobelet et se redressa sur son siège. « Oui ? »

L'inspecteur Harry Fenton ouvrit le battant. Une expression de vif intérêt se peignait sur son visage. Il n'était pas homme à aimer les jours qui n'en finissent pas. À son air, Barnaby devina que son assistant avait décroché le gros lot.

« Hutch ?

— Hmmm ? »

Fenton poursuivit sans reprendre haleine. « La propriété de Broadbent a été cambriolée. Je viens d'avoir un des fils au téléphone. »

Barnaby ne bougea pas un cil. « Qu'est-ce qu'on a volé ?

— *Tout !* » Les yeux noirs de Fenton étincelaient de bonheur.

Barnaby prit une gorgée de café, puis une autre. Il rabaissa son siège, qui émit un léger claquement. *Et merde !*

Pendant que Barnaby et Fenton roulaient sur la Vieille Piste de Santa Fe, l'inspecteur rapporta ce qu'il savait du vol. La collection, avait-il entendu dire, était estimée à un demi-milliard de dollars. Si ce bruit se rapprochait un tant soit peu de la vérité, la nouvelle ferait la une du *New York Times*. Lui, Fenton, en première page du *Times !* Vous vous rendez compte ?

Barnaby ne se rendait pas compte, mais il n'en dit rien. Les emballements de Fenton ne l'étonnaient plus. Il coupa le moteur au début de l'allée qui menait à l'excentrique demeure de Broadbent. Le visage illuminé d'espoir, la tête baissée, son gros nez en fer de hache ouvrant la voie, Fenton descendit du côté du passager. Tandis qu'ils gravissaient la pente, Barnaby balaya le sol des yeux. Il vit les traces laissées par les allées et venues d'un semi-remorque. Ils avaient sorti la grosse artillerie. Soit le propriétaire était absent, soit ils l'avaient tué. La dernière probabilité était sans doute la bonne. Fenton et lui allaient certainement découvrir Broadbent raide mort dans la maison.

L'allée décrivait un virage avant d'atteindre un terrain plat. Ils arrivèrent en vue d'un portail dont les deux battants étaient ouverts. Barnaby l'examina. Il s'agissait d'une grille mécanique actionnée par un double moteur. Rien n'indiquait qu'elle avait été forcée, mais le boîtier électrique n'était pas fermé. Il aperçut une clé à l'intérieur et s'agenouilla pour l'étudier. Elle était enfoncée dans une serrure. On l'avait tournée pour désactiver le système.

Il leva les yeux vers Fenton. « Qu'est-ce que tu en dis ?

— Ils ont amené un semi et ils avaient la clé du portail... Ces types étaient des pros. Vous savez, on risque de trouver le cadavre de Broadbent dans la maison.

— Fenton, tu es mon deuxième cerveau. C'est pour ça que je t'aime. »

Il entendit un cri et vit trois hommes traverser la pelouse dans sa direction. C'étaient les fistons.

Furieux, il se releva. « Bon Dieu ! Vous ne savez pas que vous êtes sur les lieux d'un crime ? »

Deux des garçons s'immobilisèrent, mais le meneur, un grand en costume, continua d'avancer. « À qui ai-je l'honneur ? » Il avait une voix froide, hautaine.

« Je suis l'inspecteur principal Barnaby. Et voici l'inspecteur Fenton. Police de Santa Fe. »

Fenton leur décocha un sourire qui lui découvrit à peine les dents.

« Vous êtes les fils ?

— Exactement », confirma le costumé.

Fenton les gratifia d'un autre rictus de fauve.

Barnaby prit le temps de détailler ces éventuels suspects. Le hippie vêtu de chanvre avait un visage franc et ouvert. Il n'avait peut-être pas inventé la poudre, mais ce n'était pas un voleur. Celui qui portait des bottes de cow-boy avait du vrai crottin de cheval à ses semelles, remarqua-t-il avec respect. Et puis il y avait le type en costume, qui ressemblait à un New-Yorkais. Aux yeux de Barnaby, tout individu originaire de New York était un meurtrier en puissance. Même les mémés. Il les toisa de nouveau. Impossible d'imaginer trois frères plus différents. Bizarre que ces choses-là arrivent dans une même famille…

« Nous sommes sur les lieux d'un crime. Aussi vais-je devoir, messieurs, vous demander de vous retirer. Sortez par le portail et allez m'attendre sous un arbre ou ailleurs. Je viendrai m'entretenir avec vous dans une vingtaine de minutes. D'accord ? Veuillez ne pas vous éloigner, ne toucher à rien et ne pas vous parler du crime ou de ce que vous avez observé. »

Il leur tourna le dos. Puis, comme si une pensée lui revenait à l'esprit, il leur fit de nouveau face. « *L'ensemble* de la collection a disparu ?

— C'est ce que j'ai déclaré au téléphone, répondit le costumé.

— À combien, en gros, se montait-elle ?

— Environ cinq cents millions. »

Barnaby porta la main à son chapeau et lança un coup d'œil à Fenton. Le pur plaisir qui irradiait du visage de l'inspecteur aurait suffi à terrifier un souteneur.

Mieux valait se montrer prudent, pensa Barnaby en se dirigeant vers la bâtisse. Cette affaire impliquerait un certain nombre d'éclaircissements après coup. Les fédéraux, Interpol et Dieu sait qui allaient intervenir. Il serait judicieux d'examiner rapidement les lieux avant l'arrivée des types du labo de la Criminelle. Il coinça les pouces sous sa ceinture et fixa son regard sur la maison en se demandant si la collection était assurée. Cette question méritait réflexion. Si oui, peut-être Maxwell Broadbent n'était-il pas si mort que ça. Peut-être était-il tout bonnement en train de siroter des margaritas avec une blondasse à Phuket.

« Vous savez si Broadbent était assuré ? », s'enquit Fenton.

Après avoir adressé un large sourire à son équipier, Barnaby reprit son inspection de la demeure. Il vit la vitre cassée, le méli-mélo des empreintes de pas sur le gravier et les buissons piétinés. Les traces fraîches étaient celles des fils, mais il y en avait aussi de plus vieilles. Il s'arrêta sur l'endroit où le camion s'était garé après avoir fait laborieusement demi-tour. À première vue, une semaine ou deux s'étaient écoulées depuis le cambriolage.

L'important, c'était de découvrir le corps, s'il existait. Il entra dans la maison. Il promena les yeux sur l'adhésif, l'emballage à bulles, les clous et les chutes de bois abandonnés. Sur le tapis, il remarqua de la sciure et de légères marques en creux. Ils avaient installé une scie sur établi. Le travail témoignait de compétences exceptionnelles. Il avait été bruyant. Non seulement ces gens savaient ce qu'ils faisaient, mais en plus ils avaient pris le temps de le faire correctement. Il huma l'air de la pièce. Ça ne sentait pas le porc à la sauce aigre-douce. Il n'y avait donc pas de macchabée.

À l'intérieur, le cambriolage semblait aussi ancien qu'à l'extérieur. Une semaine, peut-être deux. Il se pencha et renifla l'extrémité d'un morceau de planche tombé au sol. Pas la moindre odeur de bois fraîchement coupé. Il ramassa un brin d'herbe qu'un type avait dû rapporter du jardin et le froissa entre ses doigts. C'était sec. Les mottes de terre laissées par les bottes d'un type qui traînait les pieds étaient elles aussi complètement sèches. Il fit appel à ses souvenirs. La dernière averse était tombée deux semaines auparavant. Ça s'était passé à ce moment-là. Dans les vingt-quatre heures qui avaient suivi la pluie, alors que le sol était encore humide.

Il traversa l'immense vestibule voûté. Des piédestaux portant des plaquettes de bronze étaient privés de leurs statues. Sur les murs chaulés, des rectangles quasi imperceptibles et des crochets indiquaient l'emplacement des tableaux. Des couronnes de paille et des trépieds de fer ne supportaient plus leurs poteries antiques. Des étagères vides et des espaces épargnés par la poussière révélaient l'absence de pièces rares. Sur les rayonnages de la bibliothèque, des fentes sombres apparaissaient aux endroits où des livres manquaient.

Arrivé à la porte de la chambre, il observa le défilé des traces produites par des allées et venues. Encore de la terre sèche. Bon Dieu, ils devaient être cinq ou six.

Pour effectuer ce déménagement, il leur avait fallu une journée, peut-être deux.

Un appareil trônait dans la chambre. Il soufflait de la mousse qui, une fois solidifiée, permettait de combler les vides. De ceux qu'on voit chez UPS... Dans une autre pièce, il découvrit une machine à emballer sous film plastique qui était destinée aux très gros morceaux. Il vit des planches empilées, des rouleaux de feutre et de bande métallique, des boulons, des écrous à ailettes, ainsi que deux scies de haute précision. Deux ou trois mille dollars de matériel abandonné. Ils n'avaient pas pris la peine d'emporter d'autres objets. Au salon, ils avaient laissé un téléviseur à dix mille dollars, un magnétoscope, un lecteur de DVD et deux ordinateurs. Il pensa à sa vieille télé, à son magnétoscope minable, aux traites qu'il versait encore et à sa femme, qui devait s'en servir toutes les nuits pour regarder des films porno avec son nouvel amant.

Il enjamba précautionneusement une cassette vidéo tombée à terre. Fenton s'écria : « Trois chances sur cinq que le mec soit mort et deux sur cinq que ce soit une escroquerie à l'assurance.

— Avec toi, la vie est d'un triste ! »

Quelqu'un avait bien dû remarquer cette agitation. Tout Santa Fe pouvait voir la bâtisse perchée sur sa colline. S'il avait fait l'effort, deux semaines plus tôt, de regarder par la fenêtre du mobile-home qu'il occupait dans la vallée, peut-être aurait-il aperçu les cambrioleurs, la maison illuminée toute la nuit et les phares du camion qui zigzaguaient jusqu'au pied de la butte. Une fois de plus, il admira le culot des voleurs. D'où tenaient-ils la certitude de réussir leur coup ? Une telle décontraction n'était pas naturelle.

Il jeta un coup d'œil à sa montre. Il ne lui restait plus beaucoup de temps avant l'arrivée des gars de la Crim.

Avec rapidité et méthode, il parcourut les pièces et les inspecta sans rien noter. Les notes, il l'avait appris, reviennent toujours vous mordre un jour. Aucune salle n'était restée indemne. Le boulot avait été effectué jusqu'au bout. À l'endroit où quelqu'un avait ouvert une série de cartons, du papier traînait par terre. Il en ramassa un morceau. C'était une espèce de bordereau de transport daté du mois précédent. Une batterie de cuisine française, des couteaux allemands et japonais, le tout pour une valeur de vingt-quatre mille dollars. Broadbent montait-il un restaurant ?

Dans la chambre, au fond d'une penderie, il avisa une énorme porte en acier. Elle était entrouverte.

« Mais c'est Fort Knox ! », s'exclama Fenton.

Barnaby opina du chef. Dans une maison bourrée de tableaux qui valent des millions de dollars, s'interrogea-t-il, qu'y a-t-il de si précieux qu'il faille l'enfermer dans une chambre forte ?

Il se glissa à l'intérieur sans toucher la porte. Hormis des détritus éparpillés au sol et une pile d'écrins, l'endroit était vide. Il sortit son mouchoir pour ouvrir un tiroir. Sur le velours, des indentations dessinaient les contours d'objets qui s'étaient volatilisés. Il referma le tiroir et se retourna vers la porte, dont il examina rapidement la serrure. Il n'y avait pas trace d'effraction. Aucun des rangements à clé qu'il avait vus dans les pièces n'avait été forcé.

« Ils avaient les codes et les clés », déclara Fenton.

Barnaby acquiesça de la tête. Ce n'était pas un vol.

Il alla faire un petit tour dehors. Le jardin lui parut négligé. Les mauvaises herbes poussaient. Personne n'avait pris soin de rien. Le gazon n'avait pas été tondu depuis deux ou trois semaines. L'endroit paraissait laissé à lui-même. Cet abandon, lui semblait-il, avait débuté avant le prétendu cambriolage. Manifestement, ce jardin partait à vau-l'eau depuis un ou deux mois.

Si les biens étaient assurés, alors les fils étaient mouillés. Peut-être...

3

Il les vit attendre en silence, l'air morne et les bras croisés, à l'ombre d'un pin. Pendant qu'il s'approchait, le costumé demanda : « Vous avez trouvé quelque chose ?

— Quoi, par exemple ? »

Le type se renfrogna. « Vous savez ce qu'on a volé ? Des centaines de millions. Bon sang de bois, qui peut espérer disparaître avec ça ? Certains tableaux sont connus *dans le monde entier*. À lui seul, celui de Filippo Lippi vaut quarante millions de dollars. Ils sont sans doute en route pour le Moyen-Orient ou le Japon. Il faut appeler le FBI, Interpol, boucler les aéroports… »

Il marqua un temps d'arrêt pour reprendre son souffle.

« L'inspecteur Barnaby va vous interroger », déclara Fenton, ravi de reprendre le rôle qui lui allait si bien. Dans sa voix, curieusement haut perchée et douce, se devinait une note de menace. « Veuillez décliner votre identité. »

L'homme aux bottes de cow-boy fit un pas en avant. « Tom Broadbent, et voici mes frères, Vernon et Philip.

— Écoutez inspecteur, ajouta celui qui s'appelait Philip, ces œuvres sont manifestement destinées à finir dans la chambre d'un cheik. Elles sont invendables sur le marché officiel, car elles sont trop célèbres. Ne le prenez pas mal, mais je *doute* que la police de Santa Fe soit outillée pour traiter cette affaire. »

Barnaby regarda sa montre. Il lui restait une petite demi-heure avant l'arrivée du camion en provenance d'Albuquerque.

« Je peux poser quelques questions, Philip ? Vous me permettez tous de vous appeler par votre prénom ?

— C'est bon, allez-y.

— Votre âge ?

— Trente-trois ans, dit Tom.

— Trente-cinq, dit Vernon.

— Trente-sept, dit Philip.

— Comment se fait-il que vous soyez tous ici ? » Il braqua les yeux sur l'adepte du New Age, qui avait l'air d'être le plus mauvais menteur.

« Notre père nous a écrit.

— À quel sujet ?

— Eh bien… » Vernon jeta un coup d'œil inquiet à ses frères. « Il ne l'a pas dit.

— Vous avez une idée ?

— Pas vraiment. »

Barnaby détourna le regard. « Philip ?

— Pas la moindre. »

Ses yeux coulissèrent vers le dernier. Il s'aperçut qu'il aimait bien la tête de ce Tom. Ce n'était pas une tête à raconter des bobards. « Vous voulez bien m'aider un peu ?

— Je crois qu'il souhaitait nous parler de notre héritage.

— Quel âge avait votre père ?

— Soixante ans. »

Fenton se pencha en avant pour lancer d'une voix cassante. « Il était *malade* ?

— Oui.

— *Gravement* ?

— Il se mourait d'un cancer, répondit Tom avec froideur.

— Je suis navré, reprit Barnaby en tendant le bras comme pour empêcher Fenton de poser d'autres questions indélicates. L'un de vous a-t-il un exemplaire de ce courrier ? »

Tous trois produisirent la même lettre manuscrite sur papier ivoire. Il était intéressant de constater, pensa Barnaby, que chacun avait emporté la sienne. Ce détail révélait l'importance qu'ils accordaient à la réunion. Il en prit une et lut :

Cher Tom,
Je veux que tu viennes chez moi, à Santa Fe, le 15 avril à 13 heures précises, à propos d'une question cruciale qui touche votre avenir. J'ai demandé la même chose à Philip et à Vernon. Voici de quoi payer ton voyage. S'il te plaît, sois ponctuel : 13 heures pile. Accorde cette dernière attention à ton vieux.
Père

« Il avait une chance de s'en sortir ou il était condamné ? », insista Fenton.

Philip le dévisagea avant de se tourner vers Barnaby. « Qui est cet homme ? »

Barnaby lança un regard de mise en garde à Fenton, qui se montrait souvent ingérable. « Nous sommes du même côté. Nous essayons d'élucider ce crime.

— Si j'ai bien compris, poursuivit Philip à contrecœur, il n'y avait aucun espoir de guérison. Il avait subi un traitement par rayons et une chimiothérapie, mais le cancer avait produit des métastases dont on ne pouvait venir à bout. Il avait refusé de se soigner.

— Navré, répéta Barnaby en s'efforçant vainement de manifester un minimum de compassion. Revenons-en à cette lettre, où il est question d'argent. Il y en avait combien ?

— Douze cents dollars en liquide, répondit Tom.

— *En liquide ?* C'est-à-dire ?

— Douze billets de cent dollars. C'était typique de Père. »

Fenton s'immisça de nouveau dans la conversation. « Il en avait encore *pour combien de temps ?* » La tête projetée vers l'avant, il s'était adressé à Philip. Il avait un visage ingrat, très étroit et pointu, des arcades sourcilières épaisses, des yeux profondément enfoncés dans leurs orbites, un gros nez dont les narines laissaient échapper des touffes de poils noirs, des dents jaunes et tordues, ainsi qu'un menton fuyant. Son teint était olivâtre. Malgré son nom à consonance anglo-saxonne, c'était un Latino originaire de Truchas, un trou perdu dans les monts Sangre de Cristo. Quand on ignorait que c'était l'homme le plus gentil du monde, on le trouvait effrayant.

« À peu près six mois.

— Alors, pourquoi vous avoir invités ? Pour faire joujou avec ses petites affaires ? »

Quand il le voulait, Fenton pouvait être odieux. Il n'obtint aucun résultat.

Philip répondit d'un ton glacé : « Charmante façon de s'exprimer. C'est bien possible. »

Barnaby s'interposa en douceur. « N'aurait-il pas pris des dispositions pour léguer cette collection à un musée ?

— Maxwell Broadbent *haïssait* les musées.

— Pourquoi ?

— Ils étaient les premiers à critiquer ses pratiques assez peu orthodoxes.

— Plus précisément ?

— Acheter des œuvres de provenance douteuse, traiter avec des pilleurs de tombes, faire passer les frontières en fraude aux antiquités. Il a lui-même violé plusieurs tombeaux. Je comprends son antipathie. Les musées sont les bastions de l'hypocrisie, de la jalousie et de la cupidité. Ils reprochent à autrui les méthodes qu'ils ont eux-mêmes employées pour monter leurs collections.

— Et s'il en avait fait don à une université ?

— Il avait horreur des universitaires. Il les appelait des culs serrés. Ils l'accusaient, notamment les archéologues, d'avoir pillé certains temples d'Amérique centrale. Je ne trahis pas un secret de famille en vous le disant. Tout le monde le sait. Prenez n'importe quel exemplaire d'*Archaeology* et vous constaterez que notre père était pour eux le diable incarné.

— Projetait-il de la vendre ? »

Philip fit une moue de mépris. « Vendre ? Toute sa vie, il avait eu affaire aux salles des ventes et aux marchands d'art. Il aurait préféré se pendre plutôt que de leur confier une malheureuse estampe.

— Donc, il entendait tout vous léguer ? »

Il y eut un silence embarrassé. « C'est ce que nous supposions », finit par déclarer Philip.

Fenton revint à la charge. « L'Église ? Une femme ? Une maîtresse ? »

Philip ôta la pipe de sa bouche et répondit en imitant à merveille le style elliptique de l'inspecteur : « Athée. Divorcé. Misogyne. »

Les deux autres frères éclatèrent de rire. Hutch Barnaby lui-même se surprit à s'amuser de la gêne de Fenton. Son assistant avait si rarement le dessous lors d'un interrogatoire ! Malgré ses grands airs, ce Philip était un dur à cuire. Il y avait pourtant une sorte de tristesse, de solitude dans son long visage intelligent.

Barnaby tendit le bordereau de transport des ustensiles. « Vous savez de quoi il s'agit et où ce matériel a pu aller ? »

Ils examinèrent le document, secouèrent la tête et le lui rendirent. « Il n'aimait pas cuisiner », dit Tom.

Barnaby enfouit la lettre dans sa poche. « Parlez-moi de lui. De son physique, de son caractère, de sa personnalité, des affaires qu'il traitait... »

Tom reprit la parole. « Il est... hors du commun.

— Mais encore ?

— C'est un géant d'un mètre quatre-vingt-quinze, sportif, séduisant, large d'épaules, sans un gramme de graisse, chevelure et barbe blanches, solide comme un roc, avec la voix de stentor qui va avec. On dit qu'il ressemble à Hemingway.

— Et sa personnalité ?

— C'est le genre d'homme qui a toujours raison, qui écrase tout et tout le monde pour obtenir ce qu'il veut. Il vit selon ses propres règles. Il n'a pas fait d'études supérieures, mais il en sait plus sur l'art et l'archéologie que la plupart des agrégés. Collectionner, c'est sa religion. Il méprise les convictions religieuses d'autrui. C'est une des raisons pour lesquelles il prend un tel plaisir à acheter et à vendre des objets volés dans les tombes... ou à aller les voler lui-même.

— Dites-m'en plus sur ce point. »

Cette fois-ci, ce fut Philip qui s'exprima. « Maxwell Broadbent est né dans un milieu ouvrier. Dans sa jeunesse, il est parti pour l'Amérique centrale et il a disparu dans la jungle pendant deux ans. Il a fait une grande découverte, pillé un sanctuaire maya et rapporté des objets en contrebande. C'est comme ça que tout a commencé. Il vendait des tableaux et des antiquités louches. Il y avait de tout : des statues grecques et romaines subtilisées en Europe, jusqu'aux reliefs khmers prélevés sur les temples funéraires cambodgiens, en passant par des peintures de la Renaissance dérobées en Italie durant la guerre. Il ne vendait pas pour réaliser des bénéfices, mais pour financer sa collection.

— Intéressant...

— La méthode de Maxwell, poursuivit Philip, était vraiment la seule qui permette à un amateur d'acquérir de grands objets d'art. Sa collection ne comportait sans doute pas une seule œuvre propre. »

Vernon prit la parole : « Un jour, il a pillé une tombe sur laquelle une malédiction était inscrite. Il racontait cette anecdote dans tous les cocktails.

— Quelle malédiction ?

— *Quiconque perturbera ces ossements sera écorché vif et donné en pâture aux hyènes malades. Et un troupeau d'ânes copulera avec sa mère.* Ou un truc dans ce goût-là... »

Fenton ne put s'empêcher de rire.

Du regard, Barnaby le rappela à l'ordre. Puisqu'il avait réussi à rendre Philip plus bavard, il s'adressa à lui. C'était drôle de voir à quel point les gens aimaient se plaindre de leurs parents. « Qu'est-ce qui le faisait courir ? »

Le large front de Philip se plissa. « Maxwell Broadbent aimait plus sa *Madone* de Lippi que n'importe quelle véritable femme. Il aimait plus son portrait de la petite Bia de Médicis par Bronzino que ses propres enfants. Il aimait plus ses deux Braque, son Monet et ses crânes de jade mayas que les personnes de chair et d'os qu'il connaissait. Il vénérait plus sa collection de reliquaires français du XIIIe siècle et leurs prétendus ossements de saints que n'importe quel véritable saint. Ses collections, c'étaient ses maîtresses, ses enfants et sa religion. Ce qui le faisait courir ? Les belles choses.

— Archifaux ! protesta Vernon. Il nous aimait, nous. »

Philip partit d'un petit ricanement de dérision.

« Il était divorcé de votre mère ? demanda Barnaby.

— Vous voulez dire de *nos* mères ! De deux d'entre elles. La troisième l'a laissé veuf. Il a eu deux autres femmes avec lesquelles il n'a pas procréé et un certain nombre de petites amies.

— Des conflits à propos des pensions alimentaires ? susurra Fenton.

— Naturellement, répondit Philip. À propos des pensions versées aux ex-épouses ou aux ex-maîtresses. Ça n'arrêtait pas.

— Mais il vous a élevés lui-même ? »

Après avoir marqué un temps d'arrêt, Philip déclara : « Oui, à sa façon. »

Ces propos restèrent suspendus dans les airs. Barnaby se demandait quel père il aurait été. Mieux valait en revenir à l'essentiel. Le temps lui manquait. Les gars du labo allaient arriver d'une minute à l'autre et il aurait de la chance s'il pouvait jamais remettre les pieds sur les lieux du crime.

« Il y a une femme dans sa vie aujourd'hui ?

— Le soir, dans un but purement hygiénique, lâcha Philip. Elle n'aura rien, je vous le garantis. »

Tom intervint. « Vous pensez qu'il lui est arrivé quelque chose ?

— Pour être honnête, je n'ai rien vu ici qui évoque un meurtre. On n'a pas trouvé de corps dans la maison.

— Il ne se serait pas fait enlever ? »

Barnaby fit un signe de dénégation. « C'est peu probable. Les ravisseurs ne traitent pas directement avec un otage. » Il vérifia l'heure à sa montre. Encore cinq minutes, peut-être sept. Il était temps de poser la grande question. « Une assurance ? » Il avait pris un ton aussi dégagé que possible.

Le visage de Philip se rembrunit. « Non. »

Même Barnaby ne put cacher sa surprise. « *Non ?*

— L'année dernière, j'ai essayé de m'en occuper. Personne ne voulait garantir la collection tant qu'elle restait dans une maison si peu protégée. Vous voyez vous-même combien elle est vulnérable.

— Pourquoi votre père n'a-t-il pas renforcé la sécurité ?

— Il était impossible. On ne pouvait rien lui dire. Il avait beaucoup d'armes chez lui. À mon avis, il se croyait capable d'éloigner les voleurs en leur tirant dessus. Façon conquête de l'Ouest... »

Barnaby passa en revue ses informations. Il était contrarié. Les morceaux ne s'emboîtaient pas les uns dans les autres. Il était sûr qu'il ne s'agissait pas d'un simple cambriolage. Mais sans assurance, pourquoi se cambrioler soi-même ? Et puis cette lettre dans laquelle Broadbent convoquait ses fils à une réunion, à cet instant précis... Il s'en remémora le texte : *une question cruciale qui touche votre avenir*. Il détecta une sorte de sous-entendu dans cette formule.

« Qu'y avait-il dans la chambre forte ?

— Ne me dites pas qu'ils y sont entrés ! » Philip se passa une main tremblante sur le visage. Son costume était avachi et la consternation qui se lisait sur ses traits semblait authentique.

« Si.

— Oh mon Dieu ! Elle contenait des pierres précieuses, des bijoux, de l'or d'Amérique centrale et d'Amérique du Sud, des monnaies et des timbres rares, le tout d'une extrême valeur.

— De toute évidence, les voleurs connaissaient la combinaison de la chambre et ils avaient toutes les clés. Vous savez comment ils ont fait ?

— Non.

— Votre père avait-il un homme de confiance, par exemple un avocat, à qui il aurait remis un deuxième trousseau ou qui aurait connu la combinaison ?

— Il ne se fiait à personne. »

C'était là un point important. Barnaby tourna les yeux vers Tom et Vernon. « Vous êtes d'accord ? »

Ils acquiescèrent tous les deux.

« Il avait une femme de ménage ?

— Une dame venait tous les jours.

— Un jardinier ?

— À plein temps.

— D'autres employés de maison ?

— Une cuisinière, à plein temps également, et une infirmière qui passait trois fois par semaine. »

Un sourire carnassier aux lèvres, Fenton se pencha en avant pour intervenir. « Vous permettez que je vous pose une question, Philip ?

— Puisqu'il le faut...

— Comment se fait-il que vous parliez de votre père au passé ? Vous savez quelque chose que nous ne savons pas ?

— Oh, pour l'amour de Dieu ! explosa Philip. Qui me débarrassera de ce Sherlock Holmes *manqué*[1] ?

— Fenton ! » murmura Barnaby en lançant une œillade menaçante à son assistant.

Celui-ci tourna la tête et vit l'expression du principal. Son visage se décomposa.

« Excusez-moi.

— Où sont-ils, maintenant ? reprit Barnaby.

— Qui ça ?

---

1. En français dans le texte (*NdT*).

28

— La femme de ménage, le jardinier, la cuisinière. Le vol a eu lieu il y a deux semaines. Quelqu'un a bien dû leur donner congé.

— Le vol a eu lieu *il y a deux semaines* ? s'écria Tom.

— Exactement.

— Mais je n'ai reçu ma lettre par Federal Express qu'il y a trois jours. »

Intéressant. « L'un de vous a-t-il fait attention à l'adresse de l'expéditeur ?

— C'était une domiciliation de circonstance, comme une boîte postale », précisa Tom.

Barnaby réfléchit un instant. « Je dois vous dire que ce prétendu cambriolage sent l'escroquerie à l'assurance à plein nez.

— Je vous ai déjà expliqué que la collection n'était pas assurée, s'exclama Philip.

— Oui, mais je ne vous crois pas.

— Je connais bien le marché de l'assurance des objets d'art, inspecteur. Je suis historien de l'art. Cette collection valait environ un demi-milliard de dollars et elle était abritée dans une maison, en pleine campagne, protégée par un système de sécurité complètement dépassé. Père n'avait même pas de chien. Je vous l'affirme, *elle n'était pas assurable.* »

Barnaby garda un long moment les yeux fixés sur lui avant de les tourner vers les deux autres frères.

Philip jeta un coup d'œil à sa montre et émit un sifflement. « Inspecteur, vous ne pensez pas que cette affaire est un peu trop lourde pour la police de Santa Fe ? »

S'il ne s'agissait pas d'une escroquerie à l'assurance, alors de quoi s'agissait-il ? Ce n'était pas une saloperie de vol. Une idée folle, encore imprécise, se mit à germer dans l'esprit de Barnaby. Une idée vraiment dingue. Mais elle commençait à prendre forme malgré lui et se condensait pour engendrer une espèce de théorie. Il regarda Fenton, qui ne lui prêta pas attention. Malgré toutes ses qualités, son assistant n'avait aucun sens de l'humour.

Barnaby se souvint alors du téléviseur grand écran, du magnétoscope et de la cassette vidéo qui gisait par terre. Non, qui avait été *posée* par terre, près de la télécommande. Quel était son titre manuscrit ? REGARDEZ-MOI.

C'était donc ça. Comme une eau qui gèle, tout prenait consistance. Il savait exactement ce qui s'était passé. Il s'éclaircit la voix. « Venez. »

Les trois fils rentrèrent dans la maison et le suivirent au salon.

« Prenez un siège.

— Expliquez-vous ! » Philip s'agitait. Fenton lui-même fixait des yeux interrogateurs sur Barnaby.

Celui-ci ramassa la cassette et la télécommande. « On va se regarder une vidéo. » Il alluma le téléviseur et glissa la cassette dans le magnétoscope.

« C'est une plaisanterie ? » demanda Philip, qui restait debout, le rouge aux joues. Indécis, les deux autres se tenaient près de lui.

« Vous cachez l'écran, dit Barnaby en s'installant sur le canapé. Asseyez-vous donc !

— C'est scandaleux… »

Le son qui sortit tout à coup du haut-parleur réduisit Philip au silence. Plus grand que nature, le visage de Maxwell Broadbent se matérialisa sur l'écran. Ils prirent place.

Une voix profonde et puissante résonna dans la pièce vide.

« *Bonjour du pays des morts !* »

4

Tom vit à l'écran l'image de son père gagner en netteté. Un long zoom arrière montra Maxwell Broadbent, assis à son immense bureau et tenant dans ses larges mains une liasse de feuillets. La pièce n'avait pas encore été dépouillée. La *Madone* de Lippi ornait le mur situé derrière Maxwell Broadbent, les rayonnages étaient bourrés de livres et les autres œuvres occupaient leur place habituelle. Tom frissonna. Même sous forme de pixels, cet homme l'intimidait.

Après avoir prononcé ces paroles d'introduction, Maxwell Broadbent se racla la gorge et braqua ses yeux d'un bleu intense sur la caméra. Les feuillets tremblotaient dans ses mains. Il avait l'air de lutter contre une forte émotion.

Il posa de nouveau son regard sur la liasse et se mit à lire:

Chers Philip, Vernon et Tom,
Je n'irai pas par quatre chemins: j'ai emporté mes richesses avec moi dans la tombe. Je m'y suis enfermé avec ma collection. Elle se cache quelque part dans le monde, dans un endroit connu de moi seul.

Il se tut, puis se racla encore la gorge. Il leva brièvement les yeux vers l'objectif qui enregistra un éclair bleu, les baissa et poursuivit sa lecture. Sa voix prit cette intonation un tantinet pédante que Tom avait si souvent entendue à table.

31

Depuis plus de cent mille ans, l'être humain se fait enterrer avec ses biens les plus précieux. L'histoire de l'inhumation des morts avec leurs trésors est vénérable. Elle débute avec les néandertaliens, se poursuit avec les anciens Égyptiens et s'achève pratiquement à notre époque. Les hommes se sont fait enterrer avec leur or, leur argent, leurs œuvres d'art, leurs livres, leurs remèdes, leur mobilier, leur nourriture, leurs esclaves, leurs chevaux, parfois même avec leurs concubines et leurs épouses – avec tout ce qu'ils croyaient leur être utile dans l'au-delà. Ils n'ont cessé d'inhumer leurs dépouilles mortelles avec des objets funéraires qu'il y a un siècle ou deux. Ce faisant, ils ont mis fin à une longue tradition.

Je suis heureux de la faire revivre.

Presque tout ce que nous savons du passé nous vient du mobilier funéraire. On m'a traité de pilleur de tombes. C'est faux. Je ne suis pas un voleur, mais un recycleur. J'ai fait fortune grâce aux richesses que des imbéciles croyaient emporter avec eux dans l'autre monde. J'ai décidé de les imiter et de m'enterrer avec tous mes biens terrestres. La seule différence entre eux et moi, c'est que je ne suis pas un imbécile. Je sais qu'il n'y a pas d'autre monde où je pourrais profiter de mes richesses. Contrairement à eux, je meurs sans illusions. Quand on est mort, on est mort. On n'est qu'un gros sac de viande, de graisse, de cervelle et d'os en décomposition. Rien de plus.

J'emporte mes richesses dans la tombe pour une tout autre raison. Une raison très importante. Une raison qui vous concerne tous les trois.

Il marqua un temps d'arrêt et fixa la caméra. Ses mains tremblaient encore un peu et les muscles de sa mâchoire se détendaient.

«Bon sang de bois, murmura Philip, les poings serrés, en se levant à demi de son siège. C'est incroyable.»

Maxwell Broadbent approcha les feuillets pour se remettre à lire, bredouilla quelques mots, hésita, se leva d'un seul coup et lança la liasse sur le bureau. *Bordel de merde*, gronda-t-il en faisant reculer son fauteuil d'un mouvement brusque. *Ce que j'ai à vous dire est trop important pour prendre la forme d'une saloperie de discours.* Il contourna le bureau à grandes enjambées. Son imposante présence emplissait l'écran et, par extension, la pièce où les cinq hommes étaient assis. Il commença à marcher devant l'objectif, l'air agité, en caressant sa barbe courte.

Ce n'est pas facile. Je ne sais vraiment pas comment vous expliquer.

Il tourna les talons et revint sur ses pas.

Quand j'ai quitté Erie, en Pennsylvanie, pour aller à New York avec trente-cinq dollars et le vieux costume de mon père. Pas de famille, pas d'amis, pas de diplôme universitaire. Rien. Papa était un brave type, mais il était maçon. Maman était morte. J'étais du genre seul au monde.

« Encore cette histoire », gémit Philip.

C'était l'automne 1963. J'ai arpenté le trottoir jusqu'à ce que je trouve un boulot, un boulot de merde, comme plongeur chez Mama Gina, à l'angle de la 88ᵉ Est et de Lex. Un dollar vingt-cinq de l'heure.

Philip secoua la tête. Quant à Tom, il se sentait engourdi.

Broadbent arrêta de faire les cent pas pour se planter devant le bureau, face à la caméra. Légèrement voûté, il leur lança un regard de braise. *Je vous vois, tous les trois. Philip, tu dois secouer la tête d'un air affligé. Tom, tu dois être debout, occupé à jurer. Et toi, Vernon, tu me prends pour un cinglé. Bon Dieu, je vous vois, tous les trois. Je vous plains sincèrement. Ce n'est pas facile.*

Il se remit à marcher. *Le restaurant n'était pas loin du Metropolitan Museum of Art. Un jour, sur un coup de tête, j'y suis entré et ma vie a changé. Avec mes derniers dollars, je me suis offert un abonnement et j'ai commencé à y aller tous les jours. Je suis tombé amoureux de l'endroit. Quelle révélation ! Je n'avais jamais vu une telle beauté, une telle...* Il fit un geste de la main. *Bon Dieu, mais vous savez déjà tout ça.*

« C'est sûr », confirma Philip d'un ton sec.

L'important, c'est que j'ai commencé avec rien. Nada. *J'ai travaillé d'arrache-pied. J'avais un but, une vision précise de ce que serait ma vie. Je lisais tout ce qui me tombait sous la main. Schliemann et la découverte de Troie, Howard Carter et le tombeau de Toutankhamon, John Lloyd Stephens et la cité de Copán, les fouilles de la villa des Mystères, à Pompéi. Je rêvais de découvrir des trésors comme ceux-ci, de les déterrer, de les posséder. Je me demandais tout le temps : où reste-t-il des tombes et des temples à découvrir ? La réponse était : en Amérique centrale. Là-bas, on pouvait encore trouver une cité perdue. Là-bas, j'avais encore une chance.*

Il se tut et ouvrit un coffret posé sur le bureau. Il en sortit un cigare, le prépara et l'alluma.

« Bon sang de bois, s'écria Philip. Ce vieux est *incorrigible*. »

Broadbent éteignit l'allumette d'un geste, puis la lança sur le plateau. Son visage se fendit d'un large sourire. Il avait des dents magnifiques, d'un blanc étincelant. *De toute façon, je vais mourir. Pourquoi ne pas profiter des quelques mois qui me restent ? N'est-ce pas, Philip ? Toujours fumeur de pipe ? Si j'étais toi, j'arrêterais.*

Il se détourna et reprit sa marche en laissant derrière lui de petits nuages bleus. *Enfin ! J'ai économisé jusqu'à ce que j'aie assez pour aller en Amérique centrale. J'y suis allé non parce que je voulais m'enrichir – quand bien même ça faisait partie du lot, j'en conviens –, mais parce que j'étais passionné. Et je l'ai trouvée. J'ai trouvé ma cité perdue.*

Il fit volte-face et se remit à longer le bureau.

Ça, c'était au début. Ça m'a mis le pied à l'étrier. Je n'ai vendu des tableaux et des antiquités que pour financer ma collection. Regardez.

Il s'immobilisa, tendit le bras et ouvrit la main pour montrer les œuvres invisibles dont la maison était pleine.

Voici le résultat. Une des plus grandes collections privées du monde. Ce ne sont pas que des choses. Chaque pièce a son histoire, un souvenir qui lui est associé. Les circonstances dans lesquelles je l'ai vue, la façon dont je suis tombé amoureux d'elle, dont je l'ai acquise. Chaque pièce est une partie de moi-même.

Il saisit un objet de jade placé sur son bureau et le tendit à la caméra.

Par exemple, cette tête olmèque que j'ai découverte dans une tombe de Piedra Lumbre. Je me souviens de la date... de la chaleur, des serpents... et je me souviens que je l'ai vue, gisant dans la poussière de la sépulture où elle était restée deux mille ans.

«La jouissance du voleur...» grommela Philip.

Maxwell Broadbent reposa la tête. *Depuis deux mille ans, elle attendait là. Une pièce d'une beauté si exquise qu'on en pleurerait. J'aimerais pouvoir vous décrire mes sentiments quand j'ai vu cette tête de jade parfaite qui gisait là, dans la poussière. Elle n'avait pas été créée pour végéter dans le noir. Je me suis porté à son secours et je l'ai ramenée à la vie.*

Sa voix se brisa sous le coup de l'émotion. Il fit silence, toussota et baissa les yeux. Puis il tâtonna derrière lui pour trouver le dossier du fauteuil, se rassit et posa son cigare dans un cendrier placé sur le côté. Revenant face à l'objectif, il se pencha sur le bureau.

Je suis votre père. Tous les trois, je vous ai vus grandir. Je vous connais mieux que vous ne vous connaissez vous-mêmes.

«Ça reste à prouver», commenta Philip.

Pendant que vous grandissiez, j'ai constaté, à mon grand désarroi, que vous aviez le sentiment d'être des privilégiés, que tout vous était dû. Le syndrome du gosse de riche. Vous aviez le sentiment de ne pas avoir à trop travailler, à trop étudier, à trop exiger de vous-mêmes parce que vous étiez les fils de Maxwell Broadbent. Parce que, un jour, sans même lever votre saloperie de petit doigt, vous seriez riches.

Incapable de maîtriser son énergie, il se redressa. *Voyez-vous, je sais que j'en suis le principal responsable. J'ai cédé à tous vos caprices, je vous ai acheté tout ce que vous vouliez, je vous ai envoyés dans les meilleures écoles privées, je vous ai traînés dans toute l'Europe. Je me sentais coupable d'avoir divorcé et du reste. Le mariage n'était pas pour moi, je crois. Et qu'est-ce que j'ai fait ? J'ai élevé trois gamins qui, au lieu de mener une vie de rêve, attendent leur héritage.* De grandes espérances, *nouvelle version...*

« N'importe quoi ! » protesta Vernon d'une voix irritée.

Philip, tu es assistant en histoire de l'art dans un institut universitaire de Long Island. Tom, tu es vétérinaire pour chevaux dans l'Utah. Et toi, Vernon, je ne sais même pas ce que tu fabriques aujourd'hui. Tu dois vivre quelque part, dans un ashram où tu donnes tout ton argent à un gourou de pacotille.

« Faux ! s'exclama Vernon. Va te faire foutre ! »

Tom ne savait que dire. Une tension nauséeuse se manifestait dans son estomac.

Et pour couronner le tout, vous ne vous entendez pas. Vous n'avez jamais appris à collaborer, à être frères. J'ai commencé à me demander : qu'est-ce que j'ai fait ? Quel père ai-je été ? Ai-je appris l'indépendance à mes fils ? Leur ai-je appris la valeur du travail ? Leur ai-je appris à ne compter que sur eux-mêmes ? Leur ai-je appris à prendre soin les uns des autres ?

Il marqua une pause et lança presque un cri : *Non !*

Avec tout ça, les écoles, l'Europe, les parties de pêche et de camping, j'ai élevé trois quasi-ratés. Bon Dieu, je suis responsable du résultat. Il faut assumer. Et puis j'ai appris que j'étais mourant et j'ai paniqué. Comment allais-je réparer les dégâts ?

Il s'interrompit. Sa respiration était forte et son teint avait viré au rouge.

Pour vous faire réfléchir, rien de tel que de sentir la mort vous souffler son haleine de chacal au visage. Je devais trouver quoi faire de ma collection. Bordel de merde, je n'allais certainement pas la léguer à un musée ou à une université pour qu'une bande de culs serrés se pâment dessus ! Ni laisser une saloperie de salle des ventes ou de marchand s'enrichir avec le fruit de mon dur labeur, le démanteler et le disperser aux quatre vents, alors que j'avais passé ma vie à le constituer. Pas question !

Il se tamponna le front, referma le poing sur son mouchoir et l'agita en direction de la caméra.

J'avais toujours prévu de vous la léguer. Mais au moment de passer à l'acte, j'ai compris que c'était le pire service que je pouvais vous rendre. Je n'allais pas vous refiler un demi-milliard de dollars que vous n'aviez pas gagné.

Il retourna derrière le bureau, cala son énorme masse dans le fauteuil et prit un autre cigare dans un coffret en cuir.

Regardez-moi. Je fume toujours. Maintenant, c'est trop tard.

Il alluma le cigare après l'avoir décapité. Le nuage de fumée perturba la mise au point automatique de la caméra. L'image devint floue. L'objectif avança et recula en peinant à trouver le bon réglage. Quand le nuage fut sorti du champ par la gauche, le beau visage carré de Maxwell Broadbent redevint brusquement net.

C'est alors que j'ai trouvé. Une idée lumineuse. Toute ma vie, j'avais fouillé des tombes et vendu des objets funéraires. Je connaissais toutes les ruses qui permettent de cacher une sépulture, tous les pièges à cons, tout. Soudain, j'ai compris que ça aussi, je pouvais l'emporter avec moi. Et que je pourrais alors vous transmettre un véritable héritage.

Il se tut, serra les mains l'une contre l'autre et se pencha en avant.

Vous allez gagner cet argent. Je me suis organisé pour m'enterrer avec ma collection dans une tombe, quelque part sur la planète. Je vous mets au défi de me retrouver. Si vous y arrivez, vous pourrez piller ma sépulture et tout sera à vous. C'est le défi que je vous lance, mes fils.

Il prit une profonde inspiration en s'efforçant de sourire.

Je vous préviens : ça va être difficile et dangereux. Rien de ce qui compte dans l'existence n'est facile. Et pour

*corser le tout, sachez que vous ne réussirez jamais si vous
ne collaborez pas.*

Il posa son énorme poing sur le bureau.

*Voilà, en gros. Dans ma vie, je n'ai pas fait grand-chose
pour vous. Mais, bon Dieu, je vais me rattraper dans ma
mort.*

Il se releva, s'approcha de la caméra et tendit le bras
pour l'éteindre. Puis, comme s'il se ravisait, il s'immobilisa. Son visage flou remplissait l'écran.

*Comme je n'ai jamais été du genre sentimental, je
me contenterai de vous dire au revoir. Au revoir Philip,
Vernon et Tom. Au revoir et bonne chance. Je vous aime.*

Le noir se fit.

5

Victime d'une paralysie temporaire, Tom restait assis sur le canapé. Hutch Barnaby fut le premier à réagir. Il se leva et toussota délicatement pour mettre fin au silence consterné qui régnait au salon.

«Fenton? On dirait que notre présence ici n'est plus nécessaire.»

L'interpellé acquiesça de la tête et se mit debout avec maladresse. Son visage était rougeaud.

Barnaby se tourna vers les frères et porta poliment le doigt à son chapeau. «Comme vous le constatez, la police n'est pas concernée. À vous de… régler cette affaire en famille.» Fenton et lui se dirigèrent vers l'arche qui ouvrait sur le vestibule. Ils avaient hâte de partir.

Philip se dressa. «Inspecteur Barnaby.» Sa voix était à moitié étouffée.

«Oui?

— Je vous fais confiance pour n'en parler à personne. Ça nous desservirait si… le monde entier se mettait à chercher cette tombe.

— Bien vu. On n'a aucune raison d'en parler à qui que ce soit. Absolument aucune. Je vais décommander les gars du labo.» Il sortit à reculons et disparut. Un peu plus tard, les trois frères entendirent la grande porte d'entrée se refermer bruyamment.

Ils restèrent muets.

«Quel fils de pute, dit Philip d'une voix calme. C'est incroyable!»

Tom tourna les yeux vers le visage livide de son frère. Il savait que Philip menait la grande vie avec son simple traitement d'assistant. Son frère avait besoin d'argent. Sans doute avait-il déjà commencé à le dépenser.

Vernon prit la parole. « Qu'est-ce qu'on fait, maintenant ? »

Ses paroles résonnèrent dans la pièce.

« Je ne le crois pas, ce vieux salaud, continua Philip. Emporter dans la tombe une dizaine de tableaux de maîtres anciens, sans parler de ces jades ou de ces ors mayas inestimables ! Je suis effondré. » Il sortit un mouchoir de soie de sa veste et s'en tamponna le front. « Il n'avait pas le *droit*.

— Alors, qu'est-ce qu'on fait ? », répéta Vernon.

Philip le dévisagea. « On cherche la tombe, évidemment.

— Et comment ?

— Pour s'enterrer avec un demi-milliard de dollars, il faut se faire aider par quelqu'un. On doit trouver cet individu.

— J'ai des doutes, déclara Tom. Il n'a jamais fait confiance à personne.

— Il n'a pas pu y arriver tout seul, objecta Vernon.

— En même temps… ça lui ressemble *tellement* ! lança soudain Philip.

— Il a peut-être laissé des indices. » Vernon s'approcha des tiroirs du secrétaire, en ouvrit un et farfouilla à l'intérieur en jurant. Il en ouvrit un deuxième, puis un troisième, avec tant de vigueur que le tiroir tomba au sol en répandant tout son contenu : des cartes à jouer, un plateau de tric-trac indien, un jeu d'échecs, des damiers chinois. Tom se souvenait de chacun d'eux. Les anciens jeux de son enfance étaient désormais jaunis et usés par le temps. Il sentit un nœud froid se former dans sa poitrine. Voilà à quoi ils en étaient réduits. Vernon lâcha un nouveau juron et donna un coup de pied aux jeux, dont les pièces s'éparpillèrent dans le salon.

« Inutile de mettre la maison sens dessus dessous ! », s'écria Tom.

Sourd à cette réflexion, Vernon continuait à ouvrir des tiroirs et à les renverser par terre.

Après avoir sorti sa pipe d'une poche de son pantalon, Philip la porta à sa bouche d'une main tremblante. « Tu perds ton temps. Allons chez Marcus Hauser. C'est lui, la clé de l'énigme. »

Vernon s'immobilisa. « Hauser ? Père ne l'a pas revu depuis quarante ans.

— Ils ont passé deux ans ensemble en Amérique centrale. Si quelqu'un connaît Père, c'est bien lui.

— Père *déteste* Hauser.

— J'espère qu'ils se sont réconciliés quand il est tombé malade. »

Philip alluma un briquet en or dont la flamme fut aspirée dans le fourneau de la pipe, qui émit un gargouillis.

Vernon s'agitait dans la maison. Tom l'entendait ouvrir des placards, extraire des livres des rayonnages et faire tomber des bibelots.

« Je vous le dis, Hauser est dans le coup. Il faut faire vite. J'ai des dettes... des obligations », insista Philip.

Vernon revint muni d'une boîte pleine de documents qu'il déversa sur la table basse. « Alors comme ça, tu dilapides déjà ton héritage ? » ironisa-t-il.

Philip lui jeta un regard glacial. « Qui a demandé vingt mille dollars à Père l'an dernier ?

— C'était un emprunt. » Vernon commença à s'escrimer sur les papiers, à feuilleter les classeurs et à les jeter au sol. Tom vit leurs vieux bulletins de l'école primaire tomber d'un dossier. Il s'étonna que leur père ait pris la peine de les conserver, vu l'insatisfaction que les notes de ses fils lui procuraient.

« Tu l'as remboursé ? demanda Philip.

— Je vais le faire.

— Bien sûr », lâcha Philip d'un ton sarcastique.

Vernon s'empourpra. « Et les quarante mille dollars qu'il a dépensés pour t'envoyer à la fac ? Tu les lui as rendus ?

— C'était un cadeau. Il a aussi payé l'école vétérinaire de Tom, n'est-ce pas, Tom ? Et si *toi*, tu étais allé à l'université, il aurait financé tes études. Mais tu es parti vivre en Inde avec ton *swami* à la mords-moi-le-nœud. »

Un silence tendu succéda à cette sortie.

« Va te faire foutre », explosa Vernon.

Le regard de Tom passait d'un frère à l'autre. Ils recommençaient, comme ils l'avaient fait des milliers de fois. D'habitude, il intervenait et s'efforçait de calmer le jeu. Très souvent, ça n'arrangeait rien.

« Toi aussi, va te faire foutre », répondit Philip. Il referma les dents sur le tuyau de sa pipe avec un bruit sec et tourna les talons.

« Attends ! » s'écria Vernon. Trop tard. Quand Philip se mettait en colère, il s'en allait. C'était reparti. La maison vacilla quand il claqua la grande porte.

« Enfin, Vernon, tu ne pourrais pas choisir un autre moment pour déclencher les hostilités ?

— Qu'il aille se faire mettre. C'est lui qui a commencé, non ? »

Tom n'aurait même pas su dire qui avait commencé.

De retour à son bureau, Barnaby s'assit dans son fauteuil, posa un nouveau gobelet sur son ventre et regarda par la fenêtre. Fenton prit place sur l'autre siège, un café à la main, et contempla le sol d'un air lugubre.

« Fenton, arrête d'y penser. Ce sont des choses qui arrivent.

— C'est incroyable.

— Je sais, c'est dingue, ce type qui s'enterre avec un demi-milliard de dollars. Ne t'en fais pas. Un jour, quelqu'un d'ici commettra le crime qui fera la une du *New York Times* et tu seras cité dans l'article. Cette fois-ci, ce n'était pas la bonne. »

Fenton laissait son café – et sa déception – se refroidir.

« Je l'ai su avant même de regarder cette vidéo, reprit Barnaby. Je m'en suis douté. Quand j'ai compris que ce n'était pas une escroquerie à l'assurance, j'ai eu une illumination. Ça ferait un film d'enfer, tu ne trouves pas ?

Le vieux plein aux as qui embarque toutes ses merdes avec lui. »

Fenton ne répondit rien.

« À ton avis, il s'y est pris comment ? Réfléchis. Il lui a fallu de l'aide. Il y avait beaucoup d'objets. On ne trimballe pas plusieurs tonnes d'œuvres d'art à travers le monde sans se faire remarquer. »

Fenton sirotait son café.

Barnaby leva les yeux vers l'horloge et les baissa sur les documents qui jonchaient son bureau. « On a deux heures pour déjeuner. Comment se fait-il qu'il ne se passe jamais rien d'intéressant dans cette ville ? Regarde-moi ça. De la drogue, encore de la drogue. Pourquoi ils ne vont pas braquer une banque, ces gosses ? Ça nous changerait un peu. »

Fenton finit son gobelet. « C'est là. »

Silence.

« Qu'est-ce que tu essaies de me dire ? Qu'est-ce que ça signifie : *c'est là ?* Et alors ? Des tas de trucs sont là. »

Fenton écrasa son gobelet.

« Tu n'aurais pas une idée derrière la tête, toi ? » reprit Barnaby.

Fenton lança le gobelet dans la poubelle.

« Tu viens de dire que c'était là. J'aimerais bien savoir ce que tu entends par là.

— On va le prendre.

— Et puis ?

— Et puis on va le garder. »

Barnaby éclata de rire. « Tu me scies. Au cas où tu ne l'aurais pas remarqué, on est des *officiers de police judiciaire*. Ce détail t'a échappé ? On est censés être *honnêtes*.

— Mouais, marmonna Fenton.

— Bien, reprit Barnaby au bout d'un moment. L'honnêteté. Si tu n'as pas ça, alors qu'est-ce que tu as ?

— Un demi-milliard de dollars », répondit Fenton.

6

Dans un film avec Humphrey Bogart, le bâtiment aurait pris l'aspect d'un vieil immeuble en grès brun. En l'occurrence, il se présentait comme un horrible gratte-ciel des années 1980, une monstruosité de verre et d'acier qui vacillait au-dessus de la 57e Rue Ouest. Le loyer devait être élevé, se dit Philip. Dans ce cas, Marcus Aurelius Hauser était un détective privé qui avait réussi.

Lorsqu'il fut entré dans le hall, Philip eut l'impression de déambuler à l'intérieur d'un gigantesque cube de granit poli. Les lieux empestaient le produit détergent. Une touffe de bambous maladifs poussait dans un coin. Un ascenseur le propulsa au trentième étage et il ne tarda pas à faire face aux portes de merisier qui ouvraient sur les bureaux de « Marcus Hauser, DP ».

Il marqua un temps d'arrêt sur le seuil. Cet intérieur postmoderne incolore, tout d'ardoise grise, de moquette industrielle et de granit noir ne ressemblait en rien à l'image qu'il s'était faite du local d'un privé. Comment pouvait-on travailler dans un espace aussi stérile ? La pièce paraissait vide.

« C'est à quel sujet ? » fit une voix venue d'au-delà d'un mur semi-circulaire en briques de verre.

Après avoir contourné cette cloison, Philip vit le dos d'un homme assis à un vaste bureau en forme de haricot. Au lieu de regarder la porte, le type était tourné vers une baie vitrée qui donnait à l'ouest sur le gris métallisé de l'Hudson. Sans faire volte-face, il désigna un fauteuil de la main. Philip franchit l'espace qui l'en séparait, y prit place et se mit à étudier Marcus Hauser, ancien Béret vert du Vietnam, ancien pilleur de tombes, ancien lieutenant, ancien membre du Bureau des alcools, tabacs et armes à feu, et responsable d'une agence qui avait son siège social à Manhattan.

Dans l'album de photos de son père, il avait vu Hauser jeune, flou, en tenue de camouflage, une espèce de fusil appuyé sur la hanche. Le garçon souriait constamment. Lorsqu'il le découvrit en chair et en os, Philip se sentit légèrement décontenancé. Hauser lui parut plus petit qu'il ne l'avait imaginé. Trop bien habillé, il portait un costume marron, un gilet, une épingle de col, une chaîne en or et une montre à gousset. Un ouvrier singeant l'aristocratie. Il sentait l'eau de Cologne. Il avait surchargé de gel les rares cheveux qui lui restaient et les avait plaqués en boucles pour que chaque mèche couvre au mieux une partie de sa calvitie. Des bagues en or scintillaient sur au moins quatre de ses doigts. Il avait des mains soignées, aux ongles propres et limés. Ses narines étaient méticuleusement épilées. Même son crâne, luisant sous sa protection capillaire, donnait l'impression d'avoir été ciré et lustré. Philip se demanda si c'était bien le Marcus Hauser qui avait parcouru la jungle en compagnie de son père pour y chercher des cités perdues et des tombeaux antiques. Peut-être y avait-il erreur sur la personne.

Il s'éclaircit la voix. «Monsieur Hauser?

— Marcus.» La réponse avait été rapide et sonore, pareille à une bonne balle de volée au tennis. Haut perchée, nasillarde et affligée d'un accent populaire, sa voix était également déconcertante. Quant à ses yeux, ils étaient aussi verts et froids que ceux d'un crocodile.

Troublé, Philip croisa les jambes en sens inverse. Sans en demander l'autorisation, il sortit sa pipe et se mit à la bourrer. Le voyant faire, Hauser sourit. Il ouvrit le tiroir de son bureau et y saisit une boîte dans laquelle il prit un énorme Churchill. «Content de voir que vous fumez», dit-il en faisant rouler le cigare entre ses doigts parfaits. Il tira de sa poche une guillotine ornée d'un monogramme doré et décapita le Churchill. « Il ne faut pas laisser la victoire aux barbares ! » Après avoir allumé son barreau de chaise, il se renfonça dans son siège et regarda le visiteur à travers un nuage de fumée. « Que puis-je pour le fils de mon vieil ami Maxwell Broadbent ? demanda-t-il.

— Pouvons-nous parler librement ?

— Bien entendu.

— Il y a six mois, on a diagnostiqué un cancer sur la personne de mon père. » Philip se tut pour observer Hauser et vérifier si celui-ci était au courant. Le visage de son interlocuteur était aussi opaque que le bureau d'acajou. « Un cancer du poumon, poursuivit-il. Après l'avoir opéré, on l'a traité, comme tout le monde, par chimio et rayons. Il a arrêté les cigares et obtenu une rémission. Pendant un moment, on a cru qu'il s'en était sorti. Et puis c'est revenu de plus belle. Il a repris une chimiothérapie, mais il avait horreur de ça. Un jour, il a arraché l'aiguille de la perfusion, assommé un infirmier et pris la porte. Il a acheté un coffret de Cuba Libre en chemin et n'est jamais revenu. On lui avait donné six mois à vivre. C'était il y a trois mois. »

Hauser écoutait en tirant sur son Churchill.

Philip garda le silence. « Il vous a contacté ? »

Le privé secoua la tête et aspira une nouvelle bouffée. « Pas depuis quarante ans.

— Le mois dernier, reprit Philip, il a disparu avec sa collection. Il nous a laissé une vidéo. »

Hauser haussa les sourcils.

« Ses dernières volontés, une espèce de testament dans lequel il disait qu'il l'emportait dans la tombe.

— Qu'il faisait *quoi* ? » Hauser se pencha en avant. Un intérêt subit se lisait sur ses traits. Le masque était tombé. Son étonnement était sincère.

« Qu'il l'emportait avec lui. Tout. L'argent, les œuvres d'art. Comme un pharaon. Il s'est enterré dans une sépulture, quelque part sur la planète, et nous a lancé un défi. Si nous la découvrons, nous pouvons la piller.

Voyez-vous, c'est sa façon de nous faire mériter notre héritage. »

Après s'être adossé au fauteuil, Hauser partit d'un rire long et bruyant. Lorsqu'il se fut calmé, il aspira paresseusement deux ou trois bouffées de son cigare, tendit la main et en fit tomber une cendre longue d'un demi-centimètre. « Seul Max pouvait manigancer un coup pareil.

— Alors vous ne savez rien de cette histoire ? s'inquiéta Philip.

— Rien. » Hauser avait l'air de dire vrai.

« Vous êtes détective privé », reprit Philip.

Hauser fit passer le cigare d'une commissure des lèvres à l'autre.

« Vous avez grandi avec Max. Vous avez passé un an dans la jungle avec lui. Vous le connaissez, lui et ses méthodes de travail, mieux que personne. Je me demandais si, en qualité de détective privé, vous accepteriez de m'aider à trouver son tombeau. »

Hauser laissa un filet de fumée bleue s'échapper de sa bouche.

« Je n'ai pas l'impression qu'il s'agisse là d'une mission difficile, ajouta Philip. Une collection comme celle-ci n'a pas dû voyager sans se faire remarquer.

— Sauf si elle est enfermée dans son Gulfstream IV.

— Je doute qu'il ait choisi un avion pour dernière demeure.

— Les Vikings se faisaient bien inhumer dans leurs bateaux ! Max a peut-être protégé son trésor dans un conteneur hermétique et pressurisé, avant de piquer dans l'océan, au-dessus de la plaine abyssale du Pacifique, où il est recouvert par trois kilomètres d'eau.

— Non », parvint à lâcher Philip. Il s'essuya le front et s'efforça d'occulter l'image du Lippi, enfoui dans la vase océane à trois mille mètres de profondeur. « Vous n'y croyez pas vraiment, n'est-ce pas ?

— Je n'ai pas dit qu'il l'avait fait. Je vous présente simplement le fruit de dix secondes de réflexion. Vous travaillez avec vos frères ?

— Demi-frères. Non. J'ai décidé de trouver la tombe moi-même.

— Quels sont leurs projets ?

Je n'en sais rien et, franchement, je m'en fiche. Bien sûr, je partagerai ma découverte avec eux.

— Parlez-moi d'eux.

— Tom est sans doute celui qu'il faut surveiller le plus. C'est le benjamin. Enfant, c'était un casse-cou. Le premier à plonger du haut d'une falaise ou à lancer des pierres sur les nids de guêpes. Il s'est fait renvoyer de deux ou trois écoles, mais il s'est racheté une conduite à la fac. Depuis, il est irréprochable.

— Et l'autre ?

— Actuellement, il fait partie d'une secte pseudo-bouddhique dirigée par un ancien prof de philo à Berkeley. Il a toujours été paumé. Il a tout essayé : la drogue, la religion, les gourous, les groupes de parole. Petit, il nous ramenait des chats estropiés, des chiens écrasés, des oisillons poussés hors du nid par leurs frères. Tout ce qu'il rapportait à la maison mourait. À l'école, tout le monde adorait le taquiner. Il a arrêté la fac et n'a jamais pu garder un emploi. C'est un bon petit gars, mais un adulte... *incompétent*.

— Que font-ils aujourd'hui ?

— Tom a regagné son ranch, dans l'Utah. Aux dernières nouvelles, il a abandonné l'idée de chercher la tombe. Vernon dit qu'il va la découvrir tout seul. Il ne veut pas m'associer à sa quête.

— À part vos frères, quelqu'un est-il au courant ?

— Deux flics de Santa Fe ont vu la cassette et connaissent toute l'histoire.

— Leurs noms ?

— Barnaby et Fenton. »

Hauser prit quelques notes. Une lumière se mit à clignoter sur le téléphone, dont le privé décrocha le combiné. Il écouta un long moment, répondit avec douceur et rapidité, passa un appel, puis un deuxième et enfin un troisième. Contrarié de le voir traiter d'autres affaires devant lui, Philip avait l'impression de perdre son temps.

Hauser raccrocha. «Des femmes, des petites amies dans les parages?

— Cinq ex-épouses, dont quatre en vie et une décédée. Aucune petite amie digne de ce nom.»

La lèvre supérieure de Hauser se retroussa légèrement. «Max a toujours été un homme à femmes.»

Une fois de plus, le silence s'éternisa. Le privé semblait plongé dans ses pensées. Au grand déplaisir de Philip, il donna un autre coup de fil à voix basse et finit par reposer le combiné.

«Bon. Philip, que savez-vous de moi?

— Que vous avez accompagné mon père lors d'une exploration de plusieurs mois en Amérique centrale et que vous vous êtes brouillé avec lui.

— C'est exact. On a passé près de deux ans à chercher des tombes mayas non excavées. Dans les années 1960, c'était plus ou moins légal. On a trouvé quelques bricoles, mais c'est après mon départ que Max a frappé un grand coup et qu'il est devenu riche. Moi, je suis allé au Vietnam.

— Et la brouille? Père n'en parlait jamais.»

Il y eut un bref instant de silence. «Vraiment?

— Oui.

— Je m'en souviens à peine. Vous savez ce qui se passe quand deux personnes ne se quittent pas pendant longtemps. Elles se tapent mutuellement sur les nerfs.» Il posa son cigare dans un cendrier de cristal taillé. Aussi gros qu'une assiette à soupe, l'objet pesait sans doute dix kilos. Philip se demanda s'il n'avait pas commis une erreur en venant voir Hauser. Celui-ci ne semblait pas faire le poids.

Le téléphone clignota de nouveau et le privé décrocha. C'était la goutte d'eau qui faisait déborder le vase. Philip se leva. «Je reviendrai quand vous serez moins occupé», dit-il d'un ton sec.

Hauser agita un doigt bagué d'or pour lui signifier qu'il devait attendre. Il écouta une minute, puis raccrocha. « Dites-moi, Philip, qu'y a-t-il de si extraordinaire au Honduras ?

— Je ne vois pas le rapport.

— C'est là que Max est allé. »

Philip le regarda avec intensité. « Alors, comme ça, vous saviez ! »

Hauser sourit. « Pas du tout. Je viens de l'apprendre par cet appel. Il y a presque un mois, son pilote l'a conduit avec tout un chargement dans une ville qui s'appelle San Pedro Sula. De là, il a loué un hélicoptère de l'armée pour se rendre à la Laguna de Brus. Et là, il s'est volatilisé.

— Vous venez de l'apprendre ? »

Hauser lâcha de nouveau un imposant jet de fumée. « Je suis détective privé.

— Et plutôt bon, à ce que je vois. »

D'un air méditatif, Hauser souffla un autre nuage. « J'en saurai beaucoup plus dès que j'aurai parlé au pilote. Quelle sorte de chargement l'avion transportait, son poids... Votre père n'a rien fait pour effacer ses traces jusqu'au Honduras. Vous savez que nous y avons séjourné ? Je ne suis pas surpris qu'il y soit retourné. C'est une belle terre, dont l'intérieur est le plus impénétrable du monde. Une jungle épaisse, inhabitée, montagneuse, coupée de gorges profondes et bordée par la côte des Moustiques. Je crois qu'il est allé là-bas, dans l'arrière-pays.

— C'est plausible. »

Au bout d'un moment, Hauser reprit la parole. « Je vais m'occuper de cette affaire. »

Irrité, Philip n'avait pas le souvenir de la lui avoir proposée. Néanmoins, ce type avait déjà prouvé ses compétences. Puisqu'il connaissait toute l'histoire, il se montrerait sans doute à la hauteur. « Nous n'avons pas parlé de vos émoluments.

— Il me faut une avance. Je crois que les frais vont être élevés. Dès qu'on opère dans un pays merdique du tiers-monde, on doit arroser tous les Tomás, les Rico et les Orlando qu'on y croise.

— J'avais pensé vous intéresser aux bénéfices, s'empressa de préciser Philip. Si nous récupérons la collection, vous aurez, disons, un petit pourcentage. Je dois vous rappeler que j'ai l'intention de partager avec mes frères. Ce n'est que justice.

— L'intéressement, c'est bon pour les avocats à la petite semaine. J'ai besoin d'un acompte. Si je réussis, je toucherai aussi des émoluments.

— Un acompte ? De combien ?

— Deux cent cinquante mille dollars. »

Philip faillit éclater de rire. « Qu'est-ce qui vous fait penser que j'ai cet argent ?

— Je ne *pense* jamais, monsieur Broadbent. Je sais. Vendez le Klee. »

Philip sentit un instant son cœur s'arrêter de battre. « Quoi ?

— Vendez la *Blaue Kirche*, cette grande aquarelle de Klee que vous possédez. Quelle merveille ! Je pourrais vous trouver un acquéreur pour quatre cent mille. »

Philip explosa. « La vendre ? Jamais. Mon père me l'a donnée. »

Hauser haussa les épaules.

« Et d'abord, comment savez-vous qu'elle m'appartient ? » reprit Philip.

Hauser sourit et ouvrit les mains. Ses paumes blanches et douces ressemblaient à deux arums. « Vous voulez engager le meilleur privé, n'est-ce pas, monsieur Broadbent ?

— Oui, mais c'est du chantage.

— Laissez-moi vous expliquer comment je travaille. » Il se pencha en avant. « Je suis au service d'une affaire, pas d'un client. Quand j'accepte de m'occuper d'une affaire, je la résous sans m'attacher aux conséquences que le client subira. Je garde l'avance. Et si je réussis, je touche des émoluments.

— Cette discussion est absurde. Je ne vendrai pas le Klee.

— Le client peut perdre son sang-froid et vouloir se dégager. Des trucs très moches peuvent arriver à des gens très bien. J'embrasse les enfants, j'assiste aux obsèques, mais je continue jusqu'à ce que l'affaire soit réglée.

— Vous ne pouvez pas me demander de vendre ce tableau. C'est le seul objet de valeur qui me vienne de mon père. Je l'adore. »

Sous le regard fixe de Hauser, Philip sentit sa contenance vaciller. Les yeux de cet homme étaient vides. Son visage restait calme, impassible. « Prenez-le comme ceci : ce tableau représente le sacrifice auquel vous devez consentir pour récupérer votre héritage. »

Philip hésitait. « Vous croyez réussir ?

— Oui. »

Philip l'observa. Il pourrait toujours racheter l'aquarelle plus tard. « D'accord. Je vendrai le Klee. »

Hauser plissa davantage les yeux. Il tira précautionneusement une autre bouffée et ôta le cigare de sa bouche. « Si je réussis, mes émoluments se monteront à un million de dollars », déclara-t-il. Puis il ajouta : « Nous n'avons pas beaucoup de temps, monsieur Broadbent. Je nous ai déjà réservé deux places pour San Pedro Sula. Nous partons la semaine prochaine. »

7

Quand il eut mis fin à sa psalmodie, Vernon prit quelques instants pour rester tranquillement assis, les yeux fermés, dans la salle sombre et fraîche, de sorte que son esprit remonte à la surface. Lorsque la conscience lui fut revenue, il commença à percevoir au loin les battements du Pacifique et à sentir l'air salé se mêler au parfum de myrrhe qui imprégnait le *vihara*. À travers ses paupières, la lueur des bougies imprimait un tressaillement rougeâtre à sa vision intérieure.

Il ouvrit les yeux, inspira profondément et se leva en veillant à ne pas troubler la fragile impression de paix et de sérénité que cette heure de méditation lui avait procurée. Il s'avança vers la porte et s'immobilisa pour contempler, au-delà des collines de Big Sur tapissées de chênes verts et de *manzanitas*, l'immensité bleue de l'océan. Le vent qui s'engouffrait sous sa robe le rafraîchissait.

Il vivait à l'ashram depuis plusieurs mois. À trente-cinq ans, il croyait avoir enfin trouvé l'endroit où il voulait rester. La route avait été longue. Elle avait débuté par deux années passées en Inde avant de se poursuivre par la pratique de la méditation transcendantale, l'étude de la théosophie, l'intégration de l'EST et de Life Spring, et même par un flirt avec le christianisme. Il avait rejeté le matérialisme de son enfance et s'était efforcé de dégager la vérité profonde de son existence. Ce choix qui, aux yeux des autres – et surtout de ses frères –, passait pour un gâchis, lui semblait fait de richesse et de dépassement. À quoi servait de vivre, sinon à découvrir le *pourquoi* ?

Grâce à son héritage, il pouvait désormais être source de véritables bienfaits. Non pour lui seul, mais pour autrui. Il avait une chance de faire quelque chose pour le monde. Mais comment ? Devait-il essayer de trouver la tombe par lui-même ? Devait-il faire appel à un de ses frères ? Philip était un con, mais peut-être Tom voudrait-il joindre ses forces aux siennes. Vernon devait prendre une décision. Et vite.

Il retroussa sa robe de lin et entreprit de descendre le sentier qui menait à la cabane du Maître. Nichée au creux d'un paisible vallon, à l'ombre de grands chênes, cette construction basse en séquoia surplombait le Pacifique. Chemin faisant, il croisa Chao, le jeune Asiatique qui s'occupait des courses du Maître. Chargé d'un gros sac de courrier, le garçon jovial gravissait la pente en bondissant. Vernon aspirait à cette vie calme et sans complications. Dommage qu'elle lui revienne si cher...

Lorsqu'il contourna la colline, il aperçut la cabane. Il marqua un temps d'arrêt – le Maître l'intimidait un peu – avant de se remettre résolument en marche. Il frappa à la porte. Au bout d'un moment, une voix basse et vibrante s'éleva des profondeurs de la bâtisse : « Entre, sois le bienvenu. »

Il ôta ses sandales sur la véranda et franchit le seuil. Simple, voire ascétique, la maison de style japonais s'ornait de cloisons coulissantes tendues de papier de riz. Le sol était couvert de nattes beiges et d'un parquet lustré. L'intérieur sentait la cire d'abeille et l'encens. Le doux bruit de l'eau s'y faisait entendre. À travers une série d'ouvertures, Vernon voyait, au fond de la demeure, le jardin japonais, ses rochers moussus, son gravier ratissé et son bassin aux fleurs de lotus épanouies. Le Maître, lui, était invisible.

Le jeune homme se tourna vers une autre perspective. À sa gauche, au bout d'une enfilade de portes, il distinguait une adolescente, vêtue d'une robe et pieds nus, dont l'immense tresse blonde à la russe était piquée de fleurs fanées. Elle tranchait des légumes dans la cuisine du Maître.

« Vous êtes là, Maître ? » s'écria-t-il.

La jeune fille poursuivit son ouvrage.

« Par ici », répondit la voix grave.

Vernon se dirigea vers l'endroit d'où elle provenait. Dans sa salle de méditation, le Maître était assis en tailleur sur une natte. Sans se lever, il ouvrit des yeux d'un bleu azur. Debout, Vernon attendait respectueusement. Le corps sain et beau du Maître était drapé dans une simple robe en lin de couleur naturelle. La longue chevelure grise peignée en arrière qui couronnait son crâne légèrement dégarni lui donnait un faux air de Léonard de Vinci. Ses paupières se plissaient avec malice sous des arcades sourcilières à la courbe puissante, taillées dans le large dôme de son front. Une barbe poivre et sel soignée complétait ce visage. Il s'exprimait d'une voix douce, sous-tendue par un agréable vibrato rocailleux, avec un léger accent de Brooklyn qui dénotait en lui l'homme d'extraction modeste. Il avait environ soixante ans – personne ne connaissait son âge exact. Jadis professeur de philosophie à Berkeley sous le nom d'Art Brewer, il avait renoncé à son poste pour se consacrer à la vie de l'esprit. À l'ashram, il avait fondé une communauté vouée à la prière, à la méditation et à la croissance spirituelle. Agréablement dépourvue d'étiquette, sa vision s'inspirait vaguement du bouddhisme, mais rejetait la discipline excessive, l'intellectualisme, le célibat et le fatalisme qui avaient tendance à gâter cette tradition religieuse. L'ashram se présentait comme une magnifique retraite, située dans un ravissant décor où, sous la bienveillante conduite du Maître, chacun pratiquait à sa façon moyennant sept cents dollars par semaine, gîte et couvert compris.

« Assieds-toi », dit le Maître.

Vernon s'exécuta.

« Comment puis-je t'aider ?

— C'est au sujet de mon père. »

Le Maître écoutait.

Vernon rassembla ses idées, prit une profonde inspiration et raconta le cancer de Maxwell Broadbent, l'héritage ainsi que la tombe à découvrir. Un long silence suivit son récit. Il se demandait si le Maître allait lui conseiller de renoncer, car il se souvenait de ses nombreux commentaires sur la nocivité de l'argent.

« Prenons un thé », déclara le Maître d'une voix exceptionnellement tendre, tout en posant la main sur le coude de Vernon. Il commanda le breuvage, que la jeune fille à la natte leur apporta. Tous deux le sirotèrent en silence, puis le Maître demanda : « À combien exactement s'élève l'héritage ?

— Je suppose que, déduction faite des impôts, ma part se montera à cent millions. »

Les deux gorgées de thé que le Maître avala parurent interminables à Vernon. Si cette somme surprenait son interlocuteur, celui-ci n'en laissait rien transparaître. « Méditons. »

Vernon ferma lui aussi les paupières. Il peinait à se concentrer sur son mantra. Les questions auxquelles il était confronté le perturbaient, car elles lui semblaient gagner en complexité à mesure qu'il y réfléchissait. Cent millions de dollars. Les mots, qui comptaient autant de pieds que ceux du mantra, se mêlaient à sa méditation et l'empêchaient de parvenir à la paix, au silence intérieur. *Cent millions de dollars. Om mani padme hum. Cent millions de dollars.*

Il éprouva un certain soulagement en constatant que le Maître levait la tête. Le grand homme prit les mains de Vernon et les enferma dans les siennes. Ses yeux bleus brillaient d'un éclat inhabituel.

« Peu d'êtres se voient offrir cette chance. Il ne faut pas la laisser passer.

— C'est-à-dire ? »

Le Maître se leva et s'exprima d'une voix forte. « Nous devons récupérer cet héritage. Sur-le-champ. »

8

Lorsque Tom eut prodigué les derniers soins au cheval, le soleil qui se couchait au-dessus de la *mesa* de Toh Ateen projetait de longues ombres dorées sur les buissons d'armoise et de chamise. Derrière lui s'élevait une muraille de grès sculpté, haute de trois cents mètres, qui rougeoyait dans la lumière déclinante. Il jeta un dernier coup d'œil à l'animal, lui tapota l'encolure et se tourna vers la petite Navajo à qui il appartenait. « Il va s'en sortir. C'est juste une colique du sable. »

Un sourire de soulagement illumina le visage de la jeune Indienne.

« Il a faim. Qu'il fasse quelques tours de corral. Après, donne-lui de l'avoine où tu auras versé une cuillerée de psyllium. Ensuite, qu'il boive. Attends une demi-heure et fais-lui manger du foin. Il ira bien. »

L'aïeule navajo qui avait parcouru plus de sept kilomètres à cheval pour aller le chercher à la clinique vétérinaire – comme d'habitude, la route était inondée – lui prit la main. « Merci, docteur. »

Tom s'inclina légèrement. « À votre service. » Il avait hâte de regagner Bluff. Il était heureux que la route soit impraticable, ce qui lui avait fourni un prétexte pour effectuer cette longue chevauchée. Le trajet lui avait fait perdre une demi-journée, mais la piste l'avait mené à travers certains des plus beaux paysages du Sud-Ouest. Cette région de roches rouges se caractérisait par la présence de couches de grès, datant du jurassique et connues sous le nom de Formation de Morrison, où abondaient les fossiles de dinosaures. De nombreux canyons auxquels il était difficile d'accéder remontaient vers la *mesa*. Tom se demanda si les paléontologues avaient déjà exploré le site. Sans doute pas. Un jour, se dit-il, il y ferait une petite excursion...

Il secoua la tête en souriant. Le désert était l'endroit idéal où se nettoyer l'esprit. Et il avait eu un sacré nettoyage à faire... Cette histoire de fous avec son père représentait le plus grand choc de sa vie.

« Ça fait combien, docteur ? » demanda la grand-mère en le tirant de sa rêverie.

Il promena les yeux sur le *hogan* miteux en papier goudronné, sur la voiture en panne à demi enfouie sous les amarantes et sur les moutons efflanqués qui traînaient dans l'enclos.

« Cinq dollars. »

La vieille Indienne plongea la main dans son corsage violacé et en sortit quelques billets tachés. Elle en compta cinq avant de les lui remettre.

Tom venait de porter un doigt à son chapeau et de se retourner pour aller chercher sa monture lorsqu'il aperçut un minuscule nuage de poussière à l'horizon. Les deux Navajos l'avaient aussi remarqué. Un cavalier venu du nord approchait au galop. Sa silhouette noire grandissait dans la vaste cuvette dorée du désert. Inquiet, Tom se demanda s'il ne s'agissait pas de Shane. Il aurait fallu une urgence absolue pour que son confrère vienne le chercher à cheval.

Quand la silhouette se fit plus précise, il s'aperçut que ce n'était pas Shane, mais une femme. Elle montait Knock.

La cavalière entra au trot dans la réserve. Elle était couverte de la poussière du voyage. L'écume aux lèvres, Knock soufflait bruyamment. La jeune femme s'immobilisa et mit pied à terre. Elle avait monté à cru, sans même s'aider d'une bride, sur une douzaine de kilomètres de désert. Complètement dingue. Et pourquoi lui avait-elle pris son meilleur cheval, et non une des vieilles rosses de Shane ? Celui-là, il allait le tuer.

Elle avança à grands pas dans sa direction. « Sally Colorado, déclara-t-elle. J'ai essayé de vous trouver à la clinique, mais votre collègue m'a dit que vous étiez ici. Alors je suis venue. » Elle secoua la chevelure miel qui lui tombait sur les épaules et lui tendit la main. Pris de court, Tom la saisit. La chemise de coton blanc qu'elle avait rentrée dans ses jeans mettait sa taille fine en valeur. Un léger parfum de menthe flottait autour d'elle. Quand elle souriait, l'effet produit était si intense que ses iris semblaient virer du vert au bleu. À ses oreilles pendaient des boucles de turquoise. La couleur de ses yeux était toutefois plus riche que celle de la pierre.

Au bout d'un moment, Tom s'aperçut qu'il lui tenait toujours la main. Il la lâcha.

« Il fallait que je vous voie, reprit-elle. Je ne pouvais pas attendre.

— Une urgence ?

— Pas d'ordre vétérinaire, si c'est ce que vous voulez dire.

— Alors de quel ordre ?

— Je vous expliquerai sur le chemin du retour.

— Merde alors ! explosa Tom. Je n'arrive pas à croire que Shane vous ait donné mon meilleur cheval pour le monter comme ça, sans selle ni bride. Vous auriez pu y rester !

— Il ne me l'a pas donné. » Elle souriait.

« Mais comment vous l'avez eu ?

— Je l'ai volé. »

Après quelques secondes de consternation, Tom parvint à éclater de rire.

Le soleil était couché lorsqu'ils repartirent pour Bluff. Ils chevauchaient côte à côte. Tom finit par rompre le silence. « Bon. J'aimerais bien savoir ce qui vous a poussée à voler un cheval et à risquer la mort.

— Eh bien… hésita-t-elle.

— Je suis tout ouïe, mademoiselle… Colorado, si vous vous appelez vraiment comme ça.

— Je sais, ça fait rire. Mon grand-père était artiste de music-hall. Il allait de ville en ville, déguisé en Indien, pour colporter des remèdes miracle. Colorado était son nom de scène. Comme c'était mieux que Smith, notre ancien patronyme, il l'a gardé. Mais appelez-moi Sally.

— D'accord, Sally. J'écoute votre histoire. » Il se surprit à éprouver un sentiment de plaisir en la regardant chevaucher. Elle se comportait comme si elle était née à cheval. Sans doute avait-il fallu dépenser beaucoup d'argent pour lui donner cette assise droite, souple et équilibrée.

« Je suis anthropologue, commença-t-elle. Plus exactement, ethnopharmacologue. J'étudie la médecine autochtone avec Julian Clyve, à Yale. C'est lui qui a déchiffré les glyphes mayas il y a quelques années. Magnifique travail ! On en a parlé dans toute la presse.

— Je n'en doute pas. » Elle avait un profil nettement découpé, un petit nez et une curieuse façon de projeter sa lèvre inférieure. Lorsqu'elle souriait, une fossette apparaissait sur un seul côté de sa bouche. Ses cheveux d'un or foncé dessinaient une vague brillante sur ses épaules avant de retomber dans son dos. C'était une femme d'une beauté stupéfiante.

« M. Clyve a réuni la plus grande collection d'écrits mayas du monde. Elle regroupe tous les textes en langue maya ancienne qu'on connaisse et se compose de frottis réalisés sur des reliefs, de pages de *Codex* ainsi que de reproductions d'inscriptions sur poteries ou tablettes. Les chercheurs viennent de partout la consulter. »

Tom imaginait sans peine un vieil universitaire gâteux farfouillant parmi des piles de manuscrits poussiéreux.

« Les inscriptions les plus longues figuraient dans ce qu'on appelle des *Codex*, des livres que les Mayas confectionnaient avec du papier d'écorce. Les Espagnols, qui voyaient en eux l'œuvre du diable, en ont brûlé la plupart, mais deux ou trois exemplaires incomplets ont réussi à survivre ici et là. On n'avait jamais trouvé aucun *Codex* maya complet. Jusqu'à ce que, l'année dernière, M. Clyve découvre *ça* au fond d'un meuble de classement qui avait appartenu à un de ses collègues décédés. »

Elle sortit un document plié de sa poche de poitrine et le tendit à Tom. C'était une vieille photocopie jaunissante d'une page de manuscrit, couverte de glyphes, dont les marges s'ornaient de dessins représentant des feuilles et des fleurs. Tom, à qui elle rappelait quelque chose, se demanda où il l'avait vue.

« Dans l'histoire de l'humanité, l'écriture a été inventée à trois endroits différents, notamment en pays maya, poursuivit-elle.

— J'ai un peu perdu l'habitude de lire le maya. Que dit ce texte ?

— Il décrit les propriétés médicinales d'une plante qui pousse dans la forêt pluviale d'Amérique centrale.

— Elle sert à quoi ? À guérir le cancer ? »

Sally sourit. « Si seulement ! Cette plante s'appelle le *k'ik'-te*, l'« arbre à sang ». Le texte explique qu'on en fait bouillir l'écorce, qu'on y ajoute un alcali à base de cendre et qu'on applique la pâte ainsi obtenue en cataplasme sur les blessures.

— Très intéressant. » Tom lui rendit le document.

« C'est plus qu'intéressant. C'est médicalement correct. L'écorce contient un léger antibiotique. »

Ils étaient arrivés au plateau de rochers glissants. Un couple de coyotes hurlait à la mort au fond d'un lointain canyon. Dès lors, ils devraient chevaucher l'un derrière l'autre. Sally suivit Tom, qui l'écoutait.

« Cette page provient d'un *Codex* de médecine. Elle a sans doute été écrite vers 800, à l'apogée de la civilisation classique. L'ouvrage renferme *deux mille* prescriptions et préparations médicinales à base de plantes, mais aussi de tout ce qu'abrite la forêt : la faune et même les minéraux. Il contient peut-être le remède contre le cancer, ou au moins de certaines formes de cancer. M. Clyve m'a demandé de dénicher son propriétaire pour lui demander l'autorisation de traduire et de publier le texte. C'est le seul *Codex* maya complet qu'on connaisse. Ce serait le couronnement éclatant d'une carrière déjà remarquable.

— Pour vous aussi, j'imagine.

— Oui. Ce livre regroupe tous les secrets de la jungle accumulés au fil des siècles. Cette forêt pluviale est la plus riche du monde. Elle recèle des centaines de milliers d'espèces végétales et animales, dont un grand nombre reste inconnu de la science. Les Mayas n'ignoraient rien de ses plantes, de ses bêtes, de tout ce qu'elle renferme. *Et tout leur savoir se trouve dans cet ouvrage.* »

Elle força sa monture à trotter pour rejoindre Tom. Ses cheveux libres se balançaient dans son dos lorsqu'elle parvint à la hauteur du jeune homme. « Vous vous rendez compte de ce que ça signifie ?

— Pour sûr, répondit Tom. Mais la médecine a bien progressé depuis l'époque des anciens Mayas. »

Elle grommela. « Vingt-cinq pour cent de tous les médicaments nous viennent des plantes. Mais seul un demi pour cent des deux cent soixante-cinq mille espèces végétales a été étudié sous l'angle de ses vertus curatives. Imaginez un peu le potentiel ! L'aspirine, le médicament le plus efficace, celui qui a connu le plus grand succès, a été découverte dans l'écorce d'un arbre que les autochtones utilisaient pour traiter les douleurs. Le Taxol, un important remède anticancéreux, est aussi issu de l'écorce d'un arbre. L'igname nous a donné la cortisone, et la digitale un médicament pour le cœur. La pénicilline provient d'une moisissure. Tom, ce *Codex* peut être la plus grande découverte médicale de tous les temps.

— Je vois où vous voulez en venir.

— Quand M. Clyve et moi l'aurons traduit et publié, la médecine connaîtra une *révolution*. Et si vous n'êtes pas convaincu, écoutez la suite. La forêt pluviale d'Amérique centrale disparaît sous la scie des bûcherons. Ce livre la sauvera. Tout d'un coup, elle vaudra beaucoup plus debout que couchée. Les laboratoires pharmaceutiques verseront des *milliards* de royalties aux pays où elle s'étend.

« — En réalisant sans doute quelques bénéfices substantiels. Mais quel est le rapport entre ce livre et moi ? »

La pleine lune se levait sur les Hobgoblin Rocks, qu'elle colorait d'argent. La soirée s'annonçait délicieuse.

« Le *Codex* appartient à votre père. »

Tom immobilisa son cheval et regarda Sally.

« Maxwell Broadbent l'a volé dans une tombe maya il y a une quarantaine d'années. Il a écrit à Yale pour demander qu'on l'aide à le traduire. Mais à l'époque, l'écriture maya n'était pas encore déchiffrée. L'homme qui a reçu le document a cru à un faux et l'a classé dans un vieux dossier sans même répondre. Quarante ans plus tard, M. Clyve l'a découvert. Il a aussitôt compris qu'il était authentique. Personne n'aurait pu imiter l'écriture maya il y a quarante ans, pour la bonne raison que personne ne savait la lire. M. Clyve, lui, sait. En fait, c'est le seul homme sur terre qui sache lire le maya couramment. J'essaie de joindre votre père depuis des semaines, mais il semble avoir disparu de la surface de la planète. En désespoir de cause, j'ai fini par me lancer sur votre piste. »

Après l'avoir dévisagée dans l'obscurité croissante, Tom se mit à rire.

« Qu'y a-t-il de si drôle ? », demanda-t-elle, piquée au vif.

Il prit une profonde inspiration. « Sally, j'ai une mauvaise nouvelle à vous annoncer. »

Quand Tom eut achevé son récit, il y eut un long silence.

« C'est une plaisanterie ! s'exclama enfin Sally.

— Non.

— Il n'avait pas le droit !

— Il a pris le gauche.

— Qu'allez-vous faire ? »

Il soupira. « Rien.

— Comment ça ? Vous ne voulez tout de même pas renoncer à votre héritage ? »

Il ne répondit pas tout de suite. Ils avaient atteint le sommet du plateau, où ils marquèrent une pause pour admirer le panorama. La myriade de canyons qui dévalaient en direction du lit du San Juan se découpaient en noir, comme reproduits à l'identique, sur le paysage baigné par le clair de lune. Au-delà, Tom distinguait l'amas jaune des lumières de Bluff et, à la lisière de la ville, les bâtiments où il avait établi sa modeste clinique vétérinaire. À gauche s'élevait l'immense colonne vertébrale en pierre de la Comb Ridge dont les os prenaient un aspect fantomatique. Cette vue lui rappela une fois de plus la raison de sa présence en ces lieux. Quelques jours après avoir appris ce que son père avait fait de leur héritage, il avait rouvert un de ses livres préférés : *La République*. Encore sous le choc, il avait relu le passage où Platon rapporte le mythe d'Er, dans lequel Ulysse doit se prononcer sur la condition qui sera sienne dans une autre vie. Or que choisit-il, le grand Ulysse, le guerrier, l'amant, le navigateur, l'explorateur, le roi ? D'être un anonyme, « méprisé par autrui », vivant dans un endroit isolé. Tout ce qu'il veut, c'est une existence paisible et simple.

Platon approuvait ce choix. Tom aussi.

Voilà pourquoi, à l'origine, il avait tenu à s'installer à Bluff. La vie avec un père comme Maxwell Broadbent était impossible. Elle était faite d'une suite incessante d'exhortations, de défis, de compétitions, de critiques et de leçons. Il était venu à Bluff pour y échapper, tourner la page et trouver la sérénité. Et aussi à cause de Sarah. Broadbent avait même essayé de trouver des petites amies à ses fils. Quel désastre !

Il risqua un coup d'œil en direction de Sally. La brise nocturne faisait onduler les cheveux de la cavalière, dont le visage était éclairé par la lune. En proie au plaisir, mais aussi à une crainte révérencielle, elle entrouvrait les lèvres face au spectacle. Une main sur la cuisse, son corps svelte reposant avec légèreté sur la selle... Bon Dieu, qu'elle était belle !

Il repoussa cette image avec irritation. Désormais, sa vie correspondait assez bien à ce qu'il avait voulu en faire. Il n'avait pas réussi à devenir paléontologue – son père l'en avait empêché –, mais le travail de vétérinaire dans l'Utah lui avait paru presque aussi désirable. Pourquoi tout gâcher ? Il était déjà passé par là. « Oui, finit-il par répondre. Je renonce.

— Pourquoi ?

— Je ne suis pas certain de pouvoir l'expliquer.

— Essayez.

— Vous devez savoir qui est mon père. Toute notre vie, il s'est efforcé de contrôler ce que nous faisions, mes frères et moi. Il nous a *dirigés*. Il avait de grands projets pour nous. Quoi que je fasse, quoi que nous fassions, ce n'était jamais assez bien. Nous n'étions jamais assez bien pour lui. Et maintenant, voilà autre chose. Je ne veux plus jouer. Ça suffit comme ça. »

Il se tut et se demanda pourquoi il lui en disait tant.

« Continuez, insista-t-elle.

— Il voulait que je sois médecin. Moi, je voulais être paléontologue, pour chercher des fossiles de dinosaures. Il trouvait ça ridicule, « infantile », comme il disait… Nous sommes tombés d'accord sur l'école vétérinaire. Naturellement, il voulait que je m'établisse dans le Kentucky, que je m'occupe de chevaux de course qui valent des millions de dollars, peut-être que je devienne chercheur en médecine équine, que je fasse de grandes découvertes et que j'inscrive le nom de Broadbent dans les livres d'histoire. Au lieu de ça, je suis venu ici, dans cette réserve navajo. C'est ce que je veux, ce que j'*aime*. Ces chevaux et ces gens ont besoin de moi. Et ce paysage du sud de l'Utah est le plus beau du monde. On y trouve certains gisements de fossiles du jurassique et du crétacé parmi les plus magnifiques qui soient. Pour mon père, mon installation chez les Indiens représentait un échec et une déception considérables. Il n'y avait rien à gagner, ni argent ni prestige, rien d'*éblouissant*. Je lui avais pris son argent pour aller à l'école vétérinaire et je l'avais grugé en m'établissant ici. »

Il garda le silence. Cette fois-ci, il en avait vraiment trop dit.

« Et c'est tout ? Vous allez laisser filer l'héritage, le *Codex* et le reste ?

— Exactement.

— Comme ça ?

— La plupart des gens n'héritent jamais. Je ne vis pas mal de mon métier. J'aime cette existence, cette terre. Regardez autour de vous. Que voulez-vous de plus ? »

Il s'aperçut qu'elle le regardait, lui, et non le paysage. L'éclat argenté de la lune se reflétait dans la chevelure blonde. « À *combien* allez-vous renoncer, si je peux me permettre cette question ? » demanda-t-elle.

Une fois de plus, un frisson le parcourut lorsqu'il repensa à la somme. « Grosso modo, à cent millions de dollars. »

Elle siffla. Un long silence s'ensuivit. Un coyote hurlait dans un canyon situé en contrebas. Un autre hurlement lui répondit. Elle finit par s'écrier : « Nom d'un chien, vous avez un de ces courages ! »

Il haussa les épaules.

« Et vos frères ? poursuivit-elle.

— Philip s'est rapproché d'un ancien ami de mon père avec qui il va chercher la tombe. Vernon se débrouille seul, à ce que j'ai entendu dire. Pourquoi ne faites-vous pas équipe avec un des deux ? »

Elle le scruta dans le noir. « J'ai déjà essayé, déclara-t-elle. Vernon a quitté le pays il y a une semaine et Philip a également disparu. Ils sont allés au Honduras. Vous représentiez mon dernier espoir. »

Il secoua la tête. « Au Honduras ? Ça va vite... Quand ils reviendront avec le butin, vous pourrez leur demander le *Codex*. Je vous donne ma bénédiction. »

Autre long silence. « Je ne veux pas courir ce risque. Ils n'ont pas la moindre idée de ce que c'est, de ce qu'il vaut. Tout peut arriver, précisa-t-elle.

— Navré. Je ne peux rien pour vous.

— M. Clyve et moi avons besoin de votre aide. Le *monde* a besoin de votre aide. »

Il regardait fixement les sombres buissons de cotonniers qui poussaient dans la plaine alluviale du San Juan. Au loin, le hululement d'un hibou s'éleva d'un genévrier.

« Ma décision est prise », dit-il.

Elle gardait les yeux rivés sur lui. Sa lourde chevelure en désordre lui couvrait les épaules et le dos. Sa lèvre inférieure s'était rétractée. Le clair de lune filtré par les cotonniers semait sur son corps un mouchetis argenté que la brise fraîche faisait ondoyer. « Vraiment ? »

Il soupira. « Vraiment.

— Aidez-moi au moins un peu. Je ne demande pas grand-chose. Venez avec moi à Santa Fe. Vous me présenterez aux avocats de votre père, à ses amis. Vous me parlerez de ses voyages, de ses habitudes. Donnez-moi deux jours. S'il vous plaît. Rien que deux jours.

— Non.

— Vous avez déjà vu un cheval mourir ?

— Mille fois.

— Un cheval que vous aimiez ? »

Il pensa aussitôt à Pedernal, qui avait succombé à un streptocoque résistant aux antibiotiques. Il ne retrouverait jamais une bête aussi belle.

« De meilleurs médicaments ne l'auraient pas sauvé ? », souffla-t-elle.

Les yeux de Tom se portèrent sur les lumières de Bluff. Deux jours. C'était bien peu. Elle avait touché juste. « D'accord. Vous avez gagné. »

9

Lewis Skiba, directeur général des laboratoires pharmaceutiques Lampe-Denison, était assis à sa table de travail. Immobile, il contemplait la ligne des gratte-ciel qui bordaient l'avenue des Amériques, en plein cœur de Manhattan. Une pluie de fin d'après-midi obscurcissait la ville. Dans le bureau lambrissé, il n'entendait que le murmure du feu de bois qui brûlait dans une cheminée en marbre de Sienne du XVIIIe siècle. Ce bruit lui rappelait des temps meilleurs. La journée n'avait pas été fraîche, mais il avait poussé l'air conditionné au maximum pour pouvoir faire une flambée. Il trouvait la flamme apaisante. Elle lui rappelait son enfance, la vieille cheminée de la cabane en planches, les raquettes entrecroisées au-dessus de l'âtre et le cri des huards qui nageaient sur le lac voisin. Bon Dieu, si seulement il était là-bas…

Presque à son insu, sa main ouvrit le petit tiroir du bureau et se referma sur un flacon en plastique. Il le décapsula de l'ongle du pouce, attrapa une dragée de forme ovoïde, la mit dans sa bouche et la mâcha. C'était amer, mais ça calmait l'attente. Un petit scotch pour faire glisser… Il tendit le bras gauche, fit coulisser un panneau mural, attrapa un verre à whisky ainsi qu'une bouteille de Macallan de soixante ans d'âge et s'en versa une bonne rasade. Le liquide avait la couleur profonde de l'acajou. Une goutte d'Évian fraîche libérait l'arôme. Il porta le verre à ses lèvres et avala une profonde gorgée en savourant son goût de tourbe, de houblon, de mers froides, de lande écossaise et d'*amontillado* espagnol.

À mesure qu'un sentiment de paix descendait sur lui, il s'imagina avec envie disparaissant à la nage dans un océan de lumière. S'il devait en arriver là, il lui suffirait d'une vingtaine de ces dragées et du reste du Macallan pour s'enfoncer à jamais dans le grand bleu. Pas besoin d'invoquer le Cinquième Amendement devant le Congrès ni de jouer les pauvres DG incompétents et mal conseillés devant la *Security and Exchange Commission*[1]. Pas de ces conneries façon Kenneth Lay. Il serait son propre juge, son propre jury et son propre bourreau. Son père, sergent dans l'armée, lui avait inculqué le sens de l'honneur.

La seule chose qui aurait pu sauver l'entreprise, mais qui au contraire la faisait couler, c'était cette nouvelle molécule qu'ils croyaient avoir mise au point. Le phloxatane. Alors qu'ils avaient de l'or dans les mains, les collectionneurs de jetons avaient jugé prudent de commencer à réduire les dépenses de recherche et développement à long terme pour faire grimper les bénéfices à court terme. Selon eux, les analystes n'allaient rien remarquer, ce qui avait été le cas au début. Tout avait marché comme sur des roulettes et l'action avait crevé le plafond. Ils avaient alors entrepris de transférer les coûts de marketing sur la R & D amortissable. Les analystes n'y voyaient toujours que du feu et l'action continuait de progresser. Ensuite, ils avaient assigné les pertes à des associés inconsistants, voire inexistants, des îles Caïmans et des Antilles néerlandaises, inscrit les prêts à la rubrique des bénéfices et claqué toutes les liquidités restantes en rachat d'actions de l'entreprise afin de faire encore plus gonfler les prix – et, bien entendu, la valeur des stock-options attribuées aux cadres supérieurs. L'action s'était envolée. Ils avaient vendu et gagné des millions. Bon Dieu, quel jeu enivrant ! Ils avaient violé toutes les lois, toutes les règles et tous les règlements

---

1. La *Security and Exchange Commission* (SEC) est l'équivalent américain de l'Autorité des marchés financiers (AMF) en France.

décrits dans les livres. Faisant appel à toute sa créativité, leur directeur financier en avait inventé d'autres, à enfreindre également. Mais ces soi-disant boursicoteurs de haut vol s'étaient révélés à peu près aussi intuitifs que Boniface, l'ours qui voulait gagner un dollar par minute.

Désormais, ils étaient en fin de course. Il n'y avait plus de règles à faire plier ou à transgresser. Le marché s'était enfin réveillé, l'action s'était effondrée et ils n'avaient plus de cartes à sortir de leur manche. Les charognards volaient en rond au-dessus de la tour Lampe, 725, avenue des Amériques, en croassant le nom de Skiba.

Une main tremblante glissa la clé dans la serrure et le tiroir s'ouvrit. Skiba mâcha une nouvelle dragée amère et se versa une deuxième rasade de scotch.

Un bourdonnement annonça l'arrivée de Graff.

Graff, le directeur financier de génie grâce à qui ils en étaient réduits à ces extrémités.

Skiba prit une gorgée d'Évian, s'en rinça la bouche, l'avala et en prit une deuxième, puis une troisième. Il se passa la main dans les cheveux, se renfonça dans son siège et afficha une expression de circonstance. Il sentait déjà grandir cette légèreté d'être qui prenait naissance dans sa poitrine pour gagner ses extrémités, lui remontait le moral et lui donnait le sentiment d'être entouré d'un halo doré.

Lorsqu'il fit pivoter son fauteuil, son regard se posa sur les trois beaux enfants qui lui souriaient dans leur cadre d'argent. À regret, ses yeux se portèrent sur le visage de Mike Graff, qui venait d'entrer. Curieusement délicat, pris de la tête aux pieds dans une impeccable tenue en laine, soie et coton, le directeur financier se tenait devant lui. Chez Lampe, il avait été le jeune protégé promis à un brillant avenir. *Forbes* lui avait consacré un portrait, il avait été courtisé par les analystes et les responsables de banques d'investissement, sa cave était citée en exemple dans *Bon Appétit*, et sa maison dans *Architectural Digest*. Désormais, le protégé n'était plus promis à rien. Il lui tenait la main alors que tous deux effectuaient le saut de l'ange du haut du Grand Canyon.

« Qu'y a-t-il de si important que ça ne puisse attendre notre réunion de l'après-midi ? s'enquit aimablement Skiba.

— Il y a dehors un type dont tu dois faire la connaissance. Il a une proposition intéressante à nous faire. »

Skiba ferma les yeux. Soudain, une fatigue mortelle s'empara de lui. Le sentiment d'euphorie s'était évanoui. « Mike, tu ne crois pas que nous en avons assez eu, de tes « propositions » ?

— Celle-ci est différente. Fais-moi confiance. »

Les mots résonnèrent dans la pièce. D'un geste de la main, Skiba lui signifia que plus rien n'avait d'importance. Il entendit la porte s'ouvrir et leva les yeux. Vêtu d'un costume à larges revers, surchargé d'or, un arnaqueur de bas étage se tenait devant lui. Le genre à disposer artistement trois poils sur le vide sidéral de son crâne et à juger le problème réglé.

« Bon Dieu, Mike...

— Lewis, l'interrompit Graff en se précipitant vers le bureau, voici Marcus Hauser, détective privé, ancien enquêteur du BATAF. Il veut nous montrer quelque chose. » Le directeur financier prit la feuille de papier que le visiteur tenait à la main et la remit à Skiba.

Celui-ci baissa les yeux. Elle était couverte de symboles étranges et ses marges s'ornaient de dessins représentant des plantes grimpantes. C'était dément. Graff pétait les plombs.

« Cette page est extraite d'un manuscrit maya du IXe siècle, insista l'ex-protégé. Ça s'appelle un codex. C'est un catalogue de deux mille pages, consacré aux remèdes tirés de la forêt pluviale, à leur extraction et à leur mode d'emploi. »

Skiba sentit une chaleur se répandre sur sa peau à mesure qu'il absorbait l'information. C'était tout bonnement incroyable.

« Comme je te le dis ! reprit Graff. Des milliers de prescriptions pharmaceutiques autochtones, qui identifient les substances actives contenues dans les plantes, les mammifères, les insectes, les moisissures... On n'a que l'embarras du choix. Tout le savoir médical des anciens Mayas dans un seul volume. »

Skiba leva les yeux sur Graff avant de les tourner vers Hauser. « Où avez-vous déniché ça ? »

Toujours debout, le visiteur avait croisé ses mains dodues devant lui. Il s'était parfumé avec une espèce d'après-rasage ou d'eau de Cologne bon marché. Skiba en était sûr.

« Ça appartenait à un de mes vieux amis. » Sa voix était haut perchée, irritante et affligée d'un accent qui rappelait celui de Brooklyn. Al Pacino prépubère.

« Monsieur Hauser, il faudra dix ans et un demi-milliard de dollars en R & D pour que ces substances se retrouvent sur le marché, déclara Skiba.

— C'est vrai. Mais imaginez leur impact sur le prix de l'action *à l'heure actuelle*. Si j'ai bien compris, vous êtes dans un beau merdier. » Sa main grassouillette décrivit un cercle en désignant la pièce.

Skiba l'observa. Ce fils de pute était bien insolent. Il méritait d'être fichu à la porte *illico*.

« L'action Lampe a ouvert ce matin à quatorze dollars trente-sept, poursuivit Hauser. En décembre dernier, elle s'échangeait à cinquante. Vous détenez deux millions de stock-options d'une valeur préférentielle comprise entre trente et trente-cinq, qui doivent expirer dans les deux prochaines années. Aujourd'hui, elles ne valent rien, sauf si vous parvenez à faire remonter le prix de l'action. Par-dessus le marché, votre nouvelle grande molécule contre le cancer, le phloxatane, fait un vrai four. L'Agence du médicament va lui refuser son agrément. »

Écarlate, Skiba se leva. « Comment osez-vous me raconter ces mensonges ici, dans mon bureau ? D'où tenez-vous cette information erronée ?

— Monsieur Skiba, répondit Hauser d'une voix suave, arrêtons là les conneries. Je suis détective privé et ce manuscrit entrera en ma possession dans un mois, un mois et demi tout au plus. Je veux vous le vendre. Et je *sais* que vous en avez besoin. Je pourrais aussi bien le proposer à GeneDyne ou aux laboratoires pharmaceutiques Cambridge. »

Skiba déglutit avec peine. Il était stupéfait de voir à quelle vitesse la lucidité pouvait revenir. « Comment être certain qu'il ne s'agit pas d'une embrouille ? »

Graff intervint. « J'ai vérifié, Lewis. Tout est nickel. »

Skiba toisa le représentant de commerce dans son costume ringard. Il tenta à nouveau d'avaler sa salive, mais il avait la bouche sèche. Ils étaient donc tombés si bas ! « Faites-moi une proposition, monsieur Hauser.

— Le manuscrit se trouve au Honduras, précisa l'interpellé.

— Vous êtes donc en train de vendre la peau de l'ours...

— Pour le récupérer, il me faut de l'argent, des armes et du matériel. Je cours d'énormes risques. J'ai dû commencer à agir en urgence. Ça ne va pas être donné.

— Ne jouez pas les marlous, monsieur Hauser.

— Qui est le marlou, ici ? Des irrégularités, vous en avez jusqu'au cou. Si la SEC savait que, depuis quelque temps, M. Graff et vous faites passer les coûts de marketing pour de la R & D amortissable à long terme, vous quitteriez cette tour les menottes aux poignets. »

Le regard de Skiba coulissa de Hauser à Graff. Le directeur financier était blême. Le brusque craquement d'une bûche mit fin au silence. Skiba sentit un muscle tressaillir dans le creux de son genou gauche.

« Lorsque je vous aurai remis le *Codex* et que vous l'aurez authentifié, comme vous ne manquerez pas de le faire, vous transférerez cinquante millions de dollars sur un compte offshore de mon choix. C'est le marché que je vous propose. Non négociable. Il suffit de dire oui ou non.

— Cinquante millions ? C'est complètement délirant. N'y pensez plus. »

Hauser tourna les talons et se dirigea vers la sortie.

« Attendez ! s'écria Graff en se dressant d'un bond. Rien de ce qui vient d'être dit n'est coulé dans le bronze ! » La transpiration perlait sur son crâne rasé de près tandis qu'il courait derrière l'homme en costume de plouc.

Celui-ci continuait de marcher.

« Nous sommes toujours ouverts à… Monsieur Hauser ! »

La porte claqua au nez de Graff. Le privé était parti.

Agité de tremblements, le directeur financier se tourna vers Skiba.

« Il faut l'arrêter ! »

Skiba garda le silence un moment. Hauser avait dit vrai. S'ils mettaient la main sur ce manuscrit, la nouvelle inverserait à elle seule le mouvement de l'action. En même temps, cinquante millions, c'était du chantage. Traiter avec ce genre de personnage lui semblait odieux. Mais il y avait des choses contre lesquelles on ne pouvait rien. « Il n'y a qu'une façon de régler une dette, déclara-t-il. Mais il y a plusieurs millions de façons de ne pas la régler. Tu dois le savoir, Mike. »

Un sourire apparut sur le visage en sueur de Graff.

Skiba composa un numéro interne. « Ne laissez pas le visiteur sortir de la tour. Dites-lui que nous sommes d'accord et ramenez-le ici. »

Il reposa le combiné sur son support et se tourna vers Graff. « J'espère pour nous deux que ce type est fiable.

— Oui. J'ai bien vérifié. Le *Codex* existe et la page qu'il nous a montrée est authentique. »

Quelques instants plus tard, Hauser se tenait sur le seuil.

« Vous aurez vos cinquante millions, convint Skiba. Maintenant, asseyez-vous et faites-nous part de votre plan. »

10

Charlie Hernandez était vidé. L'office avait été long, et l'inhumation plus longue encore. La poussière lui avait irrité la main droite. C'était toujours l'enfer d'avoir à enterrer un collègue. À plus forte raison deux... Dire qu'il devait encore faire une apparition au tribunal et assurer une moitié de garde! Il lança un coup d'œil à Willson, son assistant, qui rattrapait le retard pris sur les tâches administratives. Un type intelligent. Dommage que son écriture soit aussi lisible que celle d'un gamin de maternelle.

Un bourdonnement retentit. «Deux personnes pour... euh... Barnaby et Fenton», annonça Doreen.

Bon Dieu, il ne manquait plus que ça! «À quel sujet?

— Elles n'ont pas voulu le dire. Elles ne parleront qu'à Barnaby et Fenton.»

Hernandez poussa un profond soupir. «Faites entrer.»

Le stylo à la main, Willson levait les yeux vers lui. «Vous voulez que je...

— Reste.»

Ils s'encadrèrent dans la porte. Une blonde superbe et un grand chaussé de bottes de cow-boy. Hernandez se redressa sur son siège, se lissa les cheveux de la main et grommela: «Asseyez-vous.

— Nous venons voir l'inspecteur principal Barnaby, et non...

— Je sais qui vous venez voir. Veuillez prendre place.»

Ils obtempérèrent à contrecœur.

« Je suis l'inspecteur principal Hernandez, dit-il à la blonde. Puis-je vous demander ce que vous voulez à l'inspecteur principal Barnaby ? » Il s'exprimait avec lenteur, sur un ton officiel, neutre et sans appel.

« Nous préférerions avoir affaire à lui, répondit le visiteur.

— Impossible.

— Et pourquoi ça ? »

Hernandez perdit son calme. « Parce qu'il est mort. »

Leurs yeux étaient braqués sur les siens. « Comment ? »

Bon Dieu, quelle fatigue ! se dit Hernandez. Barnaby était un type bien. Et quel gâchis ! « Accident de la route. » Il soupira. « Si vous me disiez qui vous êtes et en quoi je peux vous être utile ? »

Ils échangèrent un regard. L'homme prit la parole. « Je m'appelle Tom Broadbent. Il y a une dizaine de jours, l'inspecteur principal Barnaby s'est rendu chez nous, au-dessus de la Vieille Piste de Santa Fe, à la suite d'un semblant de cambriolage. Je me demandais s'il n'avait pas fait un rapport. »

Hernandez jeta un coup d'œil à Willson.

« Non, répondit le jeune homme.

— Il n'a rien dit ?

— D'après lui, il s'agissait d'une espèce de malentendu. M. Broadbent a déménagé ses œuvres d'art et ses fils ont cru à un vol. Comme je l'ai expliqué la semaine dernière à votre frère, il n'y a pas eu crime. Il n'y avait donc aucune raison de faire un rapport.

— Mon frère ? Lequel ?

— Son nom m'a échappé. Cheveux longs, barbe, le genre hippie.

— Vernon.

— Voilà !

— On pourrait parler à l'inspecteur Fenton ?

— Lui aussi, il est mort dans l'accident, intervint Hernandez.

— Qu'est-ce qui s'est passé ?

— La voiture est sortie de la route de Ski Basin à hauteur de Nun's Corner.

— Navré.

— Pas autant que nous.

— Alors, il n'y a pas de trace écrite, rien sur l'enquête qui a eu lieu chez M. Broadbent ?

— Rien. »

Après avoir gardé le silence, Hernandez ajouta : « Autre chose pour votre service, braves gens ? »

11

Des détritus brûlaient dans les bidons de deux cents litres alignés sur l'immonde plage de Puerto Lempira. La ville était noyée sous un panache de fumée âcre. Une femme corpulente cuisinait sur un *comal* installé au-dessus d'un gros fût. Une brise fétide faisait dériver l'odeur de la couenne de porc grillée en direction de Vernon, qui marchait en compagnie du Maître dans la rue sale aménagée le long de la plage. Une troupe d'enfants, eux-mêmes suivis d'une meute de chiens grondants, avait emboîté le pas aux deux étrangers, qu'ils ne lâchaient pas depuis près d'une heure en criant : « Dommoi un bonbon ! » ou « Dommoi un dollar ! » Pour les calmer, Vernon leur avait distribué plusieurs sachets de sucreries ainsi que ses derniers billets, mais sa générosité n'avait servi qu'à faire grossir la foule dans des proportions encore plus délirantes.

Les deux voyageurs parvinrent à un ponton de bois branlant qui s'avançait dans la lagune envasée. À son extrémité était attachée une grappe de pirogues équipées de moteurs hors-bord. Des hommes se prélassaient dans des hamacs. Sur le pas de leurs portes, des femmes observaient la scène d'un œil noir. Un boa autour du cou, un type s'avança vers eux.

« Serpent, murmura-t-il. Cinquante dollars.

— On n'en veut pas, de ton serpent, répondit le Maître. On veut un bateau. *Barca*. On cherche l'agence de voyages Juan Freitag. Tu *sabe* Juan Freitag ? »

Après avoir déroulé son boa, le type le leur tendit comme s'il leur offrait un chapelet de saucisses. « Serpent. Trente dollars. »

Le Maître l'écarta pour passer.

« Serpent ! s'écria l'homme. Vingt dollars ! » Sa chemise était tellement trouée qu'elle lui tombait presque des épaules. De ses longs doigts bruns, il crocheta Vernon, qui voulait rejoindre le Maître. Après avoir cherché de la monnaie dans ses poches, le jeune homme tendit un billet de cinq dollars. Les enfants se précipitèrent sur lui en redoublant de hurlements. Le quai grouillait de gosses venus des *barrios* situés plus haut.

« Merde alors, arrête de leur donner de l'argent ! s'emporta le Maître. On va se faire voler.

— Pardon. »

Le Maître attrapa un adolescent par la nuque. « Voyages Juan Freitag ! cria-t-il avec impatience. Où ? *Donde ?* » Il se tourna vers Vernon. « C'est comment déjà, bateau en espagnol ?

— Vous l'avez dit : *barca*.

— *Barca. Donde barca ?* »

Pris de peur, le gamin pointa un doigt crasseux vers un bâtiment en parpaings qui s'élevait à l'extrémité du quai.

Le Maître le libéra et remonta le quai boueux d'un pas vif. Escorté par les enfants et les chiens, Vernon ne le quittait plus d'une semelle. La porte du local était ouverte. Ils entrèrent. Un homme assis à son bureau se leva et s'approcha d'eux en agitant une tapette pour faire fuir les gamins qui encombraient le seuil. Lorsqu'il eut refermé le battant et regagné son siège, il se fit tout sourire. Petit, mais bien proportionné, il avait une frimousse aux traits nettement découpés et des cheveux blonds qui lui donnaient un air européen. Il s'exprima toutefois avec un accent espagnol.

« Installez-vous, je vous en prie. »

Ils s'assirent sur deux chaises en rotin, placées près d'une table sur laquelle s'empilaient des revues de plongée.

« Que puis-je pour vous, messieurs ?

— Nous voudrions louer deux bateaux avec guides », répondit le Maître.

Leur interlocuteur sourit. «Plongée avec masque et palmes, ou pêche au tarpon?

— Ni l'une ni l'autre. Nous avons l'intention de remonter le fleuve. »

Le sourire sembla se figer sur le visage de l'homme. « Le Patuca ?

— Oui.

— Je vois... Vous êtes amateurs de voyage aventure. »

Le Maître lança un coup d'œil à Vernon. «Voilà.

— Et vous voulez le remonter jusqu'où ?

— Nous ne savons pas encore. Loin. Peut-être jusqu'aux montagnes.

— Il vous faut des pirogues à moteur, car il n'est pas assez profond pour les bateaux classiques. Manuel ! »

Au bout d'un moment, un jeune homme entra par la porte du fond. La lumière lui fit cligner des yeux. Il avait du sang et des écailles plein les mains.

« Voici Manuel. Il vous guidera avec son cousin Ramón. Ils connaissent bien le fleuve.

— Combien de temps faut-il pour le remonter ?

— On peut aller jusqu'à Pito Solo. Une semaine. Après, il y a le marais de Meámbar.

— Et après ? »

Le type agita la main. «Vous n'allez tout de même pas traverser le marais de Meámbar ?

— Si, répondit le Maître. C'est bien possible. »

Le voyagiste inclina la tête, comme si le fait de répondre aux demandes d'Américains qui avaient perdu la raison faisait partie de son quotidien. «Si vous voulez. Au-delà du marais, il y a des montagnes et encore des montagnes. Il vous faudra au moins pour un mois de vivres. »

Une mouche bourdonnait dans la pièce chaulée. Elle se heurtait à la vitre fendillée, repartait en sens inverse et revenait buter au même endroit. À la vitesse de l'éclair, l'homme lui asséna un coup de tapette. Elle tomba au sol et se mit à tourner sur elle-même de douleur. L'homme étendit une jambe sous son bureau. Dans un petit craquement, un soulier verni mit fin aux jours de l'insecte.

« Manuel, va chercher Ramón. » Il se tourna vers le Maître. « *Señor*, nous pouvons vous procurer tout l'équipement nécessaire. Des tentes, des sacs de couchage, des moustiquaires, de l'essence, des vivres, un GPS, des armes de chasse, tout. Nous acceptons le paiement par carte de crédit. » Il posa une main respectueuse sur une machine toute neuve, reliée à une prise murale à fiche. « Ne vous inquiétez de rien. Nous veillons à tout. Nous sommes une entreprise moderne. » Il sourit. « Nous vous fournissons de l'aventure, mais pas trop. »

12

La voiture traversait le bassin du San Juan en direction de la frontière de l'Utah. Elle ronronnait sur la longue route isolée, de chaque côté de laquelle des champs d'armoise et de chamise s'étendaient à perte de vue. Au loin, le Shiprock dressait sa masse de pierre foncée à l'assaut du ciel bleu. Tom, qui conduisait, se sentait soulagé d'en voir la fin. Il avait tenu sa promesse en aidant Sally à découvrir la destination de son père. La suite des événements ne dépendrait que d'elle. Elle pouvait soit attendre que ses frères sortent de la jungle avec le *Codex* – à condition qu'ils aient découvert la tombe –, soit essayer de les rattraper par ses propres moyens. Lui, au moins, n'était plus concerné. Il pouvait retrouver sa vie de paix et de simplicité dans le désert.

Il lui jeta un regard à la dérobée. Assise à la place du passager, elle gardait le silence depuis une heure. Elle ne lui avait rien révélé de ses intentions. Du reste, il n'était pas sûr de vouloir les connaître. Tout ce qu'il souhaitait, c'était revenir à ses chevaux, au quotidien de sa clinique et à sa maison de pisé, protégée par l'ombre fraîche des cotonniers. Il avait travaillé d'arrache-pied pour se construire l'existence modeste à laquelle il avait toujours aspiré. Il était plus décidé que jamais à ne pas laisser son père ni ses manigances perverses la bouleverser. Que ses frères se lancent dans l'aventure ! Qu'ils gardent l'héritage, s'ils le voulaient ! Lui, il n'avait rien à prouver. Après Sarah, il n'avait aucune envie de replonger en eau profonde.

« Alors comme ça, il est allé au Honduras, dit Sally. Tu n'as toujours aucune idée de l'endroit précis ?

— Je t'ai dit ce que je savais. Il y a quarante ans, il a séjourné là-bas avec Marcus Hauser, un ancien ami. Ils ont cherché des tombes en récoltant des bananes pour gagner de l'argent. J'ai entendu dire qu'ils s'étaient fait rouler en achetant une fausse carte du trésor, qu'ils avaient passé plusieurs mois à arpenter la jungle et qu'ils avaient failli en mourir. Ils se sont brouillés et voilà toute l'histoire.

— Tu es certain qu'il n'a rien trouvé ?

— Il a toujours dit que les montagnes du sud du Honduras étaient inhabitées. »

Les yeux fixés droit devant elle, elle hocha la tête.

« Qu'est-ce que tu vas faire ? finit par demander Tom.

— Je vais partir pour le Honduras.

— Toute seule ?

— Et pourquoi pas ? »

Il se tut. Ce qu'elle faisait ne le regardait pas.

« Il a eu des ennuis après avoir pillé des tombes ? reprit-elle.

— Les enquêteurs du FBI l'ont plusieurs fois interrogé sans jamais rien retenir contre lui. Il était trop futé. Je me souviens qu'un jour, ils ont effectué une descente à la maison. Ils ont pris des figurines de jade qu'il venait de rapporter du Mexique. J'avais dix ans. Quand j'ai entendu les agents cogner à la porte aux aurores, j'étais mort de trouille. Ils n'ont rien pu prouver et ils ont dû lui rendre toute la camelote. »

Elle secoua la tête. « Les gens comme ton père constituent un danger pour l'archéologie.

— Je ne vois pas la différence entre son comportement et celui des archéologues.

— Il y en a une, et de taille... Les voleurs dévastent les sites. Ils arrachent les objets à leur contexte. Au Mexique, un grand ami de M. Clyve s'est fait frapper parce qu'il essayait d'empêcher des villageois de piller un temple.

— J'en suis très peiné, mais on ne peut pas reprocher à des gens qui crèvent la faim de chercher à nour-

83

rir leurs enfants et de rester sourds au discours d'un *Norteamericano* venu leur faire la leçon. »

La voyant serrer les lèvres, il comprit qu'elle était en colère. La voiture ronronnait sur l'asphalte luisant. Il monta l'air conditionné. Il soufflerait quand tout serait fini. Pas besoin d'une complication qui répondait au nom de Sally Colorado.

Elle rejeta en arrière sa lourde chevelure blonde, d'où s'échappèrent de légers effluves de parfum et de shampoing. « Quelque chose me tracasse. Je n'arrive pas à me le sortir de l'esprit.

— Quoi ?

— Barnaby et Fenton. Tu ne trouves pas curieux qu'ils soient morts juste après avoir enquêté sur le prétendu cambriolage ? Je n'aime pas du tout la rapidité avec laquelle ils ont eu cet *accident*. »

Il eut un vague mouvement de tête. « Simple coïncidence.

— À mon avis, ça ne colle pas.

— Je connais la route de Ski Basin. Nun's Corner est un virage démoniaque. Ce ne sont pas les premiers à y avoir laissé la vie.

— Ils faisaient quoi, sur cette route ? La saison de ski est finie. »

Il soupira. « Si ça t'inquiète autant, pourquoi ne pas appeler ce Hernandez, le policier ?

— C'est ce que je vais faire. » Elle sortit son portable de son sac et composa un numéro. Tom l'entendit se faire transférer sur une demi-douzaine de postes différents. Après être passée d'une secrétaire nonchalante à l'autre, elle tomba enfin sur Hernandez.

« C'est Sally Colorado. Vous vous souvenez de moi ? »

Silence.

« Je voulais vous poser une question à propos de la mort de Barnaby et Fenton. »

Nouveau silence.

« Pourquoi se rendaient-ils à Ski Basin ? »

Très long silence. Convaincu qu'il perdait son temps, Tom se surprit toutefois à essayer d'écouter.

«Oui, c'est une tragédie, dit-elle. Et où voulaient-ils aller pêcher?»

Dernier silence.

«Merci.»

Elle referma lentement son portable et regarda Tom, qui sentit son estomac se nouer. Elle avait le visage livide.

«Ils sont montés à Ski Basin pour vérifier une rumeur de vandalisme. C'était du vent. Leurs freins ont lâché dans la descente. Ils ont essayé de ralentir en allant percuter la rambarde de sécurité, mais la pente était trop raide. Quand ils ont atteint Nun's Corner, ils roulaient à près de cent quarante.

— Bon Dieu!

— Après une chute de cent vingt mètres et une explosion, il n'est pas resté grand-chose de la voiture. Personne ne croit à un coup tordu. Cet accident est particulièrement tragique, car il s'est produit la veille d'un départ pour une partie de pêche au tarpon dont ils rêvaient depuis longtemps.»

Tom déglutit et posa la question dont il redoutait la réponse. «Où ça?

— Au Honduras. Dans un endroit qui s'appelle la Laguna de Brus.»

Il ralentit et jeta un coup d'œil au rétroviseur. Puis, dans un grand crissement de pneus, il joua à la fois des freins et de l'accélérateur pour effectuer un tête-à-queue.

«Tu es fou? Qu'est-ce que tu fais?

— On file à l'aéroport le plus proche.

— Mais pourquoi?

— Parce qu'un salaud capable de tuer deux policiers peut tout aussi bien tuer mes frères.

— D'après toi, quelqu'un connaît l'existence de cet héritage caché?

— C'est évident.» Il accéléra en direction d'un point qui ne cessait de reculer à l'horizon. «On part pour le Honduras. Tous les deux.»

13

Pour la quatrième ou la cinquième fois, Philip s'efforça d'adopter une position plus confortable au fond de la pirogue en disposant certains ballots de matériel parmi les plus mous de façon à s'en faire une sorte de siège. Entre deux murailles de végétation, l'embarcation au moteur vrombissant glissait vers l'amont. Sa proue fendait des eaux noires et lisses. Philip avait l'impression de circuler à l'intérieur d'une grotte verte et chaude où résonneraient les hurlements, les mugissements et les sifflements de bêtes de la forêt. Autour du bateau, les moustiques dessinaient en permanence une nuée bourdonnante dont la queue s'étirait vers l'arrière. L'air était lourd, épais et collant. À chaque inspiration, le jeune homme avait l'impression d'ingurgiter une soupe d'insectes.

Il sortit sa pipe d'une poche de sa tenue de safari Barbour couleur kaki, en gratta les cendres calcinées, la cogna contre un flanc de la pirogue et la bourra du Dunhill qu'il conservait dans une boîte enfouie dans une autre poche. Après avoir pris tout son temps pour l'allumer, il souffla sur le nuage de moustiques un filet bleuté qui créa une trouée dans la masse bruissante, laquelle se reconstitua dès que la fumée se fut dissipée. La côte des Moustiques portait bien son nom. Le répulsif qu'il étalait sur sa peau et ses vêtements lui offrait une protection tout à fait négligeable. En outre, le produit était gras, il dégageait une odeur effroyable et s'infiltrait sans doute dans les vaisseaux sanguins de son utilisateur pour l'empoisonner jusqu'à la moelle.

Philip marmonna une malédiction et aspira une autre bouffée. *Ah, Père et ses épreuves à la noix !*

Incapable de s'installer convenablement, il changea à nouveau de position. Équipé d'un Discman, Hauser s'approcha et s'assit à côté de lui. Il ne sentait pas le jus d'insectes, mais l'eau de Cologne. Curieusement, il paraissait aussi frais et sec que Philip était chaud et gluant. Il ôta ses écouteurs pour s'entendre parler.

«Depuis ce matin, Gonz relève les traces du passage de Max. Nous en saurons plus demain, à notre arrivée à Pito Solo.

— Comment peut-on suivre une piste sur l'eau?»

Hauser sourit. «C'est tout un art. Ici une plante coupée, là des indices de débarquement ou l'empreinte d'une gaffe dans un banc de sable immergé. Le fleuve est si boueux que les marques restent visibles plusieurs semaines au fond.»

Philip tira sur sa pipe d'un air irrité. Il allait supporter cette dernière torture imposée par Maxwell Broadbent et être enfin libre de vivre la vie qui lui plaisait. Ce vieil emmerdeur ne pourrait plus s'immiscer dans son intimité, le critiquer ni lui allouer des subsides dignes d'Harpagon. Philip aimait son père et, d'une certaine manière, souffrait de le savoir mort du cancer, mais cela ne changeait rien à l'affaire. De son vivant, Broadbent avait commis plus d'un coup d'éclat. Avec celui-ci, il remportait la palme. Ce dernier *beau geste*[1] était typique du personnage.

Philip fumait en regardant les quatre militaires regroupés à l'avant de la pirogue. Ils jouaient avec des cartes huileuses. L'autre embarcation, qui transportait un renfort de huit soldats, avait cinquante mètres d'avance. Ses gaz d'échappement formaient une traînée puante et bleuâtre à la surface du fleuve. À la proue, allongé sur le ventre, Gonz, le «pisteur» en chef, gardait

---

1. En français dans le texte *(NdT)*.

les yeux fixés sur l'eau sombre, dans laquelle il plongeait parfois un doigt pour la goûter.

Soudain, un des hommes poussa un cri. Debout, il désignait d'un air exalté un animal qui nageait. Après avoir adressé un clin d'œil à Philip, Hauser se leva d'un bond, tira la machette qu'il avait passée à sa ceinture et s'avança précautionneusement vers la poupe. Pendant que le bateau virait pour s'approcher de la bête, il se cala, jambes écartées. Au moment où la pirogue parvint à la hauteur de l'animal, qui battait l'eau de ses pattes avec l'énergie du désespoir, il se pencha par-dessus bord et, d'un geste brusque, abattit son arme. Puis il tendit le bras et souleva un rat long de soixante centimètres que le coup avait pratiquement décapité. La tête n'était plus retenue au corps que par un lambeau de peau. Après une ultime convulsion, le rongeur se fit inerte.

Vaguement horrifié, Philip vit Hauser lui lancer le cadavre, qui atterrit au fond du bateau avec un bruit mat. La tête se sépara du corps et s'en vint rouler à ses pieds. Il ouvrit de grands yeux sur la gueule béante aux dents jaunes et luisantes, mais aussi sur le sang qui s'en écoulait.

Hauser rinça sa machette, la coinça sous sa ceinture et alla retrouver Philip en enjambant le cadavre du rat. Son visage se fendait d'un large sourire. « Vous avez déjà mangé de l'agouti ?

— Non, et je ne suis pas sûr d'en avoir envie.

— Dépiauté, vidé, fendu en deux et grillé sur la braise, c'était un des plats préférés de Maxwell. Ça a un peu le goût du poulet. »

Philip ne répondit rien. Chaque fois qu'ils avaient dû avaler une infecte bestiole, Hauser disait la même chose : « Ça a un goût de poulet. »

« Oh ! s'écria le privé en voyant la chemise de Philip. Je vous demande pardon. »

Philip baissa les yeux. L'unique goutte de sang qui avait giclé sur sa tenue pénétrait dans les fibres du tissu. Il l'essuya et ne parvint qu'à agrandir la tache. « J'aimerais beaucoup que vous fassiez un peu plus attention quand vous lancez des animaux décapités, répondit-il en mouillant son mouchoir pour en frotter sa chemise.

— Il est très difficile de rester propre dans la jungle... »

Philip arrêta de s'escrimer en vain. Il aurait aimé que Hauser le laisse tranquille. Ce type commençait à lui donner des boutons.

Le privé sortit deux CD de sa poche. « Et maintenant, pour faire échec à la sauvagerie galopante qui nous environne, vous plairait-il d'écouter un peu de Bach ou de Beethoven ? »

14

Affalé dans un fauteuil trop rembourré de la «suite directoriale» qu'il louait au Sheraton Royale de San Pedro Sula, Tom étudiait une carte du Honduras. Maxwell avait atterri avec sa cargaison à Laguna de Brus, une bourgade située sur la côte des Moustiques, à l'embouchure du Río Patuca. Ensuite, il avait disparu. On racontait qu'il avait remonté le fleuve, lequel constituait la seule voie d'accès à l'arrière-pays immense, sauvage et montagneux du Sud.

Du doigt, Tom suivait le méandre bleu du cours d'eau, qui traversait marécages, collines et hauts plateaux avant de se perdre parmi d'innombrables affluents venus des lignes déchiquetées de plusieurs massifs parallèles. Il ne voyait ni route ni ville. C'était vraiment un coin perdu.

Il s'était aperçu qu'il avait une semaine de retard sur Philip, et deux sur Vernon. Il s'inquiétait beaucoup pour eux. Il ne fallait pas manquer de cran pour tuer deux officiers de police si vite et si bien... De toute évidence, l'assassin était un pro. Les frères de Tom étaient certainement les suivants sur sa liste.

Sally sortit de la baignoire en chantonnant et traversa le salon enveloppée dans une serviette de toilette. Ses cheveux brillants et mouillés lui tombaient dans le dos. Il la regarda entrer dans la chambre qu'elle occupait. Elle était encore plus grande que Sarah.

Cette pensée lui fit recouvrer ses esprits.

Elle réapparut dix minutes plus tard, vêtue du pantalon kaki en tissu léger, de la chemise à manches longues, du chapeau de toile à voilette et de la paire de gants épais qu'elle avait achetés le matin même au cours d'une razzia dans les magasins.

« J'ai l'air de quoi ? demanda-t-elle en pivotant sur ses talons.

— D'une femme de harem. »

Elle releva la voilette et ôta son couvre-chef.

« C'est mieux », admit-il.

Elle lança le chapeau et les gants sur le lit. « Je dois reconnaître que ton père m'intrigue. Il devait être vraiment excentrique.

— Oui.

— Si je peux me permettre… Il était comment, physiquement ? »

Il poussa un soupir. « Quand il entrait quelque part, tout le monde le regardait. Il irradiait l'autorité, le pouvoir, l'assurance… je ne sais pas quoi, au juste. Les gens étaient fascinés alors qu'ils ignoraient son identité.

— Je vois le genre.

— Partout, quoi qu'il fasse, les journalistes le pourchassaient. Parfois, des *paparazzi* l'attendaient devant la maison. On allait à l'école et ces enfoirés nous suivaient sur la Vieille Piste de Santa Fe comme si nous étions Lady Di multipliée par trois. C'était grotesque.

— Quelle plaie pour vous !

— Pas toujours. Quelquefois, c'était même marrant. Les mariages de Père étaient de grands événements. Dans ces moments-là, les têtes branlaient et les langues se déliaient. Il a épousé des beautés que personne ne connaissait. Pas de mannequins ni d'actrices. Avant qu'il ne la rencontre, ma mère était hôtesse d'accueil dans un cabinet dentaire. Il adorait qu'on s'occupe de lui. De temps en temps, pour rigoler, il castagnait un *paparazzo* et devait l'indemniser. Il n'avait pas honte de lui. Il était comme Onassis : démesuré.

— Qu'est-il arrivé à ta mère ?

— Elle est morte quand j'avais quatre ans, d'une forme rare et subite de méningite. C'est la seule dont il n'ait pas divorcé. Il n'en a pas eu le temps, j'imagine.

— Excuse-moi.

— Je me souviens à peine d'elle. Il ne me reste que des… sensations. Sa chaleur, son affection. »

Elle secoua la tête. « Je ne comprends toujours pas. Comment peut-il agir ainsi envers ses fils ? »

Il baissa les yeux sur la carte. « Tout ce qu'il faisait, tout ce qu'il possédait devait être extraordinaire. Ce principe s'appliquait aussi à nous. Mais nous ne sommes pas devenus tels qu'il le voulait. S'enfuir pour s'enterrer avec son magot a été son dernier sursaut. Il essaye de nous pousser à accomplir une action qui restera dans les annales, qui le rendrait fier de nous. » Il partit d'un rire amer. « Si la presse avait vent de l'affaire, ce serait incroyable. Géant ! Un trésor d'un demi-milliard de dollars enfoui dans une tombe au Honduras. Le monde entier serait ici, à le chercher.

— Ça n'a pas dû être facile d'avoir un père comme lui.

— Non. Je ne compte plus les matchs de tennis auxquels il a refusé de rester parce qu'il ne voulait pas me voir perdre. C'était un joueur d'échecs sans pitié, mais il abandonnait la partie s'il s'apercevait qu'il allait nous battre. Il ne supportait pas que nous soyons vaincus, même par lui. Quand notre carnet de notes arrivait, il ne disait jamais rien, mais la déception se lisait dans ses yeux. Si on n'avait pas vingt partout, c'était une telle catastrophe qu'il ne pouvait même pas se résoudre à en parler.

— Tu as déjà eu vingt quelque part ?

— Une fois. Il a posé la main sur mon épaule et l'a serrée affectueusement. Ça s'est arrêté là. Mais c'était plus éloquent qu'un long discours.

— C'est terrible. Je compatis.

— Chacun de nous a trouvé un refuge. Pour moi, ç'a été la collection de fossiles – je voulais être paléontologue –, puis les animaux. Ils ne te jugent pas. Ils ne te demandent pas d'être quelqu'un d'autre. Un cheval t'accepte tel que tu es. »

Stupéfait de constater combien l'évocation de son enfance était douloureuse, même à trente-trois ans, il se tut.

« Excuse-moi, répéta Sally. Je ne voulais pas me montrer indiscrète. »

Il agita la main. « Je ne veux pas le démolir. C'était un bon père, à sa façon. Il nous a peut-être trop aimés.

— Bon ! » s'exclama-t-elle quelques secondes plus tard, tout en se levant. « Pour le moment, il faut trouver un guide qui nous fasse remonter le Patuca. Je ne sais pas par où commencer. » Elle attrapa l'annuaire et se mit à le feuilleter. « Je n'ai jamais fait ça. Je me demande s'il y a une rubrique « Voyage aventure ».

— J'ai une meilleure idée. On doit trouver le trou d'eau où les journalistes étrangers vont s'abreuver. Ce sont les voyageurs les plus prudents du monde.

— Un point pour toi ! »

Elle se pencha et ramassa un pantalon qu'elle lui lança. Suivirent une chemise, des chaussettes et des chaussures de randonnée légères, qui vinrent s'empiler devant lui. « Et maintenant, ôte-moi ces bottes de macho ! », s'exclama-t-elle.

Il emporta les vêtements dans la chambre qu'il s'était choisie et les passa. Il n'y voyait que des poches. Quand il revint, elle lui jeta un regard en coin. « Après quelques jours de jungle, tu auras peut-être l'air moins cucul.

— Merci bien ! » Il alla décrocher le téléphone pour appeler la réception. À ce qu'on lui dit, les journalistes traînaient dans un bar appelé Los Charcos.

À la grande surprise de Tom, Los Charcos n'était pas un trou infâme mais un bar élégant aux murs lambrissés, auquel on accédait après avoir traversé le salon d'un vieil hôtel de belle allure. Équipé d'un air conditionné qui lui valait son climat polaire, l'endroit était tout imprégné d'un arôme de cigare.

« Laisse-moi parler, dit Sally. Mon espagnol est meilleur que le tien.

— Ton physique aussi. »

Elle fronça les sourcils. «Les blagues sexistes ne m'amusent pas.»

Ils prirent place au comptoir.

«*Holà!* lança-t-elle d'un ton enjoué au barman. Je cherche le journaliste du *New York Times*.

— M. Sewell? répondit l'homme aux traits lourds. Je ne l'ai pas revu depuis l'ouragan, *señorita*.

— Et celui du *Wall Street Journal*?

— Il n'y en a jamais eu. Nous sommes trop pauvres.

— Qui avez-vous, alors?

— Roberto Rodríguez, d'*El Diario*.

— Non. Un Américain. Quelqu'un qui connaisse la région.

— Un Anglais vous suffirait?

— Parfait.

— Là-bas, murmura-t-il en désignant un endroit des lèvres. Il s'appelle Derek Dunn. Il écrit un livre.

— Sur quoi?

— Le voyage et l'aventure.

— Il a écrit autre chose? Donnez-moi un titre.

— *L'Eau paresseuse*. C'est son dernier.»

Sally posa un billet de vingt dollars sur le comptoir et s'approcha de Dunn. Tom la suivit. *On va bien s'amuser*, se dit-il. Assis tout seul dans un coin, le journaliste sirotait un verre. Une touffe de poils blonds se dressait au-dessus de son visage bovin et rougeaud. Sally s'immobilisa, pointa le doigt vers lui et s'écria: «Vous êtes bien Derek Dunn?

— Oui, on me connaît sous ce nom.» Son nez et ses joues semblaient teints en rose bonbon.

«Oh, quel plaisir! *L'Eau paresseuse* est un de mes bouquins *préférés*. J'ai adoré!»

Lorsqu'il se leva, il déplia un corps sain, robuste et bien entretenu. Il portait un pantalon kaki élimé et une simple chemisette en coton. Un bel homme, façon Empire britannique.

«Merci infiniment, répondit-il. À qui ai-je l'honneur?

— Sally Colorado. » Elle lui serra la main comme on actionne une pompe à eau.

Elle le fait déjà sourire comme un crétin, pensa Tom. Il se sentait idiot dans sa tenue neuve qui sentait encore la boutique pour homme. Dunn, en revanche, semblait revenir du bout du monde.

«Vous voulez prendre un verre avec moi? demanda l'Anglais.

— Quel honneur! », s'écria Sally.

Il la conduisit vers la banquette à côté de laquelle il était installé.

«Comme vous! dit-elle.

— Gin tonic. » Il adressa un signe au barman, puis leva les yeux vers Tom. «Vous êtes aussi invité à vous asseoir, vous savez. »

Tom s'exécuta sans un mot. L'enthousiasme que l'idée de Sally avait éveillé en lui commençait à s'étioler. Il n'aimait pas la face rubiconde de ce M. Dunn, qui regardait intensément la jeune femme – et pas seulement dans les yeux.

Dunn parla en espagnol au barman, qui s'était approché. «Un gin tonic pour cette dame et moi. Et... » Il lança un coup d'œil à Tom.

«Une limonade, répondit celui-ci d'un ton lugubre.

— *Y una limonada*, ajouta Dunn, d'une voix qui ne cachait rien de ce que lui inspirait le choix du jeune homme.

— Je suis si heureuse d'être tombée sur vous! reprit Sally. Quelle coïncidence!

— Alors comme ça, *L'Eau paresseuse* vous a plu? demanda le journaliste en souriant.

— C'est un des meilleurs récits de voyage que j'aie jamais lus.

— Pour sûr, renchérit Tom.

— Vous l'avez lu, vous aussi? » Une lueur d'espoir dans les yeux, Dunn se tourna vers le jeune homme.

Celui-ci remarqua que l'écrivain avait déjà éclusé la moitié de son verre.

« Mais oui ! J'ai beaucoup aimé le passage où vous tombez dans le crottin d'éléphant. C'est désopilant ! »

Dunn marqua un temps d'arrêt. « Dans le crottin d'éléphant ?

— Ce n'était pas ça ?

— Il n'y a pas d'éléphants en Amérique centrale.

— Alors je dois confondre avec un autre bouquin. Excusez… »

Tom vit les yeux verts de Sally braqués sur lui. Il n'aurait su dire si elle était en colère ou si elle se retenait de rire.

Dunn tourna un dos carré à Tom pour mieux se concentrer sur la jeune femme. « Je travaille à un nouveau livre. Ça vous intéresse ?

— Mais c'est palpitant !

— Il s'intitulera *Les Nuits de la Mosquitia*. Il est consacré à la côte des Moustiques.

— C'est précisément là que nous allons ! » Elle applaudit de joie, comme une enfant. Tom avala une gorgée en regrettant son choix. Il allait avoir besoin d'une boisson un peu plus forte pour surmonter cette épreuve. Il n'aurait jamais dû laisser Sally prendre la conversation en main.

« Dans l'est du Honduras, on trouve plus de huit mille kilomètres carrés de marécages et de forêts pluviales d'altitude qui restent totalement vierges. La cartographie aérienne de certaines régions n'a jamais été effectuée, expliqua Dunn.

— Je ne savais pas ! »

Tom écarta sa limonade et chercha le serveur des yeux.

« Je raconte un périple sur la côte des Moustiques à travers le labyrinthe de lagunes qui marque la jonction de la jungle et de l'océan. Je suis le premier Blanc à avoir fait ce voyage.

— Incroyable ! Mais comment diable vous y êtes-vous pris ?

— Pirogue à moteur. Hormis la marche, c'est le seul mode de transport possible dans cette région.

— Et quand avez-vous réalisé cet exploit ?

— Il y a environ huit ans.

— Si longtemps ?

— J'ai eu quelques soucis avec mon éditeur. Vous savez, pour écrire un bon livre, il faut éviter la précipitation. » Il vida son verre jusqu'à la dernière goutte et en demanda un autre d'un geste de la main. « C'est un pays difficile.

— Vraiment ? »

Dunn, qui sembla prendre cette interrogation pour un signal de départ, se renfonça dans son siège. « Pour commencer, il y a le lot habituel de moustiques, de puces chiques, de tiques, de mouches noires et de varrons. Ils ne vous tuent pas, mais ils peuvent vous gâcher la vie. Un jour, un varron m'a attaqué au front. Au début, ça faisait le même effet qu'une piqûre de moustique. Ensuite, ça s'est mis à enfler et à rougir. C'était terriblement douloureux. Un mois plus tard, ça a éclaté et des larves longues de deux centimètres et demi ont commencé à sortir et à tomber au sol. Quand vous êtes piqué, mieux vaut laisser la nature agir à sa guise. Si vous essayez d'extirper les œufs, vous ne faites qu'accentuer les dégâts.

— J'espère sincèrement que cette expérience n'a pas laissé de séquelles sur votre cerveau », intervint Tom.

Dunn l'ignora. « Et puis il y a la maladie de Chagas.

— Qu'est-ce que c'est ?

— *Trypanosoma cruzi*. Un insecte porteur vous mord et vous chie dessus en même temps. Le parasite vit dans les excréments. Quand vous vous grattez, vous vous infectez. Tout paraît normal pendant dix ou vingt jours. Et puis vous remarquez que votre ventre est ballonné. Après, vous avez le souffle court et vous ne pouvez plus avaler. Pour finir, votre cœur gonfle, gonfle... et il explose. Il n'y a pas de remède connu.

— Charmant ! lâcha Tom, qui avait réussi à capter l'attention du serveur. Un whisky. Un double... »

Un léger sourire aux lèvres, Dunn poursuivit en le regardant. « Le fer de lance, ça vous dit quelque chose ?

— Pas vraiment. » Les sinistres histoires de jungle semblaient être le fonds de commerce de l'Anglais.

« Le serpent le plus venimeux qui soit. Une cochonnerie marron et jaune. Les indigènes l'appellent *barba amarilla*. Jeune, il vit dans les arbres. Il vous tombe dessus si vous le dérangez. En trente secondes, votre cœur s'arrête de battre. Vient ensuite le *bushmaster*, le plus gros serpent venimeux du monde. Trois mètres cinquante de long et aussi large que la cuisse. Moins mortel que le fer de lance. Sa morsure vous laisse, disons, vingt minutes de répit. »

Il partit d'un gloussement et avala une autre gorgée.

Sally murmura quelque chose à propos de l'effroi que ces propos lui inspiraient.

« Naturellement, vous connaissez le poisson curedents. Mais ce n'est pas une histoire à raconter aux dames. » Il lança une œillade à Tom.

« Allez-y, je vous en prie, dit celui-ci. La crudité n'est pas étrangère à Sally. »

L'intéressée lui décocha un regard meurtrier.

« Il vit dans les cours d'eau du coin, expliqua Dunn. Quand vous allez faire votre trempette matinale, il s'introduit dans votre zigounette, déploie toute une série de piques et s'ancre dans votre urètre. »

La main de Tom, qui s'apprêtait à porter le verre à ses lèvres, s'arrêta à mi-parcours.

« Il bloque le conduit. Si vous ne trouvez pas rapidement un chirurgien, votre vessie éclate.

— Un chirurgien ? », souffla Tom.

Dunn se cala dans son siège. « Exact. »

La gorge de Tom était sèche. « Mais pour quoi faire ?

— Pour amputer. »

Le verre parvint enfin aux lèvres de Tom, qui y but une première, puis une deuxième gorgée.

Dunn riait aux éclats. « Je suis sûr que vous avez entendu parler des piranhas, de la leishmaniose, des anguilles électriques, des anacondas, etc. » Il agita une main dédaigneuse. « On exagère considérablement leurs dangers. Le piranha ne s'intéresse à vous que si vous saignez. Quant à l'anaconda, on le rencontre rarement à cette latitude et il ne mange pas les êtres humains. Le grand avantage des marécages honduriens, c'est qu'ils n'abritent pas de sangsues. Mais faites attention aux araignées-singes...

— Désolé, mais nous allons devoir garder l'araignée-singe pour une prochaine fois », dit Tom en consultant sa montre. Il venait de s'apercevoir que, sous la table, la main de M. Dunn reposait sur le genou de Sally.

« Vous n'avez pas changé d'avis, n'est-ce pas, vieux ? Ce pays n'est pas fait pour les mauviettes.

— Absolument pas, répliqua Tom. J'aurais préféré vous entendre raconter votre rencontre avec le poisson cure-dents, c'est tout. »

Dunn le regardait sans sourire. « Vous êtes un peu lourd, mon ami.

— Bon ! s'écria Sally d'une voix enjouée. Vous avez voyagé seul ? Nous cherchons un guide et nous nous demandions si vous pourriez nous en conseiller un.

— Où allez-vous, bonnes gens ?

— À Laguna de Brus.

— On peut dire que vous sortez des sentiers battus ! » Ses yeux se plissèrent soudainement. « Vous ne seriez pas écrivain, par hasard ? »

Sally éclata de rire. « Non, archéologue. Et lui, vétérinaire pour chevaux. Mais nous ne sommes ici que pour faire du tourisme. Nous aimons l'aventure.

— Archéologue ? Il n'y a pas beaucoup de ruines dans les parages. On ne construit rien sur les marais. Et aucun peuple civilisé n'irait vivre dans les montagnes de l'intérieur. Là-haut, dans la Sierra Azul, la forêt est la plus dense du monde et les collines sont si raides qu'il faut les gravir ou les descendre à plat ventre. Il n'y a pas un seul endroit où planter sa tente à cent kilomètres à la ronde. Vous devez vous frayer un chemin à la machette. Si vous avez parcouru un kilomètre après une rude journée de marche, c'est que la chance est avec vous. Au bout d'une semaine, la piste que vous avez taillée s'est refermée au point que vous ne la retrouvez plus. Puisque vous aimez les ruines, Sally, pourquoi n'allez-vous pas à Copán? Je pourrais vous en dire plus pendant le dîner. »

La main reposait toujours sur le genou, qu'elle caressait et pressait alternativement.

« C'est vrai, répondit la jeune femme. Peut-être bien. Pour en revenir à notre guide... Vous en connaissez un?

— Oh oui. Don Orlando Ocotal est l'homme qu'il vous faut. C'est un Indien tawahka. Tout à fait fiable. Contrairement aux autres, il ne vous arnaquera pas. Il connaît le pays comme sa poche. C'est lui qui m'a accompagné lors de mon dernier voyage.

— Où habite-t-il?

— Sur le cours supérieur du Patuca, dans un endroit qui s'appelle Pito Solo. C'est le dernier vrai village avant les grands marais de l'intérieur, à environ soixante ou quatre-vingts kilomètres de Brus. Ne vous écartez pas du fleuve, sinon vous vous perdrez. À cette saison, les forêts sont inondées et il existe des milliards de chenaux transversaux qui mènent un peu partout. La région qui s'étend des marais à la Sierra Azul, puis au Guayape, est pratiquement inexplorée. Quarante mille kilomètres carrés de *terra incognita*.

— Nous ne sommes pas vraiment fixés sur notre destination.

— Don Orlando. C'est votre homme. » Derek Dunn pivota sur son siège pour tourner vers Tom son gros visage en sueur. « Dites donc, je suis un peu à sec en ce moment. J'attends mon chèque de droits d'auteur. Vous ne pourriez pas nous offrir une autre tournée, par hasard? »

15

Sur un écran d'ordinateur discrètement encastré dans les lambris en merisier de son bureau, Lewis Skiba suivait le cours de l'action des laboratoires pharmaceutiques Lampe-Denison à la Bourse de New York. Depuis l'ouverture, les investisseurs y allaient au marteau-piqueur et la cote dépassait à peine les dix dollars. Tandis qu'il observait son évolution, le titre perdit encore un huitième de point pour s'échanger à dix tout ronds.

Incapable de voir sa société s'enfoncer sous la barre fatidique, Skiba éteignit l'écran. Ses yeux papillotèrent en direction du panneau qui dissimulait le Macallan, mais il était trop tôt. Il avait besoin de garder l'esprit clair pour sa communication téléphonique.

Selon la rumeur, le phloxatane rencontrait des difficultés auprès de l'Agence du médicament. Les vendeurs à découvert s'étaient jetés sur l'action comme les vers sur un cadavre. Deux cents millions de dollars de R & D avaient été investis dans la molécule. Dans trois universités de l'Ivy League, Lampe avait travaillé avec les meilleurs spécialistes de la recherche médicale et avec des scientifiques hors pair. Les études en double aveugle avaient été parfaitement conçues. En les comprimant à droite et en les dilatant à gauche, on avait rendu les données présentables. On avait invité les amis de l'Agence à dîner et on leur avait fait servir de bons vins. Néanmoins, rien ne pouvait sauver le phloxatane. On avait eu beau trafiquer les résultats, le médicament était condamné. Et lui, Skiba, était assis sur six millions d'actions Lampe qu'il ne pouvait fourguer – personne n'avait oublié ce qui était arrivé à Martha Stewart – et sur deux millions d'options si éloignées de l'idée de profit qu'elles lui serviraient davantage sous forme de papier-toilette dans sa salle de bains en marbre de Carrare.

Plus que tout au monde, il haïssait les vendeurs à découvert. C'étaient les vautours, les asticots, les mouches à merde du marché. Il aurait donné n'importe quoi pour que l'action Lampe se retourne contre eux et se remette à grimper. Il aurait adoré les voir paniquer et ne plus penser qu'à protéger leurs arrières. Il se réjouissait d'avance en songeant aux ordres de vente qu'ils recevraient alors. Le rêve ! Et quand il aurait récupéré le *Codex*, puis annoncé la nouvelle, ce rêve devenu réalité les brûlerait au point qu'il leur faudrait des mois, peut-être des années pour s'en remettre.

Un trille discret s'échappa du téléphone placé sur son bureau. Il lança un coup d'œil à sa montre. L'appel par satellite tombait pile à l'heure. Il détestait parler à Hauser. Il méprisait ce type et ses principes, mais il devait composer avec lui. Le privé avait insisté pour le « mettre au parfum ». Même s'il était du genre à se mouiller, Skiba avait hésité. En effet, mieux valait laisser certaines choses dans l'obscurité. Il avait pourtant fini par accepter, ne serait-ce que pour empêcher Hauser de commettre une bêtise ou un acte illégal. Il tenait à ce que le *Codex* soit propre quand il l'aurait en sa possession.

Il souleva le combiné.

« Ici Skiba. »

Il entendit la voix de Hauser, que le brouilleur faisait ressembler à celle de Donald Duck. Comme d'habitude, le privé ne perdit pas de temps en amabilités.

« Maxwell Broadbent a remonté le Patuca avec une bande d'Indiens des hautes terres. On est sur sa piste. On ne sait pas encore où il se rendait, mais je crois qu'il a gagné les montagnes de l'intérieur.

— Pas de problème ?

— Vernon, un de ses fils, s'est élancé avant le coup de sifflet. Il nous précède sur le fleuve. Je pense que la jungle réglera cette question à notre place.

— Je ne comprends pas.

— Il a loué les services de deux guides alcooliques à Puerto Lempira et ils se sont perdus dans le marais de Meámbar. Il est peu probable qu'ils… euh… revoient jamais la lumière du jour. »

Skiba avala sa salive. C'était bien plus qu'il n'en voulait savoir. « Écoutez, monsieur Hauser, tenez-vous-en aux faits et épargnez-moi les commentaires.

— L'autre, Tom, nous a causé une petite frayeur. Il a emmené une femme, une ethnopharmacologue qui a fait ses études à Yale.

— Elle est au courant, pour le *Codex* ?

— Un peu, mon neveu. »

Skiba grimaça. « C'est gênant.

— Ouais, mais je peux m'en charger.

— Monsieur Hauser, lança Skiba d'un ton sec. Je laisse cette affaire entre vos mains expertes. Je dois me rendre à une réunion.

— Il va falloir s'occuper de ces gens. »

Skiba n'aimait pas que le sujet revienne sans cesse dans la conversation. « Je ne sais absolument pas de quoi vous parlez et je ne veux pas le savoir. Je me contente de vous laisser gérer les points de détail. »

Un petit rire retentit dans le combiné. « Skiba, combien d'Africains meurent en ce moment même parce que vous tenez à leur faire payer vingt-trois mille dollars par an ce nouveau médicament contre la tuberculose dont la fabrication vous revient à dix dollars ? C'est uniquement de ça que je parle. Quand je dis qu'il faut s'occuper de ces gens, je veux dire qu'il faut ajouter quelques têtes à votre tableau de chasse.

— Allez vous faire mettre ! C'est scandaleux ! », éclata Skiba. Il déglutit. Il se laissait manipuler par Hauser, mais ce n'étaient que des mots, rien de plus.

« C'est merveilleux, Skiba ! Vous voulez un codex tout propre et net, dans le respect de la loi. Vous voulez que personne n'en revendique la propriété. Vous voulez que personne ne soit maltraité. Soyez sans crainte. Aucun Blanc ne sera tué sans votre permission.

— Écoutez-moi bien. Je ne cautionnerai l'assassinat de personne, Blanc ou pas. Ces propos inconsidérés doivent cesser. » Il sentait la sueur lui couler dans le cou. Comment avait-il pu abandonner un tel contrôle de la situation à Hauser ? Il tripota la clé et le tiroir s'ouvrit.

« Je comprends, dit le privé. Comme je le disais...

— J'ai une réunion. » Le cœur battant, Skiba mit fin à la communication. Hauser était là-bas, laissé à lui-même, sans surveillance, capable de tout et de n'importe quoi. C'était un psychopathe. Skiba mordit, mâcha, fit passer l'amertume avec une gorgée de Macallan et se rassit en respirant à fond. Le feu brûlait joyeusement dans la cheminée. Entendre parler d'assassinat l'avait rendu nerveux, nauséeux. Il tourna les yeux vers les flammes pour y chercher l'apaisement. Hauser avait promis de lui demander son autorisation. Skiba ne la lui donnerait jamais. Ni l'entreprise ni même sa fortune personnelle ne méritaient un tel passage à l'acte. Son regard errait sur les photos alignées dans leur cadre en argent au bord de son bureau. Ses trois enfants aux cheveux blond filasse le regardaient en souriant. Il maîtrisa son souffle. Hauser employait des mots crus, mais ce n'était que du vent. Personne n'allait se faire tuer. Le privé récupérerait le *Codex*, Lampe reprendrait du poil de la bête et, dans deux ou trois ans, Skiba serait la coqueluche de Wall Street, car il aurait empêché la société de tomber dans le précipice.

Il vérifia l'heure à sa montre. Les marchés étaient fermés. Inquiet, il ralluma l'écran de l'ordinateur d'un doigt réticent. Les transactions des vingt dernières minutes avaient fait remonter l'action, qui venait de clore à dix cinquante.

Skiba sentit une bouffée de soulagement l'envahir. Tout compte fait, la journée n'avait pas été si mauvaise.

16

Sally lança un regard sceptique au tas de boue que deux manœuvres faisaient sortir du hangar déglingué.

«On aurait peut-être dû se renseigner sur l'avion avant d'acheter les billets, dit Tom.

— Je suis sûre qu'il est parfait», répondit-elle comme pour s'en convaincre.

Le pilote était un expatrié américain. Longiligne, barbu et coiffé de deux longues nattes, il portait un tee-shirt déchiré et un jean coupé. Il s'avança vers eux d'un pas élastique et se présenta sous le prénom de John. Après l'avoir examiné, Tom tourna des yeux sinistres vers l'appareil.

«Je sais, je sais. Il a l'air pourri», s'écria John en souriant à belles dents. Il tapota du poing le fuselage, qui rendit un son de crécelle. «Ce qui compte, c'est ce qu'il y a sous le capot. C'est moi qui en assure la maintenance.

— Vous n'imaginez pas à quel point ça me rassure, murmura Tom.

— Alors comme ça, vous allez à Brus ?

— Exactement. »

John loucha vers les bagages. «Vous allez pêcher le tarpon ?

— Non.

— C'est le meilleur endroit sur terre pour la pêche au tarpon. Mais il n'y a pas grand-chose d'autre. » Il ouvrit un compartiment aménagé sur un flanc de l'avion et entreprit de soulever les bagages de son bras décharné pour les y enfourner. « Dans ce cas, qu'est-ce que vous allez faire ?

— On ne le sait pas vraiment », s'empressa de préciser Sally. Moins ils en diraient sur le sujet, mieux cela vaudrait. Il était inutile d'organiser une course au trésor sur le fleuve.

John rangea le dernier sac, lui donna quelques coups de poing pour le caler et referma le panneau dans un grand bruit de ferraille. Il s'y reprit à trois fois avant d'y parvenir. « Vous descendez où, à Brus ?

— On n'a rien décidé non plus à ce sujet.

— Rien de tel que l'improvisation ! De toute façon, La Perla est le seul hôtel.

— Il a combien d'étoiles au Michelin ? »

Le pilote partit d'un petit rire, ouvrit la porte des passagers et rabattit l'escalier. Sally et Tom montèrent à bord, suivis de leur compatriote. Une fois dans la carlingue, Tom sentit une légère odeur qu'il associa à celle de la marijuana. *Génial !*

« Vous volez depuis combien de temps ? s'enquit-il.

— Vingt ans.

— Et vous avez eu des accidents ?

— Une fois. J'ai heurté un cochon à El Paraíso. Ces charlots n'avaient pas tondu la piste et cette foutue bestiole dormait dans les hautes herbes. Et elle était maousse !

— Vos instruments sont homologués ?

— Disons que je sais m'en servir. Ici, les contrôles sont rares, en tout cas pour les survols de la jungle.

— Vous avez rempli un plan de vol ? »

John secoua la tête. « Il n'y a qu'à suivre la côte. »

L'avion décolla sous un soleil splendide. Au moment où il vira de bord et où la lumière se mit à scintiller sur la mer des Antilles, Sally fut prise d'un frisson. Le littoral bas et plat était parsemé de lagunes et d'îles qui ressemblaient à de petits morceaux de jungle détachés de la terre ferme et dérivant vers le large. La jeune femme voyait quelques routes s'enfoncer dans l'arrière-pays. Elles étaient bordées de champs au tracé irrégulier et de clairières récentes aux contours déchiquetés. Plus loin, Sally distinguait une chaîne de montagnes bleues dont les sommets se perdaient dans les nuages.

Elle regarda Tom, dont les cheveux châtains, éclaircis par le soleil, étaient striés d'or. Elle aimait bien ses gestes souples, amples et décidés de cow-boy. Mais comment pouvait-il faire son deuil de cent millions de dollars ? Cette décision l'impressionnait plus que tout, car elle avait vécu assez longtemps pour s'apercevoir que les riches se préoccupaient plus d'argent que les pauvres.

Il posa les yeux sur elle. Elle sourit et tourna le regard vers le hublot. À mesure qu'ils longeaient la côte, le paysage se faisait plus sauvage, et les mangroves formaient un réseau qui gagnait en superficie et en complexité. Ponctuées de centaines de minuscules îlots, les plus vastes apparurent enfin. Au loin, un grand fleuve se jetait dans la mer. Tandis qu'ils perdaient de l'altitude pour négocier leur atterrissage, elle aperçut une ville construite à la jonction du cours d'eau et de la lagune. Un amas de toitures étincelantes était entouré d'un fouillis de champs éparpillés au sol comme des lambeaux de chiffon. Le pilote décrivit un cercle et amorça sa descente vers un champ qui, lorsqu'ils s'en approchèrent, prit l'aspect d'une piste herbeuse. La manœuvre se poursuivait à une allure que Sally jugeait mille fois trop rapide. Plus ils s'approchaient du terrain, plus l'avion semblait voler vite. Elle agrippa les accoudoirs. La piste filait au-dessous d'eux, mais l'appareil ne s'était toujours pas posé. Elle vit le mur de la forêt qui se dressait au fond se précipiter sur eux.

« Mon Dieu ! », hurla-t-elle.

L'avion reprit aussitôt de l'altitude et la jungle leur passa sous le nez. Seuls cinq mètres les séparaient de la cime des arbres. Sally entendit le rire de John résonner sèchement dans les écouteurs. « Du calme, Sal ! Je fais du bruit pour dégager la piste. J'ai bien compris la leçon ! »

Lorsque l'avion fit demi-tour pour atterrir, elle se renfonça dans son siège en s'essuyant le front. « Très aimable à vous de nous prévenir.

— Je vous l'ai dit. C'est à cause du cochon... »

Ils déposèrent leurs bagages à La Perla, un baraquement de parpaings qui se prenait pour un hôtel, et descendirent au bord du fleuve pour se renseigner sur la location d'un bateau. Ils déambulèrent dans les ruelles boueuses de Brus. C'était l'après-midi. La chaleur rendait l'air immobile et propice à l'apathie. Tout était calme. Une vapeur s'élevait des mares d'eau stagnante. La sueur ruisselait sur les bras de Sally, dans son dos et entre ses seins. Tous les gens sensés devaient faire la sieste, se dit-elle.

Le fleuve coulait à la lisière de la ville, entre deux rives de terre. Il mesurait environ trois cents mètres de large, avait la couleur de l'acajou et sentait la vase. Plus loin, il décrivait un méandre entre deux parois végétales. Ses eaux épaisses, ponctuées de tourbillons, s'étiraient avec paresse. Çà et là, une feuille verte ou une brindille s'éloignait lentement vers l'aval. Le chemin de planches aménagé sur la pente raide aboutissait à une plate-forme de bambou construite sur l'eau qui formait un embarcadère branlant. Quatre pirogues, longues d'une dizaine de mètres et larges d'environ un mètre vingt, y étaient attachées. Elles étaient taillées dans de gigantesques troncs dont l'avant s'achevait en proue effilée. La poupe, coupée droit, était fermée par un bord destiné à supporter un petit moteur. À l'avant comme à l'arrière, des planches posées en travers servaient de sièges.

Ils descendirent avec peine à l'embarcadère pour observer les bateaux de plus près. Sally remarqua qu'un moteur Evinrude de six chevaux était fixé à la poupe de trois d'entre eux. Plus long et plus lourd, le quatrième était doté d'un dix-huit chevaux.

« La formule 1 du coin, dit-elle en montrant l'embarcation du doigt. C'est celle qu'il nous faut. »

Tom promena les yeux autour de lui. L'endroit semblait désert.

« Voilà quelqu'un. » Sally désignait un abri de bambou qui se dressait quatre-vingts mètres plus loin sur la rive. Un petit feu fumait près d'une pile de bidons vides. Dans un coin d'ombre, un hamac était tendu entre deux troncs. Un homme y était assoupi.

Sally se dirigea vers lui. « *Holà !* » s'écria-t-elle.

Au bout d'un moment, le dormeur ouvrit un œil. « *Sí ?*

— Nous voudrions louer un bateau », expliqua-t-elle en espagnol.

À grands renforts de grognements et de protestations, il s'assit dans le hamac, puis se gratta le crâne et sourit. « Je parle américain. Nous parlons américain. Un jour, je vais en Amérique.

— Bien. Nous, nous allons à Pito Solo », dit Tom.

L'homme opina du chef, bâilla et se gratta de nouveau le crâne. « OK, j'emmène vous.

— Nous aimerions louer le gros bateau. Celui qui a un moteur de dix-huit chevaux. »

Le type secoua la tête. « Cet idiot !

— Peu importe qu'il soit idiot, répondit Tom. C'est celui que nous voulons.

— J'emmène vous dans mon bateau. Cet idiot appartient à militaires. » Il tendit la main. « Vous avez bonbons ? »

Sally produisit le sac de sucreries qu'elle avait acheté un peu plus tôt pour répondre à ce genre de demandes.

Un sourire illumina le visage de l'homme. Il plongea une main flétrie dans le sac, farfouilla parmi les friandises, en choisit cinq ou six, en retira le papier et les enfourna d'un seul coup dans sa bouche. Une grosse boule apparut à l'intérieur d'une de ses joues. « *Delicioso !* fit-il d'une voix étouffée.

— On voudrait partir demain matin, poursuivit Tom. Combien de temps dure le voyage ?

— Trois jours.

— Trois *jours*? Je croyais que Pito Solo se trouvait à soixante-cinq ou quatre-vingts kilomètres.

— Eau coule dans autre sens. On peut s'échouer. Il faut pousser avec gaffe. On marche beaucoup dans eau. Impossible utiliser moteur.

— Marcher dans l'eau? Et le poisson cure-dents? »

L'homme posa sur lui des yeux vides.

« Ne t'en fais pas, glissa Sally. Tu n'as qu'à porter un slip ajusté.

— Ah, *sí*! Le *candirú*! » Le loueur éclata de rire. « Histoire préférée des gringos! Je nage chaque jour dans fleuve et j'ai toujours mon *chuc-chuc*. Il marche très bien! » Il adressa un clin d'œil lubrique à Sally en se déhanchant.

« Très peu pour moi, souffla-t-elle.

— Alors, ce poisson est une invention? s'exclama Tom.

— Non, il est vrai. Mais faut d'abord *pisser* dans eau. Le *candirú* sent pisse, il arrive et tchac! Si vous pissez pas en nageant, vous avez pas problèmes!

— Personne n'est venu récemment? Des gringos?

— *Sí*. Nous beaucoup travail. Mois dernier, Blanc arrivé avec tas de caisses et Indiens.

— Quels Indiens? demanda Tom avec agitation.

— Tout nus. Des montagnes. » Il cracha.

« Où a-t-il trouvé des bateaux?

— Il apporté beaucoup pirogues neuves de La Ceiba.

— Et elles sont rentrées? »

L'homme sourit, frotta son pouce contre son index dans un geste connu du monde entier et tendit la main. Sally y déposa un billet de cinq dollars.

« Non. Ils remonté fleuve et ils jamais revenus.

— Vous avez vu quelqu'un d'autre?

— *Sí*, semaine dernière. Jésus, avec ivrognes de Puerto Lempira.

— Jésus? s'étonna Sally.

— Oui. Cheveux longs, barbe, grande robe et sandales.

— Ça ne peut être que Vernon, expliqua Tom en souriant. Il était accompagné ?

— Oui. Avec saint Pierre. »

Tom roula de gros yeux. « Quelqu'un d'autre ?

— Après, deux gringos et douze soldats dans deux pirogues. Venaient aussi de La Ceiba.

— Et ils ressemblaient à quoi, ces gringos ?

— Un très grand, colère, avec pipe. Un autre, petit, avec quatre bagues en or.

— Philip », conclut Tom.

Ils s'entendirent rapidement sur le prix du transport jusqu'à Pito Solo. Tom lui remit dix dollars d'acompte. « Nous partons demain à l'aube.

— *Bueno !* Serai prêt. »

Lorsqu'ils arrivèrent en vue de leur hôtel, ils eurent la surprise de découvrir une Jeep garée devant l'entrée, près de laquelle se tenaient un officier et deux soldats. Une foule d'enfants qui se bousculaient en chuchotant attendait la suite des événements. Les mains jointes, le visage blanc de peur, la patronne restait à l'écart.

« Je n'aime pas ça », murmura Sally.

L'officier s'avança. Le dos parfaitement droit, il portait un uniforme immaculé et des bottes cirées. Il s'inclina avec raideur. « Ai-je l'honneur de souhaiter la bienvenue au *señor* Tom Broadbent et à la *señorita* Sally Colorado ? Je suis le lieutenant Vespán. » Il leur serra la main à tour de rôle et recula. Quand le vent tourna, un parfum d'Old Spice, de cigare et de rhum flotta jusqu'aux narines de Tom.

« Quel est le problème ? » s'enquit Sally.

Le visage du lieutenant se fendit d'un large sourire qui révéla une rangée de dents argentées. « J'ai l'immense regret de vous informer que vous êtes en état d'arrestation. »

17

Tom regarda attentivement le minuscule officier. Un chiot qui avait pris un des soldats en grippe se tassa devant lui, montra les dents et se mit à aboyer. Le lieutenant le chassa d'une botte délicate. Ses hommes éclatèrent de rire.

« Pour quelle raison ? demanda Tom.

— Nous en discuterons quand nous serons rentrés à San Pedro Sula. Si vous voulez bien me suivre... »

Sally rompit le silence embarrassé qui avait suivi cet échange. « Non.

— *Señorita*, évitons les complications.

— Je ne complique rien du tout. Je ne vous suis pas, un point, c'est tout. Vous ne pouvez pas m'y obliger.

— Sally, intervint Tom. Puis-je te faire remarquer que ces gens sont armés ?

— Très bien. Qu'ils m'abattent. Après, ils iront tout expliquer aux autorités américaines. » Elle se planta devant eux et mit les bras en croix.

« *Señorita*, je vous en prie. »

Les deux soldats qui accompagnaient Vespán s'agitaient.

« Allez-y ! Tirez donc ! », insista-t-elle.

L'officier adressa un signe de tête à ses subalternes. Ils posèrent leur arme, s'approchèrent avec raideur et s'emparèrent de Sally, qui se débattit en hurlant.

Tom fit un pas en avant. « Bas les pattes ! »

Les deux militaires la soulevèrent du sol et l'emportèrent vers la Jeep. Tom envoya un uppercut au premier, qui partit dans le décor, et Sally s'arracha à l'étreinte du second, que le jeune homme avait fait trébucher d'un croche-pied.

Lorsqu'il recouvra ses esprits, Tom gisait sur le dos, les yeux levés vers le bleu du ciel. Le visage rouge de colère, l'officier se tenait au-dessus de lui. Tom sentit un point palpiter à la base de son crâne, à l'endroit où Vespán lui avait asséné un coup de crosse.

Les deux hommes le remirent sans ménagement sur ses pieds. Sally, qui avait cessé de se débattre, était blême.

« Sales machos ! siffla-t-elle. L'ambassade des États-Unis sera mise au courant de cette agression. »

Comme s'il venait d'entendre une absurdité, le lieutenant secoua la tête avec tristesse. « Et maintenant, pouvons-nous y aller tranquillement ? »

Ils se laissèrent conduire à la Jeep. L'officier poussa Tom sur le siège arrière et força Sally à prendre place près de lui. Leurs sacs à dos et leurs autres bagages récupérés dans la chambre s'empilaient déjà au fond du véhicule. La Jeep prit la route du terrain d'atterrissage, où un vieil hélicoptère de l'armée les attendait. Un panneau métallique était ouvert sur un de ses flancs et un homme muni d'une clé à molette réparait le moteur. La voiture s'immobilisa après un dérapage contrôlé.

« Qu'est-ce que tu fais ? demanda sèchement le lieutenant en espagnol.

— Désolé, *teniente*, mais il y a un petit problème.

— Lequel ?

— Il nous faut une pièce.

— On peut voler sans elle ?

— Non, *teniente*.

— Putain de Dieu ! Combien de fois cet hélicoptère va-t-il tomber en panne ?

— Je leur envoie un message radio pour leur demander un avion avec la pièce ?

— Par les couilles de Joseph ! Évidemment, abruti ! »

Le pilote grimpa dans l'appareil, envoya son message et ressortit. « Elle arrive demain matin, *teniente*. Ils ne peuvent pas faire mieux. »

Le lieutenant les enferma dans une cahute en bois construite sur le terrain d'atterrissage et ordonna aux deux soldats d'y monter la garde. Quand la porte se fut refermée, Tom s'assit sur un bidon de deux cents litres et prit sa tête endolorie à deux mains.

« Comment ça va ? demanda Sally.

— J'ai l'impression que mon crâne est un gong sur lequel on vient de frapper.

— Il ne t'a pas raté. »

Tom opina du bonnet.

Une série de petits coups retentirent au battant, qui s'ouvrit à toute volée. Le lieutenant resta de côté pendant qu'un soldat leur jetait leurs sacs de couchage et une torche électrique. « Je suis vraiment navré de ces désagréments.

— Vous le serez encore plus quand je vous aurai dénoncé », répliqua Sally.

Il ne prêta aucune attention à cette menace. « Puis-je vous conseiller de ne pas commettre d'acte inconsidéré ? Il serait malheureux de devoir tuer quelqu'un.

— Vous n'oseriez pas, espèce de SS à la gomme ! »

Les dents de l'officier luisaient dans la pénombre. « On sait que des accidents se produisent, surtout chez les Américains qui débarquent à La Mosquitia sans s'être préparés aux rigueurs de la jungle. »

Il recula et le militaire claqua le battant. Tom entendit la voix étouffée du lieutenant. Il prévenait ses hommes que, si jamais ils s'endormaient ou se saoulaient, il leur couperait lui-même les testicules avant de les faire sécher et de les suspendre en heurtoir à sa porte.

« Nazi ! souffla Sally. Au fait, merci de m'avoir défendue.

— Ça n'a pas servi à grand-chose.

— Il t'a fait mal ? » Elle observa le crâne de Tom. « Tu as une vilaine bosse.

— Ça ira. »

Lorsqu'elle s'assit près de lui, sa présence le réconforta. Il distinguait le profil de la jeune femme, qui se détachait à peine sur la pénombre ambiante. Elle lui rendit son regard. Ils étaient si proches l'un de l'autre qu'il sentait la chaleur du visage de Sally sur le sien et qu'il voyait la ligne ourlée de ses lèvres, le léger duvet de sa joue ainsi que les taches de rousseur disséminées sur son nez. Elle sentait encore la menthe poivrée. Sans même réfléchir à ce qu'il faisait, il se pencha en avant. Leurs lèvres se frôlèrent. L'espace d'un instant, ils restèrent immobiles. Puis elle s'écarta avec vivacité. « Ce n'est vraiment pas une bonne idée. »

Bordel de merde, à quoi pensait-il ? Courroucé, humilié, il s'éloigna.

Un coup donné à la porte mit brusquement fin à leur gêne. « À la soupe ! » s'écria un des soldats. Le battant s'ouvrit, laissa entrer la lumière, puis se referma violemment. Tom entendit le militaire boucler le cadenas.

Il alluma la torche et ramassa le plateau. Le dîner se composait de deux Pepsi chauds, de quelques *tortillas* accompagnées de haricots et d'un tas de riz tiède. Ni elle ni lui n'avaient faim. Ils restèrent un moment assis dans le noir. Plus sa douleur s'atténuait, plus Tom enrageait. Ces gens n'avaient pas le droit. Sally et lui n'avaient rien fait de mal. Cette arrestation démente était sans doute orchestrée par l'ennemi inconnu qui avait tué Barnaby et Fenton. Ses frères couraient encore plus de risques qu'il ne le craignait.

« Donne-moi la torche. »

Il la promena autour de lui. La cahute était faite de bric et de broc. Quelques poteaux sur lesquels des planches étaient clouées soutenaient un toit de tôle. Une idée commença à germer dans le cerveau de Tom. Un plan qui leur permettrait de s'échapper.

18

Cette nuit-là, à 3 heures, ils prirent position. Sally se plaça face à la porte, et Tom face à la paroi du fond. Lorsque le jeune homme eut compté jusqu'à trois, ils donnèrent ensemble un bon coup de pied devant eux. Celui de Sally étouffa le bruit de celui de Tom. Les deux chocs s'étaient conjugués pour produire un unique résonnement dans l'espace confiné. La planche vermoulue céda, conformément aux espoirs de Tom.

Les chiens du village se mirent à japper. Un des soldats lança un juron.

« Qu'est-ce que vous fabriquez ?

— Il faut que j'aille aux toilettes, cria Sally.

— Non, vous devez rester là-dedans. »

À voix basse, Tom compta de nouveau. *Un*, *deux*, *trois*. Sally redonna un coup à la porte pendant qu'il brisait une deuxième planche.

« Arrêtez ! reprit le soldat.

— Mais il faut que je sorte, *cabrón* !

— *Señorita*, je regrette, mais vous devez vous débrouiller à l'intérieur. J'ai ordre de ne pas ouvrir. »

Un, *deux*, *trois*. Nouveau coup de pied.

La troisième planche éclata. Le trou était assez grand pour qu'ils s'y faufilent. Les aboiements devinrent hystériques.

« Encore une fois et j'appelle le *teniente* !

— Je dois sortir !

— Je n'y peux rien.

— Vous êtes des barbares.

— Ce sont les ordres, *señorita*.

— C'est précisément ce que disaient les soldats de Hitler.

— Allons-y! siffla Tom en faisant signe à Sally dans le noir.

— Hitler n'était pas si mauvais, *señorita*. Avec lui, les trains arrivaient à l'heure.

— C'était Mussolini, idiot. Vous finirez tous les deux au gibet et ce sera bien fait pour vous!

— Sally!» insista Tom.

Elle revint vers lui. «Tu entends ce qu'ils disent, ces fachos?»

Il la poussa à travers le trou. Tête baissée, tous deux descendirent en courant le sentier qui menait à la ville. Celle-ci était privée d'électricité, mais le ciel était dégagé et les rues vides baignaient dans le clair de lune. Les chiens aboyaient déjà. Tom et Sally purent passer parmi eux sans renforcer l'alerte. Malgré le vacarme ambiant, personne ne bougeait.

Voilà des gens qui savent se mêler de leurs oignons, se dit Tom.

Cinq minutes plus tard, ils étaient parvenus à l'embarcadère. Le jeune homme braqua sa torche sur la pirogue de l'armée. Prête à partir, elle était chargée de deux gros conteneurs en plastique pleins de carburant. Il entreprit de la détacher. Soudain, une voix basse se fit entendre dans l'obscurité.

«Pas ce bateau!»

C'était le loueur.

«Ah si, bordel de merde! s'emporta Tom.

— Laissez-le à idiots de soldats. Il échoué à chaque tournant du fleuve. Prenez le mien. Il échoue pas. Avec lui, vous pourrez enfuir.» Il bondit comme un chat sur le ponton et délia une pirogue à la forme élancée, qu'un moteur de six chevaux équipait. «Montez.

— Vous venez avec nous? demanda Sally.

— Non. Je dirai vous m'avez volé.» Il libéra les conteneurs arrimés sur le bateau militaire et les transporta sur son dos jusqu'à son embarcation. Il leur donna également celui d'une autre pirogue. Lorsqu'ils furent

117

montés à bord, Tom mit la main à sa poche et lui tendit quelques billets.

« Pas maintenant. S'ils fouillent et ils trouvent argent, je suis homme mort.

— Et je vous paye comment ?

— Plus tard, vous donnerez million dollars. Je m'appelle Manuel Waono. Je suis toujours ici.

— Une petite minute... Un million de dollars ?

— Vous êtes riche Américain. Facile pour vous. Je sauvé votre vie. Partez maintenant. Vite !

— Où se trouve Pito Solo ?

— Dernier village sur fleuve.

— Mais comment savoir... »

Le loueur n'avait pas envie de leur fournir des explications supplémentaires. De son gros pied nu, il repoussa le bateau, qui glissa vers les ténèbres.

Tom abaissa le moteur, l'amorça, l'étouffa et tira un grand coup. L'Evinrude revint aussitôt à la vie dans un grondement. Au milieu du silence, il faisait un bruit épouvantable.

« Allez-y ! » s'écria Manuel de la rive.

Tom enclencha la marche avant et accéléra à fond. Le minuscule moteur se mit à vibrer en gémissant et la longue pirogue en bois commença à s'éloigner sur l'eau. Tom maintenait le gouvernail pendant que Sally, debout à la proue, éclairait le fleuve de sa torche.

Moins d'une minute plus tard, Manuel, revenu sur le quai, se mit à hurler en espagnol : « À l'aide ! Au voleur ! Mon bateau ! Ils m'ont pris mon bateau !

— Bon Dieu, il n'a pas perdu de temps », marmonna Tom.

Une cacophonie de voix énervées ne tarda pas à leur parvenir. Ils virent la lumière vive d'une lanterne à pétrole rebondir jusqu'au fleuve. Des torches électriques illuminaient un petit groupe rassemblé sur l'embarcadère de fortune. Des cris de colère retentirent, puis le silence se fit. La voix du lieutenant Vespán s'adressa à eux en anglais : « Faites demi-tour ou j'ordonne à mes hommes de tirer !

— Il bluffe », lâcha Sally.

Tom n'en était pas si sûr.

« Ne croyez pas que je plaisante ! s'écria le *teniente*.

— Il ne fera pas feu, assura Sally.

— Un… deux…

— C'est du pipeau.

— Trois ! »

Ils n'entendaient plus rien.

« Qu'est-ce que je disais ? »

Le bruit d'armes automatiques qui s'éleva soudain de la rive leur parut dangereusement proche.

« Merde ! », brailla Tom en s'aplatissant au fond de la pirogue. Lorsque celle-ci commença à louvoyer, il leva la main et attrapa la poignée du moteur.

Sally, indifférente à tout, se tenait encore debout à la proue. « Ils tirent en l'air. Ils ne vont pas courir le risque de nous toucher. Nous sommes américains. »

Une deuxième rafale éclata. Cette fois-ci, Tom entendit distinctement les balles faire gicler l'eau autour d'eux. Sally se jeta à plat ventre à côté de lui. « Bon Dieu, mais ils nous canardent ! », s'écria-t-elle.

Tom poussa la barre de côté. La pirogue vira brusquement pour échapper au feu. À la suite de deux autres salves, le jeune homme entendit les balles bourdonner, telles des abeilles, au-dessus de sa tête et à sa gauche. De toute évidence, les militaires se repéraient au bruit du moteur et arrosaient les parages de leurs armes automatiques. Il ne faisait aucun doute qu'ils avaient l'intention de tuer.

Tom imprima à la pirogue un mouvement en zigzag pour empêcher les soldats de viser. À chaque embardée, Sally levait la tête et dirigeait la lumière devant elle pour que Tom voie où il allait. Dès qu'ils auraient franchi le méandre, ils seraient en sécurité, du moins temporairement.

Après une autre rafale, plusieurs balles ricochèrent sur le plat-bord en faisant tomber sur eux une pluie d'échardes.

« Merde ! lâcha Tom.

— Nous irons vous chercher! menaça la voix du lieutenant, désormais plus lointaine. Nous vous trouverons et vous regretterez votre geste jusqu'à la fin de vos misérables jours! »

Tom compta jusqu'à vingt avant de se risquer à relever la tête. L'embarcation négociait lentement son virage et quittait la ligne de tir. Tom longea au plus près le front végétal. Lorsqu'ils passèrent le méandre, les lumières du petit embarcadère palpitèrent à travers le feuillage, puis s'éteignirent.

Ils avaient réussi.

Comme tirée à contrecœur, une dernière rafale éclata. À sa gauche, Tom entendit un sifflement suivi d'un craquement. Les arbres avaient arrêté les balles. L'écho du bruit s'amenuisa et le silence revint sur le fleuve.

Il aida Sally à se relever. Dans la pénombre, elle semblait blanche, d'une pâleur quasi fantomatique. Il dirigea le faisceau de la lampe sur les environs. De chaque côté du cours d'eau se dressait une muraille d'arbres. Une unique étoile brilla un instant dans une trouée des frondaisons, puis disparut en scintillant. Le petit moteur continuait de gémir. Pour le moment, ils étaient seuls, enveloppés par la nuit chaude et humide.

Tom prit la main de Sally. Il la sentit frémir et s'aperçut alors qu'il tremblait aussi. Tous deux venaient d'échapper à la mort. Il avait vu cette scène des millions de fois au cinéma, mais la vivre lui avait paru une tout autre affaire.

La lune déclinait derrière les arbres et l'obscurité envahissait le fleuve. Tom éclairait les eaux pour éviter les obstacles et contourner les tourbillons. Les moustiques formaient un nuage vrombissant autour du bateau. À mesure que celui-ci avançait, leurs congénères venaient les rejoindre par milliers.

« J'imagine que tu n'as pas de répulsif dans une de tes poches, lança Tom.

— Figure-toi que je me suis débrouillée pour reprendre mon fourre-tout dans la Jeep. Je l'ai glissé dans mon pantalon. » Elle sortit l'objet d'une immense poche cousue à hauteur de sa cuisse, l'ouvrit, commença à far-fouiller à l'intérieur et en produisit tout un attirail : un flacon de tablettes destinées à purifier l'eau, plusieurs boîtes d'allumettes étanches, un rouleau de billets de cent dollars, un plan, deux barres de chocolat, un passeport et quelques cartes de crédit bien inutiles en la circonstance.

« Je ne sais même pas ce que j'ai là-dedans. »

Elle se mit à trier ce fatras pendant que Tom l'éclairait. Il n'y avait pas de répulsif. Elle jura et entreprit de tout ranger. C'est alors qu'une photo tomba sur le fond de la pirogue. Tom braqua la torche sur elle. Il vit un jeune homme d'une beauté stupéfiante, aux sourcils noirs et au menton bien découpé. Le front grave et plissé, les lèvres serrées, la veste de tweed et le port de tête, tout en lui dénotait l'individu qui se prend au sérieux.

« C'est qui ? demanda-t-il.

— Oh, c'est M. Clyve.

— C'est lui ? Mais il est tout jeune ! Je l'imaginais vieux, gaga, vêtu d'un gilet de laine et tirant sur une pipe !

— Il serait heureux de t'entendre. C'est le professeur le plus jeune de l'unité d'Histoire. Il est entré à Stanford à seize ans, il en est sorti diplômé à dix-neuf et il a soutenu sa thèse de doctorat à vingt-deux. C'est un véritable génie. » Elle remit avec soin la photo dans sa poche.

« Tu te balades avec une photo de ton prof ?

— Eh bien… On est fiancés. Je ne te l'ai pas dit ?

— Non. »

Elle l'observa avec curiosité. « Ça ne te pose pas de problème, j'espère.

— Bien sûr que non. » Il se sentit rougir et espéra que l'obscurité dissimulerait sa gêne. Il s'aperçut qu'elle le dévisageait dans la pénombre.

« Tu as l'air surpris.

— Je le suis. Après tout, tu ne portes pas de bague de fiançailles.

— Il ne croit pas à ces conventions bourgeoises.

121

— Et il était d'accord pour que tu viennes avec moi ? »
Il s'interrompit après avoir compris qu'il venait de dire
exactement ce qu'il ne fallait pas.

« Tu crois que je dois demander à mon « mec » *l'auto-risation* de partir en voyage ? Ou bien tu sous-entends
que je ne suis pas digne de confiance sur le plan de la
fidélité ? » Elle pencha la tête et plissa les paupières.

Tom détourna le regard. « Je n'aurais pas dû parler
de ça.

— Bien d'accord avec toi. Je te croyais plus ouvert. »

Pour cacher sa confusion, il se concentra sur son rôle
de pilote. Le fleuve était silencieux. L'embarcation s'en-fonçait dans la chaleur épaisse de la nuit. Un oiseau
poussa un cri dans le noir. Le calme qui s'ensuivit fut
interrompu par un bruit.

Le cœur battant, Tom coupa aussitôt le moteur. Le
bruit s'éleva de nouveau. C'était celui d'un starter de
hors-bord qui crépite parce qu'on l'actionne. Le silence
revint sur le fleuve. Leur pirogue s'immobilisa.

« Ils ont trouvé de l'essence. Ils nous poursuivent. »

Entraînée par le courant, l'embarcation commen-çait à reculer. Tom saisit une gaffe posée sur le fond
et la plongea dans l'eau. Le bateau oscilla un peu sous
la force du courant avant de se stabiliser. Ils restèrent
un instant sur place pour mieux écouter. Un autre cré-pitement se fit entendre, suivi d'un rugissement qui se
changea peu à peu en ronronnement. Le doute n'était
plus permis. C'était bien le bruit d'un hors-bord.

Tom allait remettre le moteur en marche.

« Non, dit Sally. Ils vont nous entendre.

— Avec une gaffe, on ne peut pas leur échapper.

— Avec un moteur non plus. Ils nous auront rattra-pés en cinq minutes grâce à leur dix-huit chevaux. »
De sa torche, elle balaya le front végétal qui se dressait
de chaque côté du fleuve. L'eau s'étendait loin sous les
arbres. « On pourrait se cacher. »

Tom utilisa la gaffe pour diriger l'embarcation vers la
forêt inondée. Une petite trouée abritait un étroit che-nal qui, en temps normal, devait être un affluent. Il y fit

avancer la pirogue, qui ne tarda pas à buter contre un tronc immergé.

« C'est foutu ! », s'exclama-t-il.

L'eau devait leur arriver à mi-jambes, mais le fond se composait de soixante centimètres de vase. Ils s'y enfoncèrent dans un feu d'artifice de bulles. L'odeur fétide des gaz produits par le marécage s'éleva jusqu'à leurs narines. L'arrière du bateau, qui dépassait encore à la lisière de la forêt, était parfaitement visible.

« Soulève et pousse. »

Ils posèrent à grand-peine la proue sur le tronc, puis, dans un bel ensemble, poussèrent la pirogue pour lui faire franchir l'obstacle. Après avoir enjambé l'arbre, ils reprirent place à bord. Le bruit du dix-huit chevaux grandissait. Les soldats remontaient le fleuve à toute vitesse.

Sally ramassa la seconde gaffe et tous deux se mirent à faire progresser l'embarcation dans la forêt inondée. Tom éteignit la torche. Quelques instants plus tard, un puissant faisceau lumineux s'infiltra en clignotant parmi les arbres.

« On est encore trop près, dit Tom. Ils vont nous voir. » Il essaya de manœuvrer la gaffe, qui s'enfonça dans la vase et y resta plantée. Il l'en extirpa avec difficulté, la reposa, attrapa des lianes et s'en servit pour propulser la pirogue jusqu'à un fourré de fougères. Le dix-huit chevaux parvenait à leur hauteur. La lumière éclaira la jungle au moment même où Tom plaquait Sally sur le fond de l'embarcation. Serrés l'un contre l'autre, ils restèrent immobiles. Tom mit un bras autour du corps de la jeune femme et pria pour que les soldats ne remarquent pas le moteur du bateau.

Le bruit du hors-bord s'était accru. Les soldats avaient ralenti et leur rayon balayait la forêt où les fuyards se cachaient. Tom entendit le crachotement d'un talkie-walkie et le murmure de plusieurs voix. La torche éclaira la jungle environnante, qui prit des airs de décor de cinéma, et s'éloigna lentement. L'obscurité bénie revint. Le ronronnement du moteur s'atténua.

Tom s'assit à temps pour voir l'éclair s'éloigner, puis disparaître au détour d'un méandre. « Ils sont partis », constata-t-il.

Sally se redressa et rejeta les cheveux emmêlés qui lui masquaient le visage. Autour d'eux, les moustiques formaient une nuée épaisse. Tom les sentait partout, dans sa chevelure, sur son cou, essayant de s'insinuer à l'intérieur de ses oreilles et de ses narines. À chaque claque qu'il se donnait, il en écrasait une dizaine, aussitôt remplacés par d'autres. Quand il tentait de respirer, il en inhalait.

« Il faut sortir d'ici », lança Sally en se donnant des gifles.

Tom entreprit d'arracher des brindilles aux buissons voisins.

« Qu'est-ce que tu vas faire ?

— Du feu.

— Où ça ?

— Tu verras bien. » Quand il eut achevé sa cueillette, il se pencha par-dessus bord et préleva de la vase dans le marais. Sur le fond de la pirogue, il en fit une galette où il déposa quelques feuilles. Par-dessus cette base, il construisit un petit tipi de brindilles qu'il couvrit de feuilles sèches.

« Allumettes ! »

Sally s'exécuta. Dès que le feu eut pris, il y ajouta des feuilles vertes et des brindilles. Un filet de fumée s'éleva et se mit à stagner dans l'air immobile. Tom coupa une fougère et s'en servit comme d'un éventail pour rabattre la fumée sur Sally. Le nuage de moustiques enragés recula. La flamme dégageait une douce odeur d'épices.

« Joli coup ! déclara Sally.

— Mon père me l'a appris lors d'une balade en canot dans le nord du Maine. » Il tendit la main, ramassa d'autres feuilles et les ajouta au feu.

Sally sortit la carte pour l'examiner à la lumière de la torche. « On dirait que le fleuve se divise en plusieurs chenaux. Nous devrions ne pas les quitter jusqu'à notre arrivée à Pito Solo.

— Bonne idée. Je pense que, à partir de maintenant, il nous faut avancer à la gaffe. Mieux vaut éviter d'utiliser le moteur. »

Elle acquiesça de la tête.

« Occupe-toi du feu, dit Tom. Moi, je vais manœuvrer la gaffe. Plus tard, on échangera les rôles. On ne s'arrêtera qu'à Pito Solo.

— D'accord. »

Il ramena l'embarcation sur le cours d'eau et longea la forêt inondée en guettant le bruit d'un bateau à moteur. Ils ne tardèrent pas à atteindre un petit chenal latéral qui s'enfonçait dans la jungle en y décrivant des méandres. Ils l'empruntèrent.

« Je ne crois pas que le lieutenant Vespán ait eu l'intention de nous ramener à San Pedro Sula, déclara Tom. À mon avis, il projetait de nous précipiter du haut de son hélicoptère. Sans cette pièce manquante, nous serions morts. »

19

Après avoir levé les yeux vers la vaste canopée qui formait une coupole au-dessus de sa tête, Vernon constata que la nuit tombait sur le marais de Meámbar. Avec le crépuscule revenaient le vrombissement des insectes et la montée des miasmes produits par les hectares de boue tremblotante au milieu desquels ils se trouvaient. Tel un gaz empoisonné, cette vapeur fétide se répandait ensuite parmi les gigantesques troncs. Quelque part dans les profondeurs du marais, il entendit le cri d'un animal, suivi par le rugissement d'un jaguar.

Pour la deuxième nuit consécutive, ils n'avaient pas trouvé de terrain sec où camper. Ils avaient attaché leur pirogue sous un bouquet de broméliacées géantes, dans l'espoir que les feuilles les protégeraient de la pluie incessante. Bien au contraire, elles avaient canalisé les gouttes en torrents qu'ils n'avaient pu éviter.

Au fond de l'embarcation, le Maître était recroquevillé contre les sacs de vivres. Enveloppé dans une couverture humide, il grelottait malgré la chaleur suffocante. Les moustiques qui les emprisonnaient dans un brouillard exaspérant étaient particulièrement nombreux sur son visage. Vernon les vit se promener autour de la bouche et des yeux du malade, qu'il enduisit de répulsif. L'entreprise était vouée à l'échec. Si la pluie ne délavait pas le produit, la sueur, elle, y parviendrait.

À l'avant du bateau, les deux guides buvaient et jouaient aux cartes à la lumière d'une torche électrique. Depuis le départ, ils n'avaient pratiquement pas dessaoulé. Vernon avait découvert avec horreur qu'un des bidons en plastique de trente-cinq litres qui, croyait-il, contenait de l'eau, était en réalité rempli d'*aguardiente* fait maison.

Les bras autour du corps, il se pencha en avant et commença à se balancer. Il faisait encore un peu jour. La nuit semblait descendre très lentement. Dans le marais, les couchers de soleil étaient inexistants. La lumière virait du vert au bleu, puis au violet, et enfin au noir. À l'aube, le processus s'inversait. Même par beau temps, il n'y avait pas de clarté, mais une lueur couleur d'émeraude. Vernon aurait tout donné pour un peu de lumière et une bouffée d'air frais.

Au bout de plusieurs jours d'errance, les guides avaient fini par admettre qu'ils étaient perdus et qu'il fallait rebrousser chemin. C'est ce que les quatre hommes avaient fait, mais ils semblaient s'enfoncer encore plus loin dans le marais. Ils n'étaient certainement pas passés par là à l'aller. Il était impossible de parler à ces gens. Bien que Vernon connaisse l'espagnol et qu'ils baragouinent un peu d'anglais, ils étaient souvent trop ivres pour articuler quelque langue que ce soit. Depuis quelque temps, plus ils paraissaient perdus, plus ils clamaient le contraire et plus ils buvaient. Et voilà que le Maître était tombé malade.

Vernon entendit une malédiction retentir à la proue. Un des types jeta ses cartes et se leva en titubant, la carabine à la main. Le roulis s'empara de la pirogue.

« *Cabrón !* » Son partenaire s'était dressé d'un bond en saisissant sa machette.

« Arrêtez ! » s'écria Vernon. Comme d'habitude, ils ne lui prêtèrent pas attention. Après avoir échangé une bordée d'injures, ils se lancèrent dans un combat d'ivrognes. Un coup de feu partit dans le vide, puis la bagarre reprit à grand renfort de grognements. Soudain, redevenus les meilleurs amis du monde, ils se rassirent, ramassèrent leurs cartes éparses et les redistribuèrent comme si de rien n'était.

« Qui a tiré ? demanda le Maître en ouvrant les yeux quelques instants plus tard.

127

— Personne, répondit Vernon. Ils ont encore bu. »

Pris d'un frémissement, le Maître s'emmitoufla dans la couverture. « Tu devrais leur prendre cette carabine. »

Vernon garda le silence. Il aurait été idiot de leur ôter leur arme, même s'ils étaient ivres. Surtout s'ils étaient ivres.

« Ces moustiques... » murmura le Maître d'une voix chevrotante.

Vernon versa du répulsif dans sa main et l'appliqua avec douceur sur le visage et le cou du Maître. Celui-ci poussa un soupir de soulagement, frissonna brièvement et ferma les paupières.

Vernon resserra sa chemise trempée autour de lui. La pluie tombait à grosses gouttes sur son dos. Il écouta les bruits de la forêt, les cris inconnus des bêtes qui s'accouplaient ou se battaient, et pensa à la mort. Il sentait que la question qui l'obsédait depuis toujours allait bientôt trouver sa réponse sans lui, de façon aussi inattendue que terrifiante.

20

Un manteau de brume protectrice resta étendu sur le fleuve quarante-huit heures durant. Tom et Sally maniaient la gaffe pour gagner l'amont en suivant les sinuosités des chenaux. Ils respectaient une stricte politique de silence, avançaient de jour comme de nuit et dormaient à tour de rôle. Ils n'avaient pratiquement rien à manger, hormis deux barres de chocolat qu'ils consommaient bouchée par bouchée et les fruits que Sally cueillait au passage. Rien ne leur indiquait qu'ils étaient poursuivis. Tom se prenait à espérer que les militaires avaient abandonné la partie, qu'ils étaient rentrés à Brus ou étaient restés bloqués quelque part. Le fleuve était truffé de bancs de sable ou de vase, ainsi que de troncs immergés sur lesquels un bateau pouvait s'échouer. Waono avait dit vrai.

Au matin du troisième jour, la brume se leva. Ils découvrirent les deux murailles, formées par une cascade végétale, qui flanquaient les eaux noires du fleuve. Peu après, ils aperçurent une maison sur pilotis, aux murs de clayonnage et au toit de chaume. Plus loin apparut une rive pentue et semée de rochers en granit. C'était la première terre ferme qu'ils voyaient depuis longtemps. Un ponton semblable à celui de Brus se dressait au bord de l'eau. Il se composait d'une plateforme en bambou que supportaient des troncs grêles enfoncés dans la vase.

« Qu'est-ce que tu en dis ? demanda Tom. On s'arrête ? »

Sally se leva. Sur la rive, un gamin pêchait à l'aide d'un petit arc et de flèches.

« Pito Solo ? »

À ces mots, il s'enfuit en abandonnant son équipement.

« On peut toujours essayer, reprit Tom. On est finis si on ne trouve rien à manger. » Ils approchèrent de la grève.

Lorsqu'ils sautèrent de la pirogue, le ponton émit un craquement et vacilla dangereusement. Une passerelle branlante menait au sommet du talus. Ils préférèrent gravir la pente glissante et boueuse. Tout était détrempé et il n'y avait personne en vue. Ils avisèrent une petite hutte sans murs et un vieillard assis dans un hamac auprès d'un feu. Une bête tournait sur une broche de bois. Tom, qui humait le délicieux arôme de la viande rôtie, la dévorait des yeux. Son appétit se calma à peine lorsqu'il s'aperçut qu'il s'agissait d'un singe.

« *Holà*, lança Sally.

— *Holà* », répondit l'homme.

Elle lui parla en espagnol. « C'est bien Pito Solo ici ? »

Sans rien dire, son interlocuteur leva vers elle un regard vide.

« Il ne parle pas espagnol, hasarda Tom.

— De quel côté se trouve le village ? *Donde ?* Où ? »

Le vieux montra la brume du doigt. Tom sursauta en entendant le cri perçant d'un animal.

« Il y a une piste là-bas », dit Sally.

Ils l'empruntèrent et parvinrent rapidement au village. Bâti sur une élévation cernée par la forêt, il se composait d'un fouillis de huttes en clayonnage enduit de torchis, dont les toitures étaient faites de tôle ou de chaume. Des poulets s'enfuyaient devant eux et des chiens efflanqués se plaquaient contre les murs en leur jetant des regards en coin. Ils déambulèrent dans les ruelles. Apparemment désert, Pito Solo s'achevait aussi abruptement qu'il avait commencé, sur un rideau de jungle compacte.

Sally regarda Tom. « Et maintenant ?

— On frappe. » Il joignit le geste à la parole en choisissant une porte au hasard.

Silence.

Il entendit un froissement dont il chercha l'origine autour de lui. Au début, il ne remarqua rien. Puis il s'aperçut qu'une centaine d'yeux noirs les observaient derrière les feuillages. C'étaient des yeux d'enfants.

« Je regrette de ne pas avoir pris mes bonbons, déclara Sally.

— Sors un billet. »

Elle s'exécuta. « Ohé ! Qui veut des dollars américains ? »

Un cri retentit et les gamins bondirent hors de leur cachette, les paumes tendues, en braillant et en jouant des coudes.

« Qui parle espagnol ? » demanda Sally en levant la main qui tenait l'argent.

Ils se mirent à hurler. Une fillette un peu plus âgée sortit de la foule. « Puis-je vous aider ? » demanda-t-elle avec élégance. Elle semblait avoir treize ans. Elle portait un tee-shirt sur lequel une rosace était teinte, un short et des boucles d'oreilles en or. D'épaisses nattes noires lui descendaient dans le dos.

Sally lui donna le billet. Un grand « Oooh » de déception monta de l'assistance, qui parut pourtant prendre la chose avec bonne humeur. La glace était enfin rompue.

« Comment tu t'appelles ?

— Marisol.

— Joli nom. »

L'adolescente sourit. Elle était belle.

« Nous cherchons Don Orlando Ocotal. Tu peux nous conduire à lui ?

— Il est parti avec les *yanquis* il y a plus d'une semaine.

— Quels *yanquis* ?

— Un grand gringo en colère qui a des piqûres sur le visage, et un autre qui sourit et qui a des bagues en or aux doigts. »

131

Tom laissa échapper un juron et se tourna vers Sally. « On dirait bien que Philip nous a soufflé notre guide. » Il s'adressa à l'adolescente. « Ils ont dit où ils allaient ?

— Non.

— Il y a des adultes ici ? Nous remontons le fleuve et il nous faut un guide.

— Je vais vous emmener voir mon grand-père, Don Alfonso Boswas. C'est le chef du village. Il sait tout. »

Ils la suivirent. Il se dégageait d'elle une maîtrise de soi et une compétence que son port de tête accentuait. Lorsqu'ils passèrent devant les huttes déglinguées, les fumets de cuisine faillirent faire perdre connaissance à Tom. Marisol les conduisit à la cabane qui semblait la plus mal en point du village. Ses murs penchés se composaient de bâtons alignés, entre lesquels il ne restait pratiquement plus de boue séchée. Elle était construite près d'un terrain détrempé. Au milieu de cette esplanade se dressait un bouquet de citronniers et de bananiers faméliques.

Marisol s'effaça pour les laisser entrer. Au centre de la pièce, un vieillard était assis sur un tabouret trop bas pour lui. Ses genoux cagneux émergeaient des gros trous de son pantalon et quelques touffes de cheveux blancs s'élançaient en tous sens de son crâne dégarni. Il fumait une pipe de bruyère qui emplissait la cabane d'une odeur de goudron. Une machette était posée à terre non loin de lui. De petite taille, il portait des lunettes qui lui grossissaient les yeux et lui donnaient un air interloqué. Il était impossible de le prendre pour le chef. Bien au contraire, il semblait être l'homme le plus pauvre de Pito Solo.

« Don Alfonso Boswas ? demanda Tom.

— Qui ça ? s'écria le vieillard en ramassant son arme et en l'agitant devant lui. Cette canaille ? Il est parti. Il s'est fait chasser du village il y a longtemps. Ce bon à rien vivait trop vieux. Il restait toute la journée assis à fumer sa pipe et à regarder passer les filles. »

Tom dévisagea son interlocuteur avec surprise, puis chercha Marisol des yeux. Debout sur le seuil, elle étouffait un gloussement.

Le vieillard posa sa machette et éclata de rire. « Entrez, entrez ! C'est moi, Don Alfonso Boswas. Asseyez-vous. Je ne suis qu'un vieux farceur. J'ai vingt petits-enfants et soixante arrière-petits-enfants qui ne viennent jamais me voir. C'est pourquoi je blague avec les étrangers. » Il parlait un espagnol curieusement formel, voire démodé, et utilisait le *usted*.

Les visiteurs saisirent deux tabourets bancals. « Je m'appelle Tom Broadbent. Et voici Sally Colorado. »

Le vieillard se leva, s'inclina poliment et se rassit.

« Nous cherchons un guide pour remonter le fleuve.

— Hum... Tout d'un coup, les *yanquis* ont la folie de remonter le fleuve et d'aller se perdre dans le marais de Meámbar pour se faire dévorer par les anacondas. Pourquoi ? »

Pris de court par cette question, Tom hésita.

« Nous essayons de retrouver son père, expliqua Sally. Maxwell Broadbent. Il est arrivé en pirogue il y a environ un mois avec un groupe d'Indiens. Ils devaient transporter beaucoup de caisses. »

Le vieillard regarda Tom en plissant les paupières. « Viens ici, mon garçon. » Il tendit un bras tanné, agrippa celui de Tom d'une main de fer et l'attira à lui. Ses yeux, ridiculement agrandis par les verres, étaient rivés à ceux de Tom.

Il eut l'impression que Don Alfonso le transperçait jusqu'à l'âme.

Après l'avoir examiné un moment, le vieillard le relâcha. « Je vois que ta femme et toi avez faim. Marisol ! » Il lui parla dans une langue indienne. Quand l'adolescente fut sortie, il se tourna de nouveau vers Tom. « Alors, comme ça, c'est ton père qui est venu ici ? Tu n'as pas l'air fou. D'habitude, les enfants des fous sont fous.

— Ma mère était normale. »

Don Alfonso rugit de rire en se tapant sur la cuisse. « Elle est bien bonne ! Tu es un blagueur, toi aussi. Oui, ils se sont arrêtés pour acheter des provisions. Le Blanc ressemblait à un ours. Sa voix portait à cinq cents mètres. Je lui ai dit qu'il était cinglé de vouloir aller au marais de Meámbar, mais il ne m'a pas écouté. Ce doit être un grand chef en Amérique. On a passé une bonne soirée, on a bien rigolé et il m'a offert *ça*. »

Il tendit les bras vers des sacs en toile de jute pliés, farfouilla un instant dans la pile et leur montra la chose couleur sang de pigeon qui reposait dans sa paume. Lorsqu'un rayon de soleil tomba sur lui, l'objet se mit à scintiller et une étoile parfaitement dessinée y apparut. Don Alfonso le déposa dans la main de Tom.

« Un rubis étoilé », souffla le jeune homme. La pierre faisait partie de la collection de Maxwell Broadbent. Elle valait une petite fortune, peut-être même une grande. Il sentit l'émotion le submerger. Faire un cadeau extravagant à quelqu'un qu'il aimait bien, c'était tout son père... Un jour, Maxwell avait donné cinq mille dollars à un mendiant qui lui avait fait une remarque amusante.

« Oui. Un rubis. Avec ça, mes petits-enfants pourront aller en Amérique. » Don Alfonso rangea soigneusement le joyau parmi les sacs tachés. « Pourquoi il a fait ça, ton père ? Quand j'ai essayé d'en savoir plus, il s'est montré aussi fuyant qu'un coati. »

Tom lança un regard à Sally. Que répondre ? « Nous essayons de le retrouver parce qu'il est... malade. »

À ces mots, Don Alfonso ouvrit des yeux énormes. Il ôta ses lunettes, les essuya à l'aide d'un chiffon crasseux et les rechaussa. Elles étaient encore plus sales qu'avant l'opération. « Une infection ?

— Non. Comme vous l'avez dit, il est un peu *loco*, c'est tout. Il a voulu faire une farce à ses fils. »

Don Alfonso réfléchit un moment, puis branla du chef. « J'ai vu les *yanquis* accomplir des choses étranges, mais celle-ci est plus qu'étrange. Vous me cachez quelque chose. Si vous voulez que je vous aide, vous devez tout me dire. »

Tom soupira et jeta un coup d'œil à Sally, qui acquiesça de la tête. « Il est mourant. Il a remonté le fleuve avec tous ses biens pour se faire enterrer et il nous a mis au défi de découvrir sa tombe pour récupérer notre héritage. »

Don Alfonso opinait du bonnet, comme s'il venait d'entendre les propos les plus naturels du monde. « Oui, c'est ce que nous faisions, nous, les Tawahkas. Ça mettait nos enfants en colère. Mais quand les missionnaires sont arrivés, ils nous ont expliqué que Jésus nous donnerait autre chose au Ciel pour que nous n'ayons plus à enterrer nos morts avec leurs objets. Alors nous avons arrêté. Mais je crois que l'ancienne coutume était meilleure. Et je ne suis pas sûr que Jésus ait tous ces nouveaux trucs à nous offrir. Sur les images que j'ai vues, on dirait un pauvre. Il n'a pas de marmites, pas de cochons, pas de poulets, pas de chaussures. Il n'a même pas de femme. » Il renifla bruyamment. « Mieux vaut, peut-être, s'enterrer avec ses biens que de laisser ses enfants se battre pour eux. Ils se battent même avant qu'on meure. C'est pourquoi j'ai déjà donné tout ce que je possédais à mes fils et à mes filles. Maintenant, je vis comme un miséreux. C'est la seule chose respectable à faire. Mes enfants n'ont plus à se battre pour rien et, ce qui est plus important, ils n'espèrent pas que je meure. »

Sur ce, il reporta sa pipe à la bouche.

« D'autres Blancs sont venus ? demanda Sally.

— Il y a dix jours, quatre hommes se sont arrêtés. Deux gars de Puerto Lempira et deux Blancs à bord de deux pirogues. J'ai pris le plus jeune pour Jésus, mais ils m'ont dit à l'école des missionnaires que c'était ce qu'on appelle un hippie. Ils sont restés une journée et ils ont continué leur voyage. Et puis la semaine dernière, quatre pirogues sont arrivées. Elles transportaient des militaires et deux gringos. Ils ont pris Don Orlando comme guide et ils sont partis. C'est pourquoi je me demande ce qui pousse tous ces fous de *yanquis* à aller soudain au marais de Meámbar. Ils cherchent la tombe de ton père ?

— Oui. Ce sont mes frères.

— Et pourquoi vous ne collaborez pas ? »

Tom en resta sans voix.

Sally prit la parole. « Vous avez parlé d'Indiens qui accompagnaient le premier Blanc. Vous savez d'où ils venaient ?

— Ce sont des sauvages. Ils vivent nus sur les hautes terres, et ils se peignent en rouge et noir. Ils ne sont pas chrétiens. Ici, à Pito Solo, on est un peu chrétiens. Pas beaucoup, juste assez pour s'en sortir quand les missionnaires viennent d'Amérique du Nord avec des vivres et des médicaments. Alors on chante et on tape dans les mains en l'honneur de Jésus. C'est comme ça que j'ai eu mes nouvelles lunettes. » Il les ôta et les tendit à Tom pour que celui-ci les inspecte.

« Don Alfonso, insista Tom, il nous faut un guide, des vivres et du matériel. Vous pouvez nous aider ? »

Le vieillard tira plusieurs bouffées, puis hocha la tête. « Je vais vous conduire.

— Ah non ! s'écria Tom en jetant un regard inquiet à la frêle silhouette de son interlocuteur. Je ne vous le demandais pas à vous. Nous ne pouvons pas priver de votre présence un village où vous êtes si important.

— Moi ? Important ? Rien ne ferait plus plaisir aux habitants que de se débarrasser du vieux Don Alfonso !

— Mais vous êtes leur chef.

— Leur chef ? Pouah !

— Le voyage sera long et difficile. Il ne conviendra pas à un homme de votre âge.

— J'ai encore la force du tapir ! Je suis assez jeune pour me remarier. À vrai dire, j'aurais bien besoin qu'une jeunesse de seize ans remplisse le vide de mon hamac. Tous les soirs, elle sauterait sur moi en poussant des petits soupirs et en me donnant des baisers pour m'endormir.

— Don Alfonso…

— Le matin, à l'heure des oiseaux, elle me ferait des agaceries et elle me fourrerait sa langue dans l'oreille pour me réveiller. Ne vous faites pas de mauvais sang.

Don Alfonso Boswas vous fera traverser le marais de Meámbar.

— Non, lâcha Tom aussi fermement que possible. Il nous faut un guide jeune.

— Vous n'y couperez pas. J'ai rêvé que vous viendriez et que j'irais avec vous. C'est décidé. Je parle anglais et espagnol, mais je préfère l'espagnol. L'anglais me fait peur. On dirait la langue de quelqu'un qui manque d'air. »

Tom lança à Sally un regard exaspéré. Ce vieux était impossible.

C'est alors que Marisol revint en compagnie de sa mère. Toutes deux portaient des planchettes couvertes de palmes, sur lesquelles étaient disposées des *tortillas* chaudes, des bananes frites, de la viande grillée, des fruits frais et des noix.

Tom n'avait jamais eu aussi faim de sa vie. Sally et lui se jetèrent sur le festin. Don Alfonso se joignit à eux sous le regard satisfait de l'adolescente et de sa mère. Personne ne parla durant le repas. Quand Sally et Tom eurent fini, la femme leur ôta leur assiette pour la remplir de nouveau. Elle répéta la manœuvre une seconde fois.

Lorsqu'ils furent rassasiés, Don Alfonso se redressa et s'essuya les lèvres.

« Bon ! reprit Tom d'une voix ferme. Rêve ou pas, vous ne viendrez pas avec nous. Il nous faut un homme plus jeune.

— Ou une femme, proposa Sally.

— J'emmènerai deux jeunes, Chori et Pingo, avec moi. À part Don Orlando, je suis le seul qui sache se repérer dans le marais de Meámbar. Sans guide, vous mourrez.

— Je dois refuser, Don Alfonso.

— Vous n'avez plus beaucoup de temps. Les soldats vous cherchent.

— Ils sont venus ici ?

— Ce matin. Et ils reviendront. »

Le regard de Tom se posa sur Sally, puis sur Don Alfonso. « Nous n'avons rien fait de mal. Je vous expliquerai...

— Inutile d'expliquer. Les soldats sont méchants. Commençons à rassembler des provisions. Marisol !

— Oui, grand-père ?

— Il nous faut des toiles imperméabilisées, des allumettes, de l'essence, de l'huile pour un moteur à deux temps, une poêle à frire, des marmites, des couverts, des bidons d'eau... » Il continua à dérouler sa liste de vivres et de matériel.

« Vous avez des médicaments ? demanda Tom.

— Grâce aux missionnaires, on a beaucoup de médicaments d'Amérique du Nord. On a beaucoup tapé dans les mains pour les obtenir. Marisol, dis aux gens de venir vendre leurs objets à bon prix. »

Les nattes au vent, l'adolescente sortit en courant. Moins de dix minutes plus tard, elle revint à la tête d'une file de vieux, de femmes et d'enfants qui portaient tous un article différent. Don Alfonso resta dans la hutte pour s'épargner le spectacle dégradant des transactions. Marisol canalisait la foule.

« Achetez ce dont vous avez besoin et renvoyez les autres, leur dit-elle. Ils vous donneront leur tarif. Ne marchandez pas. Ça ne se fait pas ici. Vous n'avez qu'à dire oui ou non. Les prix sont corrects. »

Elle parla d'un ton sec à la file dépenaillée qui se resserra.

« Elle sera chef du village, murmura Tom à Sally en observant la belle rangée formée par les villageois.

— Elle l'est déjà.

— Nous sommes prêts », déclara Marisol. Elle fit signe au premier homme, qui s'avança et tendit cinq sacs en toile de jute.

« Quatre cents, dit-elle.

— Dollars ? s'enquit Tom.

— Lempiras.

— Combien ça fait en dollars ?

— Deux.

— On prend. »

Le deuxième vendeur approcha. Il portait un gros sac de haricots, un autre de maïs sec, ainsi qu'une casserole en aluminium et son couvercle, tous deux incroyablement cabossés. Le manche d'origine avait été remplacé par un nouveau, verni, sculpté dans un bois dur et d'une facture magnifique. « Un dollar.

— On prend. »

L'homme posa sa charge et se retira pendant que le suivant faisait un pas en avant. Il leur montra deux tee-shirts, deux shorts sales, un chapeau de camionneur et une paire de baskets toutes neuves.

« Voici ma tenue de rechange », dit Tom. Il examina les chaussures. « Exactement ma taille. Tu aurais imaginé qu'on trouverait une paire d'Air Jordan ici ?

— C'est ici qu'on les fabrique, répondit Sally. Tu ne te souviens pas du scandale des ateliers où les ouvriers travaillent encore comme au XIXe siècle ?

— Mais oui, bien sûr ! »

Le défilé se poursuivit. Ils achetèrent des bâches, des sacs de haricots et de riz, de la viande séchée et fumée que Tom préféra ne pas examiner de trop près, des bananes, vingt litres d'essence en bidon et une boîte de sel. Quelques personnes étaient munies de flacons de Raid extrafort, le meilleur des insecticides, que Tom leur refusa.

Soudain, un murmure circula au sein de la foule. Tom entendit le lointain bourdonnement d'un hors-bord. L'adolescente s'exprima rapidement.

« Suivez-moi dans la forêt. Vite ! »

L'assistance se dispersa aussitôt et le village redevint apparemment vide. Marisol les conduisit avec calme dans la jungle en suivant un sentier quasi invisible. Une brume crépusculaire flottait parmi les arbres. Le marais les environnait de toutes parts, mais la piste déployait ses sinuosités sur d'infimes élévations du terrain. Les bruits du village se turent. Le trio était enveloppé par le manteau isolant de la forêt. Après dix minutes de marche, l'adolescente se figea.

« Attendons ici.

— Combien de temps ?

— Jusqu'à ce que les soldats soient partis.

— Et notre bateau ? s'exclama Sally. Ils ne vont pas le reconnaître ?

— On l'a déjà caché.

— Bonne idée ! Merci bien.

— De rien. » Très digne, Marisol braqua ses yeux noirs sur le chemin qu'ils venaient d'emprunter. Aussi immobile et tranquille qu'une biche, elle attendait.

« Où vas-tu à l'école ? demanda Sally au bout d'un moment.

— Chez les baptistes, plus bas sur le fleuve.

— Ce sont des missionnaires ?

— Oui.

— Alors tu es chrétienne ?

— Oh *oui*, lança Marisol en tournant un visage sérieux vers Sally. Pas vous ? » La jeune femme rougit. « Euh, mes parents étaient chrétiens.

— Tant mieux, répondit l'adolescente en souriant. Je n'aimerais pas que vous alliez en Enfer.

— Bon ! » Tom mit fin au silence embarrassé qui avait suivi cette sortie. « Je suis curieux de savoir si, à part Don Alfonso, il y a quelqu'un au village qui sache traverser le marais de Meámbar. »

D'un air grave, Marisol eut un geste de dénégation. « Il est le seul.

— C'est difficile ?

— Très.

— Pourquoi tient-il tant à nous emmener ? »

Elle se contenta de hocher la tête. « Je n'en sais rien. Il a des rêves et des visions.

— Il a vraiment rêvé de notre arrivée ?

— Oh oui ! Quand le premier Blanc est venu, il a dit que ses fils n'allaient pas tarder. Et vous voici !

— Belle intuition », lâcha Tom en anglais.

Deux coups de feu résonnèrent dans la forêt. Curieusement déformé par l'épaisseur de la végétation, leur écho gronda comme le tonnerre et mit longtemps à se taire.

L'effet produit sur Marisol était effrayant. Blême, trem-blante, la jeune fille se mit à vaciller, mais resta muette. Tom était horrifié. Y avait-il eu mort d'homme?

« Ils ne sont tout de même pas en train de massacrer les villageois? demanda-t-il.

— Je ne sais pas. »

Il vit ses yeux s'embuer. Elle s'interdit de manifester toute autre émotion.

Sally saisit le bras de Tom. « Ils tuent peut-être des gens à cause de nous. Il faut se rendre.

— Non, déclara l'adolescente d'un ton abrupt. Ils tirent peut-être en l'air. On ne peut rien faire, sinon attendre. » Une larme coulait sur sa joue.

« On n'aurait jamais dû s'arrêter ici, reprit Sally en anglais. On n'avait pas le droit de faire courir un dan-ger à ces villageois. Tom, il *faut* rentrer et affronter les militaires.

— Tu as raison. » Il fit volte-face.

« Si vous y retournez, ils nous tueront, c'est sûr, expliqua l'adolescente. Face aux soldats, nous sommes impuissants.

— Ils ne s'en sortiront pas comme ça, s'indigna Sally d'une voix vibrante. Je rapporterai leurs agissements à l'ambassade des États-Unis. Ils seront punis. »

Marisol se taisait. Elle avait retrouvé son immobilité de biche et frémissait à peine. Même scs larmes avaient cessé de couler.

21

Lewis Skiba se retrouvait seul. L'après-midi n'était guère avancé, mais il avait libéré le personnel pour lui épargner tout contact avec la presse. Il avait débranché son téléphone et fermé les deux portes de son bureau. Pendant que l'entreprise s'effondrait autour de lui, il était enfermé dans un cocon de silence qui baignait dans la lueur dorée dont il était l'auteur.

La SEC n'avait même pas attendu la clôture du marché pour annoncer qu'elle allait enquêter sur les irrégularités apparues dans la comptabilité des laboratoires pharmaceutiques Lampe-Denison. La nouvelle avait fait l'effet d'une bombe. L'action, qui cotait sept vingt-cinq, piquait du nez. La société ressemblait à une baleine moribonde, paralysée et gémissante, cernée par des requins sans états d'âme – les vendeurs à découvert – qui la déchiquetaient peu à peu. Leur voracité primaire et frénétique aurait plu à Darwin. Chaque dollar qu'ils arrachaient au prix du titre formait un trou de plusieurs centaines de millions dans le capital de Lampe. Skiba, lui, n'y pouvait rien.

Les avocats de l'entreprise avaient fait leur travail en publiant le démenti habituel, selon lequel Lampe ne demandait qu'à collaborer pour mettre fin aux rumeurs « sans fondement » qui entachaient sa réputation. Graff, le directeur financier, avait joué son rôle en déclarant que la boîte avait scrupuleusement respecté des principes de comptabilité communément admis. Les auditeurs avaient exprimé leur surprise et leur consternation en affirmant qu'ils s'étaient fondés sur les déclarations financières de la société et que, s'il y avait eu irrégularité, ils étaient tombés dans le panneau comme tout le monde. Les clichés que Skiba avait entendus de toutes les firmes tordues et de leurs légions de représentants habilités se répétaient. Tout se déroulait avec la raideur et le caractère convenu d'une pièce de kabuki. Chacun, sauf lui, avait suivi le scénario à la lettre. Désormais, ils voulaient tous l'entendre, lui, Skiba le magnifique, Skiba le terrible. Ils voulaient tous relever la toile qui masquait le fond de scène et voir le charlatan qui tirait les ficelles.

Ça ne se passerait pas comme ça. Tant qu'il serait vivant, ils auraient beau bavasser, il ne dirait pas un mot. Et quand le *Codex* arriverait, quand la valeur doublerait, triplerait, quadruplerait...

Il vérifia l'heure à sa montre. Encore deux minutes.

La communication par satellite était si bonne que la voix de Hauser semblait provenir du bureau voisin, à cette réserve près que le brouilleur lui donnait encore une fois une intonation caquetante. Skiba retrouva l'insolente familiarité et l'accent banlieusard du sinistre personnage.

«Lewis, comment ça va?»

Après un silence glacial, Skiba répondit: «Quand aurai-je le *Codex*?

— Voilà ce qui se passe. Comme je l'avais prévu, Vernon, le cadet, s'est paumé dans le marais. Il a sans doute passé l'arme à gauche. Quant à l'autre, Tom...

— Je ne vous demande pas de leurs nouvelles. Ça ne m'intéresse pas. Je vous parle du *Codex*.

— Ça *devrait* vous intéresser. Je vous explique où on en est. Enfin! Comme je vous le disais, Tom, le benjamin, a réussi à échapper aux soldats que j'avais payés pour l'arrêter. Ils le poursuivent. Ils l'attraperont peut-être avant son arrivée au marais, mais il est bien plus futé que je ne le croyais. Sinon, il faudra l'arrêter de l'autre côté. Je ne peux pas courir le risque de perdre leur trace, à la fille et lui, dans les montagnes situées au-delà. Vous me suivez ? »

Skiba baissa le volume et la voix arrogante se fit plus faible. Il n'aurait jamais cru haïr un être humain à ce point.

« Le deuxième problème, c'est Philip, l'aîné. Il va falloir que je traite avec lui. Il peut encore m'être utile. Quand je l'aurai pressé comme un citron, il ne risquera plus de « sortir du chapeau » – l'expression est de vous ou de moi ? – pour revendiquer la propriété du *Codex*. Ni Vernon ni Tom. Et ça s'applique aussi à Sally Colorado, la fille qui accompagne Tom. »

Un long silence s'ensuivit.

« Vous comprenez ce que je dis ? »

Skiba attendit de s'être maîtrisé. Ces conversations représentaient une perte de temps colossale. Plus grave encore, elles étaient dangereuses.

« Vous êtes là, Lewis ? »

L'interpellé répondit d'un ton courroucé : « Pourquoi ne vous contentez-vous pas de faire votre boulot ? Pourquoi ces appels ? Vous devez me remettre le *Codex*. Le *comment*, c'est votre affaire. »

Le gloussement se changea en ricanement. « Oh, que c'est beau ! Vous n'allez pas vous en tirer aussi facilement. Depuis le début, vous savez ce qui doit se passer. Vous espérez que je m'en occuperai moi-même. Mauvaise pioche ! Il va falloir assumer ses responsabilités. Personne ne fera sauter le fusible, personne ne marchandera son pardon. Le moment venu, vous *m'ordonnerez* de les tuer. C'est la seule façon de faire et vous le savez bien.

— Arrêtez immédiatement. Il n'y aura pas de morts.

— Allons, Lewis... »

Skiba sentait la nausée lui contracter l'estomac par vagues successives. Du coin de l'œil, il voyait la chute du cours se poursuivre. La SEC, qui n'avait même pas interrompu les transactions, laissait Lampe se balancer au gré du vent. Vingt mille salariés dépendaient de lui et des millions de patients avaient besoin de leurs traitements. Il y avait aussi sa femme, ses enfants, sa maison, ses deux millions de stock-options, ses six millions d'actions...

Il entendit un grognement de cochon retentir dans l'appareil. De toute évidence, c'était un rire. Soudain, il se sentit très faible. Comment avait-il laissé les choses en arriver là ? Comment ce type avait-il échappé à tout contrôle ?

« Ne tuez personne... » Il avala sa salive avant de finir sa phrase. Il allait vomir d'une seconde à l'autre. Il pouvait parvenir à ses fins en toute légalité. Les fils récupéreraient le *Codex*, il négocierait avec eux, il leur proposerait un marché... Il savait pourtant qu'il n'en serait rien, car Lampe croulait sous les soupçons et le cours de l'action dégringolait.

La voix se fit soudain doucereuse. « Je sais qu'il s'agit d'une décision délicate. Si vous avez des scrupules, j'abandonne et on oublie le *Codex*. Vraiment... »

Skiba déglutit. Le nœud qui lui serrait la gorge allait l'étouffer.

« Dites un mot et on rentre se coucher.

— Il ne doit pas y avoir de morts.

— Écoutez, il est encore trop tôt pour se décider. La nuit porte conseil. »

Skiba se leva en vacillant. Il s'efforça d'atteindre la corbeille florentine à armature dorée et parement de cuir, mais ne dépassa pas la cheminée. Pendant que son vomi crépitait et chuintait dans le feu, il revint vers le téléphone, saisit le combiné pour parler, se ravisa et le reposa avec lenteur, en tremblant, sur son support. Dans un mouvement sinueux, sa main se dirigea alors vers le premier tiroir du bureau, où elle retrouva la fraîcheur du flacon en plastique.

22

Une demi-heure plus tard, Tom détecta un mouvement dans la forêt. Une vieille femme couverte d'un châle suivait la piste. Marisol se précipita sur elle en sanglotant et lui parla rapidement dans sa langue.

Elle se tourna vers Tom et Sally pour leur lancer un regard de profond soulagement. « C'est bien ce que je disais. Ils ont tiré en l'air pour nous faire peur et puis ils sont partis. Nous les avons convaincus que vous n'étiez pas venus au village, que vous n'étiez même pas passés par là. Ils sont retournés en aval. »

Alors qu'ils approchaient de la hutte, Tom vit Don Alfonso dehors, fumant sa pipe, l'air aussi peu concerné que si de rien n'était. Le visage du vieillard se fendit d'un large sourire. « Chori ! Pingo ! Venez voir ! Je vais vous présenter vos nouveaux patrons *yanquis* ! Chori et Pingo ne parlent que le tawahka, mais je leur crie dessus en espagnol pour leur montrer ma supériorité. Vous devez faire comme moi. »

Deux magnifiques spécimens d'êtres humains sortirent par la porte de la hutte et s'inclinèrent. Les muscles de leur torse nu étaient luisants d'huile. Couvert de tatouages à l'occidentale sur les bras et à l'indienne sur le visage, le prénommé Pingo était armé d'une machette longue d'un mètre. Quant à Chori, il portait une vieille carabine Springfield en bandoulière et il tenait à la main une hache de pompier de marque Pulaski.

« On va charger le bateau maintenant. Il faut quitter le village dès que possible », reprit le vieillard.

Sally lança un regard à Tom. « On dirait bien que Don Alfonso va nous guider. »

À grand renfort de cris et de gestes, le chef donnait ses instructions à Chori et Pingo, qui transportaient le matériel au bord de l'eau. La pirogue était revenue. Personne n'aurait pu croire qu'elle avait bougé. Trente minutes plus tard, tout était prêt. Les provisions, maintenues par un lien de plastique, s'entassaient au milieu de l'embarcation. Des villageois avaient allumé des feux de cuisine sur la rive.

Sally se tourna vers Marisol. « Tu es merveilleuse. Tu nous as sauvés. Tu peux faire tout ce que tu veux dans la vie, tu le sais ? »

L'adolescente la regarda fixement. « Je ne veux qu'une chose.

— Laquelle ?

— Aller en Amérique. » Elle se tut et continua de dévisager Sally d'un air grave et intelligent.

« J'espère que tu iras », répondit la jeune femme.

Marisol sourit avec confiance et se redressa. « Oui. Don Alfonso me l'a promis. Il a un rubis. »

Une foule s'était rassemblée près du fleuve. Le départ des étrangers allait manifestement donner lieu à une fête. Quelques femmes préparaient un repas communautaire au-dessus d'un foyer. Des enfants couraient, jouaient, riaient et pourchassaient les poulets. Quand tous les habitants de Pito Solo se furent réunis, Don Alfonso traversa l'assistance, qui se scinda en deux devant lui. Il portait un short flambant neuf et un tee-shirt sur lequel était inscrit « N'ayez pas peur ». Tout sourire, il rejoignit Tom et Sally sur le ponton de bambou.

« Tout le monde est venu me dire au revoir, déclara-t-il à Tom. Vous voyez à quel point on m'aime. Il n'y en a pas deux comme moi. Vous avez sous les yeux la preuve que vous avez bien choisi votre guide. »

Des pétards explosèrent et des rires fusèrent. Les femmes commencèrent à servir à manger. Don Alfonso prit les étrangers par la main.

« Et maintenant, on embarque. »

Chori et Pingo, toujours nus jusqu'à la taille, se tenaient déjà dans la pirogue, l'un à la poupe et l'autre à la proue. Le vieillard aida Sally et Tom à monter à bord pendant que deux garçons, placés de chaque côté du bateau, s'apprêtaient à larguer les amarres. Une fois installé, Don Alfonso se tourna vers la foule et assura son équilibre. Les voix se turent. Le chef allait prononcer un discours. Quand le silence fut total, il prit la parole dans un espagnol des plus formels.

« Mes chers amis et concitoyens. Il y a bien des années, une prophétie nous a annoncé que des Blancs viendraient et que je les emmènerais faire un long voyage. Les voici. Nous allons entreprendre la périlleuse traversée du marais de Meámbar. Nous vivrons de multiples aventures, et verrons maintes choses étranges et merveilleuses, que l'homme n'a encore jamais contemplées.

« Vous vous demandez sans doute pourquoi nous effectuons ce grand périple ! Je vais vous le dire. Cet Américain est venu porter secours à son père, qui a perdu l'esprit, abandonné femme et enfants, emporté tous ses biens et laissé sa famille dans le dénuement. Sa pauvre épouse pleure tous les jours son départ. Elle ne peut nourrir les siens ou les protéger des bêtes sauvages. La maison de cet homme tombe en ruine. Le chaume pourri laisse la pluie s'y infiltrer. Personne n'épousera ses sœurs, qui seront bientôt contraintes de se livrer à la prostitution. Ses neveux se sont mis à boire. Ce jeune homme, ce bon fils, est venu guérir son père de sa folie et le ramener en Amérique, où il pourra vivre jusqu'à un âge vénérable, mourir dans son hamac et épargner tout autre déshonneur, toute autre famine, à sa famille. Alors ses sœurs trouveront un mari, ses neveux prendront soin de ses *milpas* et, au lieu de travailler, il pourra jouer aux dominos pendant les après-midi torrides. »

Les villageois étaient sous le charme. Don Alfonso, se dit Tom, était un orateur-né.

« Il y a longtemps, mes amis, j'ai rêvé que je vous quitterais ainsi et que je ferais un grand voyage au bout de la terre. J'ai maintenant cent vingt et un ans. Ce rêve s'est enfin réalisé. Peu d'hommes pourraient faire ce que je fais à mon âge. J'ai encore beaucoup de sang dans les veines et, si Rosita vivait encore, elle sourirait tous les jours.

« Au revoir, mes amis, votre bien-aimé Don Alfonso Boswas quitte ce village, des larmes de tristesse aux yeux. Souvenez-vous toujours de son histoire, racontez-la à vos enfants et dites-leur de la répéter à leurs enfants jusqu'à la fin des temps. »

Une clameur retentit, de nouveaux pétards explosèrent et tous les chiens se mirent à aboyer. Certains vieillards commencèrent à frapper le sol de leur bâton sur un rythme complexe. Des villageois poussèrent la pirogue dans le courant et Chori mit le moteur en marche. L'embarcation lourdement chargée fendit les eaux avec prudence. Don Alfonso resta debout à agiter la main et à envoyer des baisers à la foule en délire bien après que le bateau eut négocié le premier méandre.

« J'ai l'impression qu'on vient de s'envoler en ballon avec le magicien d'Oz », murmura Sally.

Don Alfonso finit par s'asseoir en essuyant ses yeux mouillés. « Aïïïe ! Vous voyez comme ils l'aiment, leur Don Alfonso Boswas. » Il se cala contre les sacs de vivres, sortit sa pipe de bruyère, la bourra de tabac et se mit à fumer d'un air songeur.

« Vous avez vraiment cent vingt et un ans ? », demanda Tom.

Le vieillard haussa les épaules. « Personne ne connaît son âge exact.

— Moi si.

— Tu as compté toutes les années que tu as vécues depuis ta naissance ?

— Non, mais les autres l'ont fait pour moi.

— Alors tu ne sais pas.

— Mais si ! C'est écrit sur mon acte de naissance, signé par le médecin qui m'a mis au monde.

— Qui est ce médecin et où se trouve-t-il actuellement ?

— Aucune idée.

— Et tu crois ce que dit un bout de papier signé par un étranger ? »

Vaincu par cette logique implacable, Tom dévisagea le vieillard. « En Amérique, les gens comme vous font un métier précis, dit-il. On les appelle des *avocats*. »

Don Alfonso éclata de rire en se tapant sur la cuisse. « Elle est bien bonne ! Tu es comme ton père, Tomasito. Il était très drôle. » Il gloussa un moment en tirant sur sa pipe. Tom, pour sa part, sortit une carte du Honduras qu'il se mit à étudier.

Don Alfonso le regarda d'un œil critique avant de lui arracher le document des mains. Il l'examina d'un côté, puis de l'autre. « C'est quoi ? L'Amérique du Nord ?

— Non. C'est le sud-est du Honduras. Voici le Patuca et Brus. Pito Solo devrait être ici, mais ce n'est pas indiqué. Ni, me semble-t-il, le marais de Meámbar.

— Alors, d'après cette précieuse carte, nous n'existons pas et le marais de Meámbar non plus. Fais attention de ne pas la mouiller. Un jour, on en aura peut-être besoin pour faire du feu. » Il rit de sa sortie, puis pointa le doigt vers Chori et Pingo. Saisissant la balle au bond, tous deux rirent avec lui, mais à retardement, car ils n'avaient pas compris un traître mot de ce qui venait de se dire. Don Alfonso continua à s'esclaffer en se tapant sur la cuisse, jusqu'à ce que des larmes se mettent à ruisseler sur ses joues.

« Ce voyage commence bien ! s'exclama-t-il quand il se fut calmé. Il va y avoir de la joie et de la bonne humeur. Il le faut, sinon le marais nous rendra fous et nous mourrons. »

23

Avec la précision militaire qui leur était coutumière, ils avaient dressé le campement sur une élévation cernée par le marais. Assis près du feu, Philip fumait la pipe en écoutant les bruits nocturnes de la jungle. Il était surpris par les compétences de Hauser en matière de survie en forêt, par sa façon d'organiser le bivouac et de diriger les soldats dans leurs différentes tâches. Le privé, qui ne lui demandait rien, avait même découragé ses tentatives de participation à l'effort collectif. Certes, Philip ne tenait pas à patauger dans la vase pour y chasser le rat géant en vue du dîner, comme ses compagnons semblaient s'y employer sur le moment, mais il n'aimait pas non plus se sentir inutile. Se reposer pendant que les autres se chargeaient de tout le travail, ce n'était pas là le défi auquel son père avait songé pour lui.

De la pointe du pied, il repoussa une brindille dans les flammes. Au diable le « défi » ! Ce geste était le plus ridicule qu'un père ait accompli envers ses enfants depuis que le roi Lear avait partagé son royaume entre ses filles.

Ocotal, le guide qu'ils avaient ramassé dans ce trou minable au bord du fleuve, était assis dans son coin. Il s'occupait à entretenir le feu et à cuire le riz. C'était un drôle de type, petit, taciturne et d'une extrême dignité. Il y avait en lui une caractéristique qui attirait Philip. Il semblait être de ces hommes qui ont une conscience inébranlable de leur propre valeur. De toute évidence, il connaissait son métier. Jour après jour, il les guidait dans un incroyable labyrinthe de chenaux, sans faire preuve de la moindre hésitation et sans prêter attention aux exhortations de Hauser, à ses commentaires ou à ses questions. Il restait sourd à toute amorce de conversation, qu'elle vienne du privé ou de Philip.

Heureux d'avoir pensé à emporter plusieurs boîtes de Dunhill Early Morning, le jeune homme fit tomber la cendre calcinée de sa pipe, qu'il bourra de nouveau. Lorsqu'il se remémorait le cancer qui avait emporté son père, il se disait qu'il devrait vraiment arrêter. Au retour. Pour le moment, fumer constituait la seule protection efficace contre les moustiques.

Des cris se firent entendre. Il se tourna et vit Hauser rentrer de chasse. Quatre militaires portaient une perche à laquelle un tapir mort était suspendu. À l'aide d'un appareil de levage, ils accrochèrent la bête à une branche d'arbre. Hauser les laissa pour aller s'asseoir à côté de Philip. Une légère odeur d'après-rasage, de tabac froid et de sang se dégageait de lui. Il sortit un cigare, le décapita et l'alluma. Après avoir aspiré la fumée à pleins poumons, il la laissa s'échapper lentement de ses narines, à la façon d'un dragon.

« On fait d'énormes progrès, vous ne trouvez pas, Philip ?

— Admirables. » Philip écrasa un moustique. Il ne comprenait pas comment Hauser évitait de se faire piquer alors qu'il ne se servait manifestement jamais de répulsif. Une dose mortelle de nicotine devait circuler dans ses veines. Philip avait remarqué qu'il inhalait la fumée de ses gros Churchill comme la plupart des fumeurs inhalent celle de leurs cigarettes. Bizarre qu'un homme en meure et qu'un autre reste vivant...

« Vous connaissez le dilemme de Gengis Khan ? s'enquit Hauser.

— Non, je ne dirais pas ça.

— Gengis Khan, qui se préparait à mourir, voulait être enterré, conformément à son statut de grand souverain, avec des tas de trésors, des concubines et des chevaux dont il jouirait dans l'au-delà. Mais il savait que son tombeau se ferait presque certainement piller et que lui-même se verrait privé de toutes les joies qui lui étaient dues dans l'autre monde. Après avoir long-temps réfléchi sans trouver de solution, il a fini par en appeler à son Grand Vizir, l'homme le plus sage de son royaume. « Que dois-je faire pour que ma tombe ne soit pas violée ? », lui a-t-il demandé.

« Après un long moment de réflexion, le vizir a décou-vert une solution dont il a fait part à Gengis Khan. Celui-ci était content. À la mort du souverain, le vizir a mis son projet à exécution. Il a envoyé dix mille ouvriers dans le lointain Altaï pour qu'ils taillent un grand tombeau dans la roche et qu'ils le remplissent d'or, de pierreries, de vin, de soieries, d'ivoire, de bois de santal et d'en-cens. Plus de cent vierges superbes et mille chevaux ont été sacrifiés pour assurer le plaisir du grand khan dans l'au-delà. Après de somptueuses funérailles, les ouvriers ont eu droit à un banquet. On a enfermé la dépouille de Gengis dans le tombeau, dont on a soigneusement caché la porte. Le secteur a été couvert de terre et mille cavaliers ont parcouru la vallée en tous sens pour effa-cer les traces des travailleurs.

« Quand les cavaliers et les travailleurs sont rentrés, le vizir les attendait avec l'armée du khan, qui les a tués jusqu'au dernier.

— C'est très vilain.

— Ensuite, le vizir s'est suicidé.

— Quel idiot ! Il aurait pu être riche. »

Hauser partit d'un petit rire. « Oui, mais il était loyal. Il savait que même lui, le plus fidèle des hommes, ne pouvait garder un secret pareil. Il aurait pu le révéler en rêvant la nuit ou sous la torture. Sa convoitise aurait pu l'emporter. Il était le maillon faible du projet. C'est pourquoi il devait mourir. »

Philip entendit des coups et vit au loin les chasseurs éventrer la bête à l'aide de leurs machettes. Les tri-pes tombèrent à terre dans un bruit mouillé. Le jeune homme plissa les paupières et détourna les yeux. Les végétariens n'avaient pas tout à fait tort, reconnut-il.

« Il y avait un hic, Philip, un défaut dans le projet du vizir. Il fallait que Gengis Khan partage son secret avec au moins une personne. » Hauser exhala un nuage de fumée écœurante. « Je vous le demande, *avec qui votre père a-t-il partagé le sien* ? »

C'était une bonne question, à laquelle Philip réfléchissait depuis un certain temps. « Ni avec une maîtresse ni avec une ex-épouse, répondit-il. Quant à ses médecins et ses avocats, il se plaignait constamment d'eux. Ses secrétaires le lâchaient toujours. Il n'avait pas de vrais amis. Le seul homme à qui il faisait confiance, c'était son pilote.

— J'ai déjà découvert qu'il n'était pas au parfum. » Le cigare de Hauser dessinait un angle aigu par rapport à sa bouche. « C'est là que le bât blesse. Votre père avait-il une sorte de double vie ? Une liaison secrète ? Un fils né hors mariage qu'il préférait aux trois autres ? »

À cette idée, Philip sentit le froid l'envahir. « Je n'en sais rien du tout. »

Hauser agita son cigare. « Ça laisse songeur, hein ? »

Il se tut. Leur proximité encouragea Philip à poser la question qui lui brûlait les lèvres depuis quelques jours. « Qu'est-ce qui s'est passé entre Père et vous ?

— Vous savez qu'on était amis d'enfance ?

— Oui.

— On a grandi ensemble à Erie. On jouait au baseball dans la rue où on habitait, on allait à la même école, on a fait notre première visite au bordel tous les deux. On croyait se connaître assez bien. Mais, dans la jungle, au pied du mur de la survie, certaines choses font surface. On découvre en soi des trucs insoupçonnés. On comprend qui on est vraiment. C'est ce qui nous est arrivé. On était au beau milieu de la forêt, perdus, couverts de piqûres, morts de faim, à moitié rongés par les fièvres et on a vu qui on était. Vous savez ce que j'ai vu ? J'ai vu que je méprisais votre père. »

Philip dévisagea Hauser, qui lui rendit son regard. Comme toujours, le visage du privé était calme, lisse et

154

opaque. Philip avait la chair de poule. Il demanda : « Et qu'avez-vous découvert en vous ? »

Il constata que la question prenait Hauser au dépourvu. Le privé l'évacua d'un rire, jeta son mégot au feu et se leva. « Vous le saurez bien assez tôt. »

24

La pirogue fendait les eaux épaisses et noires. Son moteur gémissait sous l'effort. Le fleuve s'était divisé au point de prendre l'aspect d'un dédale de chenaux et de mares entouré par des hectares d'une vase tremblotante à l'odeur infecte. Tom voyait partout virevolter des nuées de moustiques. Assis à la proue, Pingo tenait une immense machette qu'il utilisait de temps à autre pour couper une liane. Souvent, les fonds étaient trop hauts pour que l'embarcation avance grâce à son moteur, que Chori relevait avant de manier la gaffe. Quant à Don Alfonso, il restait perché sur les sacs de vivres protégés par une bâche. Assis en tailleur, tel un vieux sage, il tirait furieusement sur sa pipe et scrutait le paysage qui s'étendait devant lui. À plusieurs reprises, Pingo avait dû débarquer pour tailler une brèche dans un tronc à demi immergé qui empêchait le bateau de progresser.

« C'est quoi, ces saloperies de bestioles ? s'écria Sally en se donnant des claques retentissantes.

— Des mouches du tapir », répondit Don Alfonso. Il sortit de sa poche une pipe de bruyère noircie et la lui tendit. « *Señorita*, vous devriez fumer. Ça chasse les insectes.

— Non merci. Ça donne le cancer.

— Au contraire, c'est très sain, ça facilite la digestion et ça fait vivre vieux.

— Mais oui... »

Plus ils s'enfonçaient dans le marais, plus la végétation semblait se rapprocher. De tous côtés, elle formait une muraille où s'étageaient des feuillages d'un vert brillant, des fougères et des plantes grimpantes. L'air était immobile, dense et saturé de relents de méthane. L'embarcation s'y déplaçait comme dans une soupe brûlante.

« Comment savez-vous que mon père est passé par ici ? demanda Tom.

— Il y a beaucoup de chemins dans le marais de Meámbar, répliqua le vieillard. Mais il n'y en a qu'un pour le traverser. Moi, Don Alfonso, je le connais. Ton père aussi. Je sais lire les signes.

— Et qu'est-ce que vous lisez ?

— Trois groupes de voyageurs nous ont précédés. Le premier est passé il y a environ un mois. Seuls quelques jours ont séparé le deuxième du troisième. Ils sont venus il y a près d'une semaine.

— Comment le savez-vous ? intervint Sally.

— Je lis l'eau. Je vois une entaille sur une souche noyée, une branche coupée, la trace d'une gaffe sur un banc de sable immergé ou la marque d'une quille sur la vase des hauts-fonds. Dans ces eaux mortes, les signes restent plusieurs semaines. »

Sally montra un arbre du doigt. « Regardez là-bas ! Un gommier rouge ! *Bursera simaruba*. Les Mayas utilisent sa sève pour traiter les piqûres d'insectes. » Elle se tourna vers Don Alfonso. « Approchons-nous. Je voudrais en recueillir un peu. »

Le vieillard ôta sa pipe de la bouche. « Mon grand-père le connaissait. On l'appelle *lucawa*. » Il lança à Sally un regard de respect inédit. « Je ne savais pas que vous étiez *curandera*.

— Pas vraiment. Quand j'étais à l'université, j'ai vécu un certain temps avec les Mayas. J'étudiais leur médecine. Je suis ethnopharmacologue.

— Un bien grand nom pour un métier de femme... »

Elle plissa le front. « Dans notre culture, les femmes font comme les hommes. Et vice versa. »

Il haussa brusquement les sourcils. « Je ne vous crois pas.

— C'est vrai, confirma-t-elle sur le ton du défi.

— En Amérique, les femmes chassent pendant que les hommes font les bébés ?

— Ce n'est pas ce que je voulais dire. »

Un sourire triomphant aux lèvres, Don Alfonso referma les dents sur le tuyau de sa pipe. Affaire classée. Il adressa un clin d'œil appuyé à Tom. Sally décocha un regard assassin à son compatriote.

Je n'ai pas réagi, pensa le jeune homme, ennuyé.

Chori approcha la pirogue d'un arbre. Sally donna un coup de machette sur l'écorce, dont elle préleva un long lambeau. Des gouttelettes rougeâtres se mirent aussitôt à perler sur le tronc. Elle en gratta quelques-unes, retroussa les jambières de son pantalon et les appliqua sur ses piqûres. Après quoi elle s'en enduisit le cou, les poignets et le dos des mains.

« Tu es à faire peur ! », s'écria Tom.

Elle recueillit encore un peu de sève gluante à l'aide de sa machette, qu'elle tendit à Tom.

« Tu ne vas pas m'en mettre ! s'exclama-t-il.

— Approche. »

Il fit un pas en avant et elle lui tartina la nuque. La démangeaison et la sensation de brûlure disparurent peu à peu.

« Comment tu te sens ? »

Tom remua le cou. « Collant, mais bien. » Il avait aimé le contact des mains fraîches de Sally sur sa peau.

Elle lui remit la machette et sa charge de sève. « Appliques-en sur tes jambes et tes bras.

— Merci. » Étonné par l'efficacité du remède, il obtempéra.

Don Alfonso trempa à son tour ses doigts dans la sève. « Une *yanqui* qui connaît les vertus médicinales des plantes, une vraie *curandera*, c'est très remarquable... À cent vingt et un ans, il me reste encore des choses à découvrir. »

Cet après-midi-là, Tom vit ses premiers rochers depuis plusieurs jours. Au-delà, le soleil pénétrait dans une clairière pratiquée sur une butte.

« C'est ici que nous allons camper », décréta Don Alfonso.

Ils amenèrent l'embarcation à proximité d'un rocher et l'y attachèrent. La machette à la main, Pingo et Chori bondirent sur la terre ferme, escaladèrent la pente et entreprirent de couper des pousses de végétaux. Don Alfonso arpentait le sol en l'examinant, donnant ici un coup de pied, ramassant là une liane ou une feuille.

« C'est sidérant, dit Sally en l'imitant. Voici du *zorrillo*, de la racine de mouffette, une des principales plantes utilisées par les Mayas. Avec les feuilles, ils préparent un bain. Avec la racine, ils soignent les douleurs et les ulcères. Ils l'appellent *payche*. Et voilà du *suprecayo*. » Elle arracha les feuilles d'un arbuste, les roula entre ses paumes et les huma. « Et cet arbre qui pousse là-bas, c'est *Sweetia panamensis*. Stupéfiant ! Il y a ici tout un petit écosystème. Vous permettez que j'effectue quelques prélèvements ?

— Fais comme chez toi », répondit Tom.

Elle s'éloigna vers la forêt.

« On dirait bien que quelqu'un a campé ici avant nous, déclara Tom à Don Alfonso.

— Oui. Cette zone a été dégagée il y a environ un mois. Je vois le cercle d'un feu et les vestiges d'une hutte. Mais les derniers à avoir occupé le site étaient là il y a environ une semaine.

— Tout ça a repoussé en une semaine ? »

Le vieillard opina du chef. « La forêt a horreur du vide. » Il fouilla l'ancien foyer et ramassa un objet qu'il montra à son compagnon. C'était la bague d'un Cuba Libre. Elle était toute moisie et tombait presque en charpie.

« Un cigare de mon père », murmura Tom en l'examinant. Il éprouvait un sentiment étrange. Maxwell Broadbent était venu à cet endroit, il y avait bivouaqué, fumé et laissé ce minuscule indice. Le jeune homme rangea la bague dans sa poche et entreprit de ramasser du bois pour faire un feu.

« Avant de prendre une branche, lui conseilla Don Alfonso, donne-lui quelques coups de bâton pour en chasser les fourmis, les serpents et les *veinte quatros*.

— Les quoi ?

— Ce sont des insectes qui ressemblent aux termites. Si on les appelle les *veinte quatros*, les vingt-quatre, c'est que leur piqûre entraîne une paralysie de vingt-quatre heures.

— Charmant ! »

Une heure plus tard, il vit Sally sortir de la jungle en portant sur l'épaule une longue perche à laquelle étaient attachés des bouquets de plantes, d'écorce et de racines. Don Alfonso, qui surveillait la cuisson d'un perroquet dans une marmite, leva les yeux pour la regarder approcher.

« *Curandera*, tu me rappelles mon grand-père, Don Cali, quand il revenait de la forêt. Sauf que tu es plus jolie que lui. Il était vieux et ridé alors que toi, tu es ferme et mûre. »

Sally s'activait autour de sa cueillette. Elle attacha les herbes et les racines sur un bâton pour qu'elles sèchent auprès du feu. « Il y a ici une incroyable variété de végétaux, lança-t-elle avec exaltation à Tom. Julian va être vraiment content.

— Formidable ! »

Tom se concentra sur Chori et Pingo, qui construisaient une hutte pendant que Don Alfonso les abreuvait de directives et de critiques. Ils commencèrent par enfoncer six grandes perches en terre, puis confectionnèrent une armature de badines à laquelle ils fixèrent les bâches. Ils tendirent alors les hamacs, équipés de moustiquaires, entre les perches. Pour finir, ils dressèrent une dernière toile imperméabilisée afin de préserver l'intimité de Sally.

Quand ils eurent achevé leur besogne, ils s'effacèrent pour que Don Alfonso puisse inspecter le résultat d'un œil soupçonneux. Le vieillard hocha la tête et se tourna vers Tom et Sally. « Voilà ! Je vous offre une maison aussi belle qu'en Amérique.

— La prochaine fois, j'aiderai Chori et Pingo, affirma Tom.

— Comme tu veux. La *curandera* a une chambre qu'elle peut agrandir pour accueillir des invités si elle souhaite avoir de la compagnie. » Il lança une œillade complice à Tom, qui se surprit à rougir.

« Je suis très heureuse de dormir seule », lâcha froidement Sally.

Don Alfonso eut l'air déçu. Il se pencha vers le jeune homme comme pour lui parler en privé, mais chacun put entendre le moindre de ses propos. « C'est une belle femme, Tomás, même si elle est vieille.

— Excusez-moi, mais j'ai vingt-neuf ans.

— Aïïïe, *señorita*, tu es encore plus âgée que je ne le croyais. Dépêche-toi, Tomás. Elle est presque trop vieille pour se marier.

— Dans notre culture, dit Sally, on n'est pas vieux à vingt-neuf ans. »

Don Alfonso continuait à secouer la tête avec tristesse. Tom ne put contenir davantage son envie de rire.

Sally se précipita sur lui. « Qu'est-ce qui te fait marrer à ce point ?

— Le choc des civilisations », répondit-il en reprenant son souffle.

Elle s'adressa à lui en anglais. « Je n'aime pas ce tête-à-tête sexiste entre toi et ce vieux dégoûtant. » Elle se tourna vers Don Alfonso. « Pour quelqu'un qui dit avoir cent vingt et un ans, vous passez pas mal de temps à penser à la gaudriole.

— L'homme n'arrête jamais de penser à l'amour, *señorita*. Même quand il vieillit et que son membre se flétrit comme un yucca qui sèche au soleil. J'ai peut-être cent vingt et un ans, mais j'ai autant de sang en moi qu'un adolescent. Tomás, j'aimerais bien épouser une femme comme Sally, mais âgée de seize ans, avec des seins hauts et fermes...

— Don Alfonso, l'interrompit Sally. Vous pourriez attendre que la fille de vos rêves ait dix-huit ans, vous ne croyez pas ?

— Alors elle ne serait sans doute plus vierge.

— Dans notre pays, reprit-elle, la plupart des femmes ne se marient pas avant dix-huit ans. Il est blessant de parler du mariage d'une fille de seize ans.

— Excusez-moi. J'aurais dû savoir que les filles se développaient plus lentement sous le climat froid de l'Amérique du Nord. Mais ici, à seize ans...

— Taisez-vous! s'écria-t-elle en plaquant les mains sur ses oreilles. Arrêtez! J'en ai assez de vos commentaires sur la sexualité!»

Le vieillard haussa les épaules. «Je suis vieux, *curandera*, ce qui veut dire que je peux parler et blaguer comme il me plaît. Vous n'avez pas cette tradition en Amérique?

— En Amérique, les vieux ne parlent pas constamment de fesses.

— Alors ils parlent de quoi?

— De leurs petits-enfants, de la pluie et du beau temps, de la Floride, de ce genre de choses.»

Il hocha la tête. «Qu'est-ce que ça doit être ennuyeux d'être vieux en Amérique!»

Elle s'éloigna, lança un regard noir à Tom et referma brusquement la porte de la hutte. Irrité, le jeune homme la regarda disparaître. Qu'avait-il fait? Qu'avait-il dit? L'accusation de sexisme s'était injustement reportée sur lui.

Don Alfonso haussa les épaules, ralluma sa pipe et poursuivit à haute voix: «Je ne comprends pas. Voilà une fille de vingt-neuf ans qui n'est pas mariée. Son père devra donner une énorme dot pour se débarrasser d'elle. Et te voilà, toi, presque vieux, qui n'es pas non plus marié. Pourquoi vous ne vous mariez pas tous les deux? Tu es peut-être homosexuel?

— Non, Don Alfonso.

— Si tu l'es, Tomás, il n'y a pas de problème. Chori s'occupera de toi. Il n'a aucune préférence.

— Non merci.»

Éberlué, Don Alfonso branlait du chef. «Alors, je n'y comprends rien. Ne laisse pas passer ta chance.

— Sally est fiancée à un autre. »

Le vieillard fronça les sourcils. « Ah ! Et où est cet homme en ce moment ?

— En Amérique.

— Donc, il ne l'aime pas ! »

Tom grimaça et jeta un regard à la hutte. La voix de Don Alfonso portait particulièrement loin.

Celle de Sally s'éleva. « Il m'aime, je l'aime et je vous remercie tous les deux de bien vouloir la fermer ! »

Lorsqu'un coup de feu retentit dans la forêt, Don Alfonso se dressa. « Voilà notre plat de résistance. » Il ramassa sa machette et partit en direction du bruit.

Tom se leva à son tour en emportant son hamac dans la hutte pour le suspendre. À l'intérieur, Sally accrochait des herbes à une perche.

« Ce Don Alfonso est un vieillard lubrique et un cochon de sexiste, s'écria-t-elle d'un ton vibrant. Et toi, tu ne vaux pas mieux !

— Il nous fait traverser le marais de Meámbar.

— Je n'apprécie pas ses petits commentaires. Ni tes sourires de connivence.

— Tu ne peux pas lui demander d'être au courant des dernières revendications féministes.

— Je ne l'ai pas entendu dire que toi, tu étais trop vieux pour te marier, alors que tu as au bas mot quatre ans de plus que moi. C'est seulement *la femme* qui est trop vieille pour se marier.

— Calme-toi, Sally.

— Non, je ne me calmerai pas ! »

La voix de Don Alfonso empêcha Tom de répondre. « L'entrée est prête ! Perroquet bouilli et ragoût de manioc. Ensuite, steak de tapir. Rien que des plats sains et délicieux ! Arrêtez de vous disputer et venez manger ! »

25

« *Buenas tardes*, murmura Ocotal en s'asseyant à côté de Philip devant le feu.

— *Buenas tardes* », répondit le jeune homme, surpris, en ôtant sa pipe de la bouche. Jusque-là, Ocotal ne lui avait jamais adressé la parole.

Ils avaient atteint un grand lac situé à l'extrémité du marais et campaient sur une île de sable agrémentée d'une vraie plage. Les insectes étaient partis, l'air était frais et, pour la première fois depuis une semaine, Philip pouvait voir à plus de cinq mètres. La couleur café noir de l'eau qui venait lécher la grève constituait la seule ombre au tableau. Comme d'habitude, Hauser était parti chasser avec deux ou trois militaires. Les autres membres de la troupe jouaient aux cartes autour de leur propre feu de camp. Dans la lumière vert doré de cette fin d'après-midi, la chaleur faisait vibrer l'air. Grosso modo, l'endroit était plutôt agréable, se dit Philip.

Ocotal se pencha brusquement en avant et déclara : « J'ai entendu les soldats discuter hier soir. »

Son interlocuteur haussa les sourcils. « Et alors ?

— Ne réagissez pas à ce que je vais dire. Ils vont vous tuer. » Il s'était exprimé si vite et à voix si basse que Philip faillit se demander s'il avait mal entendu. Il restait assis, frappé de stupeur, tandis que les paroles d'Ocotal pénétraient sa conscience.

« Moi aussi, ils vont me tuer, poursuivit le guide.

— Vous en êtes sûr ? »

Ocotal acquiesça de la tête.

Pris de panique, Philip ne savait plus que penser. Pouvait-il faire confiance à cet homme ? S'agissait-il d'un malentendu ? Pourquoi Hauser voudrait-il l'éliminer ? Pour voler l'héritage ? C'était bien possible. Le privé n'était pas un enfant de chœur. Du coin de l'œil, Philip voyait les militaires poursuivre la partie, leurs fusils appuyés à un arbre. En même temps, la nouvelle lui semblait incroyable, aussi irréelle qu'au cinéma. Hauser allait déjà empocher un million de dollars. On ne tue pas les gens comme ça, non ? « Que comptez-vous faire ? demanda-t-il.

— Voler un bateau et m'enfuir. Me cacher dans le marais.

— *Tout de suite ?*

— Vous préférez attendre ?

— Mais les soldats sont juste à côté. On n'y arrivera jamais. Qu'ont-ils dit qui vous fasse penser ça ? Vous avez peut-être mal compris.

— Écoute, débile, siffla Ocotal. *On n'a pas le temps*. Moi, je pars. Si tu viens, c'est maintenant. Sinon, *adiós !* »

Il se leva avec nonchalance, puis descendit à grands pas vers la plage où les pirogues étaient à sec. Affolé, Philip le quitta des yeux pour observer les soldats. Oublieux du monde, ils continuaient à jouer. De l'endroit où ils se tenaient, au pied d'un arbre, ils ne voyaient pas les bateaux.

Que devait-il faire ? Il était paralysé. On le forçait à prendre une décision monumentale sans y être préparé. C'était dément. Hauser pouvait-il manifester un tel sang-froid ? Ocotal essayait-il de lui forcer la main ?

Le guide sautillait sur la plage en levant des yeux innocents vers les arbres. Il s'approcha d'une pirogue et, du genou, lentement, avec un air de ne pas y toucher, commença à la pousser à l'eau.

Ça allait trop vite. En fait, tout reposait sur la personnalité de Hauser. Était-il capable de meurtre ? Certes, il n'était pas sympathique. Quelque chose ne tournait pas rond chez lui. Philip se souvint soudain du plaisir que le privé avait pris à décapiter l'agouti, du sourire qui s'était affiché sur son visage quand il avait vu la tache de sang sur la chemise et du ton qu'il avait employé pour dire : « Vous le saurez bien assez tôt. »

Ocotal avait éloigné la pirogue de la grève. Il y monta avec souplesse, tout en ramassant la gaffe, et se prépara à pousser.

Philip se leva et se dirigea d'un pas vif vers la plage. La gaffe à la main, le guide s'apprêtait à orienter l'embarcation vers le chenal. Il s'immobilisa assez longtemps pour permettre au jeune homme de patauger jusqu'à lui. Il contracta les muscles de son dos, enfonça la gaffe dans le fond sablonneux et les propulsa en silence vers le marais.

26

Le lendemain matin, le mauvais temps était de retour. Des nuages s'accumulèrent, le tonnerre secoua la cime des arbres et des gouttes se mirent à tomber. Lorsque Tom et ses compagnons se furent éloignés, la surface du fleuve était grise et écumante sous la force de l'averse. Le bruit de la pluie sur la végétation devint assourdissant. Les chenaux dans lesquels ils circulaient semblaient se rétrécir et se faire plus sinueux. Tom n'avait jamais vu un marais aussi épais, impénétrable, inextricable. Il avait peine à croire que Don Alfonso connaisse le chemin.

Dans l'après-midi, le déluge cessa soudain, comme si quelqu'un avait fermé un robinet. Pendant quelques minutes, l'eau continua de s'écouler sur les troncs en produisant un bruit de cascade. La jungle devint brumeuse, ruisselante, puis silencieuse.

«Revoilà les insectes! s'écria Sally en donnant des claques dans le vide.

— Les *jejenes*. Les mouches noires, expliqua Don Alfonso avant d'allumer sa pipe et de s'envelopper d'un nuage bleu à l'odeur âcre. Elles emportent un petit morceau de votre chair. Elles sont nées du souffle du diable en personne, après une nuit de cuite au mauvais *aguardiente*.»

Parfois, la voie était bloquée par des lianes et des racines aériennes, lesquelles formaient un épais rideau qui plongeait dans l'eau. Pingo restait à la proue pour les couper pendant que Chori, debout à la poupe, poussait sur la gaffe. Chaque coup de machette délogeait des grenouilles arboricoles, des insectes et d'autres bêtes. Celles-ci tombaient dans le marais, où elles constituaient un véritable festin pour les piranhas qui s'agitaient frénétiquement autour d'elles. Faisant travailler ses puissants dorsaux, Pingo ferraillait à bâbord, à tribord et encore à bâbord, en écartant la majorité des lianes et des fleurs qui pendaient jusqu'à l'eau. Alors qu'ils se trouvaient dans un chenal particulièrement étroit, il s'écria : « *Heculu !*

— *Avispas !* Des guêpes ! traduisit Don Alfonso en se jetant à plat ventre, le chapeau sur le visage. Pas un geste ! »

Une nuée noire, compacte et bouillonnante s'échappait du rideau végétal. Accroupi et protégeant sa tête, Tom sentit immédiatement des dards de feu lui percer un tatouage dans le dos.

« Ne les chassez pas, s'exclama Don Alfonso. Ça les rendrait encore plus folles ! »

Ils durent attendre qu'elles aient fini de les attaquer. Elles partirent comme elles étaient venues. Sally soigna leurs piqûres grâce à la sève du gommier rouge et ils poursuivirent leur progression.

Vers la mi-journée, un étrange vacarme commença à s'élever de la canopée. Tom et Sally croyaient entendre un millier de bouches qui produisaient un bruit de succion ou de gargarisme. En plus fort, il ressemblait à celui d'une foule d'enfants qui suceraient des bonbons. Il s'accompagnait de froissements de branches qui gagnèrent en intensité au point d'évoquer le souffle d'une tempête. Au sein du feuillage, des silhouettes noires bondissaient à la vitesse de l'éclair.

Chori posa aussitôt la gaffe pour attraper ses armes. Il banda son arc en direction du ciel et se concentra, prêt à décocher une flèche.

« *Monos chiquitos* », murmura Don Alfonso à Tom.

Chori tira avant que ce dernier ait pu répondre. Soudain, le silence se fit dans les frondaisons et un singe tomba. Encore vivant, il s'accrochait ici, se retenait là, glissait parmi les branches et finit par plonger à un mètre cinquante de la pirogue. Chori se précipita pour repêcher le petit tas de fourrure noire juste avant qu'un énorme remous monté des profondeurs ne laisse supposer que quelque chose, là-dessous, avait eu la même idée.

« Aïïe ! dit-il en souriant à belles dents. *Uakaris !* Mmmm !

— Il y en a deux, renchérit Don Alfonso, soudain très agité. Quel joli coup, Tomasito ! Une mère et son petit. »

Le bébé, qui couinait de terreur, était encore cramponné à l'adulte.

« Vous avez tué un singe ? s'écria Sally d'une voix aiguë.

— Oui, *curandera*. On a de la chance, non ?

— Mais c'est *monstrueux !* »

Le visage de Don Alfonso se décomposa. « Tu n'aimes pas le singe ? À peine cuite à l'intérieur du crâne, la cervelle est un délice.

— On ne va tout de même pas manger du singe !

— Et pourquoi pas ?

— Eh bien... parce que... c'est presque du *cannibalisme*. » Elle se tourna vers Tom. « Je ne peux pas croire que tu l'aies laissé tuer un singe !

— Je ne l'ai laissé tuer rien du tout. »

Chori, qui ne comprenait pas ce qui se disait et continuait à sourire avec fierté, jeta le cadavre sur le fond du bateau. La langue à demi sortie, l'animal levait vers eux des yeux qui se voilaient peu à peu. Le petit quitta d'un bond le corps sans vie de sa mère et se recroquevilla, les bras sur la tête, en poussant des cris stridents.

« Aïïe ! » s'exclama de nouveau Chori. Il l'attrapa d'une main et brandit sa machette de l'autre pour lui donner le coup de grâce.

« Non ! » Tom lui arracha le bébé et le prit dans ses bras, où il se blottit et cessa de hurler. L'arme à demi levée, Chori ouvrait de grands yeux.

Don Alfonso se pencha en avant. « Je ne comprends pas. C'est quoi, cette histoire de cannibalisme ?

— Pour nous, répondit Tom, les singes sont presque des êtres humains. »

Le vieillard lança quelques mots à Chori, dont le sourire s'évanouit pour laisser place à une expression déçue. Don Alfonso se retourna vers les étrangers. « J'ignorais que les singes étaient sacrés en Amérique du Nord. Oui, ils sont presque humains, sauf que Dieu leur a mis des mains au bout des jambes. Je vous demande pardon. Si j'avais su, je ne l'aurais pas laissé tuer. » Il donna un ordre bref à Chori et la pirogue se remit à avancer. Puis il ramassa le cadavre pour le jeter à l'eau. Un tourbillon se forma et le petit corps noir disparut.

Tom entendit le bébé gémir et le sentit se nicher avec une vigueur accrue dans ses bras pour s'y réchauffer. Il baissa les yeux. Un petit visage aux paupières écarquillées se leva vers lui. L'animal ne dépassait pas vingt centimètres de long et ne pesait pas plus de deux kilos. Il avait le poil doux et court, de grands iris marron, un nez rose microscopique, de minuscules oreilles humaines et quatre petites mains dont les doigts délicats étaient aussi fins que des cure-dents.

Tom s'aperçut que Sally le regardait en souriant.

« Qu'est-ce qu'il y a ?

— On dirait que tu t'es fait un ami.

— Mais non !

— Mais si ! »

Le petit singe se remettait de sa frayeur. Il rampa sur le bras de Tom et commença à promener les mains sur la large poitrine. Ses doigts noirs farfouillaient parmi les plis de la chemise. Un bruit de succion se fit entendre.

« Il te nettoie, dit Sally. Il cherche la vermine.

— J'espère bien qu'il en sera pour ses frais.

— Tu vois, Tomás, intervint Don Alfonso, il te prend pour sa mère.

— Comment pouvez-vous manger ces jolies petites bêtes ? » demanda Sally.

Le vieillard haussa les épaules. « Toutes les bêtes de la forêt sont jolies, *curandera*. »

Tom sentit le bébé lui peigner les poils du torse et y saisir quelque chose. Le petit se redressa en s'agrippant aux boutons de sa chemise et releva le rabat de la gigantesque poche cousue sur sa veste d'explorateur. Il y plongea la main, fit entendre un autre bruit de succion et l'enjamba pour s'y glisser. Assis, les bras croisés, il promena les yeux autour de lui en levant un peu le menton.

Sally applaudit en riant. « Oh, mais c'est le grand amour !

— Qu'est-ce qu'ils mangent ? demanda Tom à Don Alfonso.

— Tout. Des insectes, des feuilles, des larves. Tu n'auras pas de mal à nourrir ton nouveau copain.

— Qui a dit que j'étais responsable de lui ?

— Il t'a choisi, Tomasito. Maintenant, tu lui appartiens. »

Tom baissa les yeux vers le petit singe, qui observait les alentours comme un seigneur surveille son domaine.

« C'est un petit filou à poils ! déclara Sally.

— Philou Apoil. C'est comme ça qu'on va l'appeler. »

Cet après-midi-là, alors qu'ils avançaient dans un dédale de chenaux particulièrement sinueux, Don Alfonso fit arrêter le bateau et passa plus de dix minutes à examiner l'eau, à la goûter, à y cracher et à regarder sa salive s'y enfoncer. Il finit par se redresser.

« Il y a un problème.

— On est perdus ? s'inquiéta Tom.

— Non. Eux, ils sont perdus.

— Qui ça ?

— Un de tes frères et son groupe. Ils ont pris le chenal de gauche, celui qui aboutit à la Plaza Negra, la Place noire, le cœur pourri du marais, le séjour des démons. »

Le chenal en question serpentait entre d'énormes troncs et des brassées de lianes. Une brume verdâtre stagnait juste au-dessus de ses eaux noires. Il ressemblait au fleuve des Enfers.

C'est sûrement Vernon, se dit Tom. Vernon était toujours perdu, au sens propre comme au sens figuré.

« Depuis longtemps ?

— Au moins une semaine.

— On peut camper près d'ici ?

« — Il y a un îlot à quatre cents mètres.

— Alors on va s'y arrêter et décharger, déclara Tom. Pingo et Sally resteront au camp pendant que vous, Chori et moi, nous prendrons la pirogue pour aller chercher mon frère. Il faut faire vite. »

Sous une pluie si forte qu'ils sentaient une véritable cataracte leur tomber sur la tête, ils débarquèrent dans une île de boue. Don Alfonso gesticula et cria tout en surveillant le déchargement du matériel, puis le rechargement des provisions nécessaires à l'exploration.

« Nous serons peut-être partis deux ou trois jours, dit-il. Préparons-nous à passer plusieurs nuits dans la pirogue. Il va sans doute pleuvoir.

— Oh, vous croyez ? » s'exclama Sally.

Tom lui tendit le petit singe. « Tu prendras bien soin de lui en mon absence, hein ?

— Compte sur moi. »

Le bateau s'éloigna. Tom regarda la silhouette de la jeune femme se faire de plus en plus floue sous l'averse. « Fais attention à toi, s'il te plaît ! » cria-t-elle juste avant de disparaître.

Chori maniait la gaffe avec énergie. Allégée par la réduction de son chargement, la pirogue avançait vite. Cinq minutes plus tard, Tom entendit un froissement dans les frondaisons sous lesquelles ils circulaient et vit une boule noire bondir de branche en branche. Elle se laissa tomber d'un arbre et atterrit sur sa tête en criant comme une âme en peine. C'était Philou Apoil.

« Bandit ! Tu n'as pas attendu longtemps pour t'échapper ! », dit le jeune homme en remettant le petit singe dans sa poche. Le bébé s'y blottit et se tut sur-le-champ.

Sous la pluie, la pirogue s'enfonça dans le marais en putréfaction.

27

Lorsque la pirogue atteignit le chenal qui menait à la Place noire, la fureur de l'orage était à son comble. Des coups de tonnerre résonnaient dans la forêt, parfois à quelques secondes d'intervalle, tel un barrage d'artillerie. Soixante mètres au-dessus de leur tête, la cime des arbres oscillait comme pour échapper aux éclairs.

Le chenal ne tarda pas à se diviser en une multitude de bras qui serpentaient parmi des amas tremblotants de vase puante. De temps à autre, Don Alfonso immobilisait l'embarcation pour observer les traces laissées par les gaffes sur les hauts-fonds. La pluie tombait en trombes et la nuit vint si subrepticement que Tom fut surpris d'entendre le vieillard ordonner la halte.

« On va dormir dans la pirogue, comme des sauvages, soupira Don Alfonso. Voilà un bon endroit où s'arrêter. Il n'y a pas de grosses branches au-dessus de nous. Je ne tiens pas à être réveillé par l'haleine fétide du jaguar. Prenons garde de ne pas mourir ici, Tomasito, car nos âmes ne retrouveraient jamais leur chemin.

— Je ferai de mon mieux. »

Tom s'enveloppa dans sa moustiquaire, se cala contre le ballot de vivres et s'efforça de s'endormir. Quand la pluie cessa enfin de tomber, il était trempé jusqu'aux os. Dans la jungle, le ruissellement des gouttes était ponctué par des appels, des gémissements et des cris de suffocation, dont certains lui parurent quasi humains. Et si les âmes perdues évoquées par Don Alfonso existaient réellement ? Il se représenta son frère égaré dans ce marais, peut-être malade, voire mourant. Enfant,

Vernon avait toujours un regard paumé, affectueux et brillant d'espoir. Tom s'enfonça dans un sommeil troublé de rêves.

Ils découvrirent le cadavre le lendemain. Un paquet rouge strié de blanc flottait un peu plus loin. Chori orienta la pirogue dans sa direction. Il s'agissait en réalité d'une chemise gonflée par les gaz de la décomposition. Lorsque le bateau approcha, un nuage de mouches en colère s'envola.

Chori manœuvra précautionneusement l'embarcation. Une dizaine de piranhas morts flottaient autour du corps. Leurs yeux globuleux étaient vitreux et leur gueule s'ouvrait sur le vide. Une pluie fine tombait sur eux.

Les cheveux étaient noirs et courts. Ce n'était donc pas Vernon.

Sur un mot de Don Alfonso, Chori enfonça la gaffe dans le cadavre. Les gaz s'échappèrent de sous la chemise trempée en produisant un bruit de bulles qui crèvent. Une odeur épouvantable se répandit aux alentours. Chori fit glisser la gaffe sous le corps et, se servant de l'autre extrémité comme d'un levier, le retourna. Une nouvelle nuée de mouches s'envola en bourdonnant. Quand les poissons qui dévoraient la partie immergée du macchabée s'enfuirent, pris de terreur, l'eau se mit à bouillonner et se zébra d'éclairs argentés.

Interloqué, Tom contemplait le cadavre dont le visage était tourné vers le ciel. Le mot « visage » lui semblait particulièrement inapproprié, car les piranhas avaient rongé la face, le torse et le ventre du mort, dont seuls les os restaient visibles. Le nez n'était plus qu'un morceau de cartilage, les lèvres et la langue avaient disparu, la bouche se réduisait à un trou. Un vairon prisonnier d'une orbite se tortillait pour tenter de s'en échapper. Les relents de la décomposition frappèrent Tom avec la violence de linges mouillés. Un tourbillon réapparut dans l'eau quand les poissons s'attaquèrent au dos du cadavre. Des lambeaux de sa chemise montèrent à la surface.

« C'est un gars de Puerto Lempira, dit Don Alfonso. Il s'est fait mordre par un serpent venimeux pendant qu'il débroussaillait. Ils l'ont laissé sur place.

— Comment le savez-vous ? demanda Tom.

— Tu vois ces piranhas morts ? Ils ont mangé la chair autour de la morsure. Ils ont été empoisonnés et les bêtes qui les mangeront le seront aussi. »

À l'aide de sa gaffe, Chori repoussa le corps. La pirogue s'éloigna.

« Ce n'est pas l'endroit idéal où mourir. On doit sortir d'ici avant la nuit. Je ne tiens pas à rêver que le fantôme de ce type me demande sa route. »

Tom ne répondit rien. Le spectacle du cadavre l'avait ébranlé. Il tenta de lutter contre un pressentiment. Toujours paniqué et désorganisé, Vernon était une victime de choix. Dieu seul savait s'il était encore en vie.

« Pourquoi ils ne font pas demi-tour pour quitter cet endroit, je n'en sais rien, chuchota Don Alfonso. Un démon est peut-être monté avec eux dans la pirogue et il leur murmure des mensonges à l'oreille. »

Ils reprirent leur progression avec lenteur. Le marais n'en finissait pas. Souvent, le bateau raclait le fond envasé et s'échouait, ce qui les forçait à en descendre et à pousser. À plusieurs reprises, ils durent rebrousser chemin sur des chenaux tortueux. Vers le milieu de l'après-midi, Don Alfonso leva la main. Chori arrêta de manier la gaffe et tous écoutèrent. Tom entendit un cri au loin. Quelqu'un appelait au secours sur un ton hystérique.

Le jeune homme se leva d'un bond et mit ses mains en porte-voix. « Vernon ! »

Le silence se fit.

« Vernon ! C'est moi, Tom ! »

Un hurlement de désespoir retentit avant de se répercuter, déformé et incompréhensible, sur les arbres.

« C'est lui, s'exclama Tom. Vite ! »

Chori reprit la gaffe. Tom ne tarda pas à distinguer la forme d'une pirogue dans le crépuscule du marais. À la proue, quelqu'un braillait en gesticulant. C'était bien

Vernon. Il ne se contrôlait plus, mais au moins il était vivant.

« Plus vite ! », lança Tom.

Chori redoubla d'efforts. Quand ils eurent atteint l'embarcation, Tom aida Vernon à passer dans la leur.

Le malheureux s'effondra dans les bras de son frère. « Dis-moi que je ne suis pas mort, souffla-t-il.

— Tu n'as rien. On est là. »

Vernon éclata en sanglots. Tom éprouvait un sentiment de déjà-vu. Il se souvenait du jour où son frère, en sortant de l'école, s'était fait courser par une bande de voyous. De la même façon, Vernon s'était jeté dans ses bras, il l'avait agrippé en versant des pleurs pathétiques et son corps chétif avait été secoué de tremblements. Tom, le benjamin, avait dû se dévouer pour affronter les agresseurs et combattre la peur de son aîné.

« C'est bon, reprit-il. Tout va bien. Tu es sain et sauf.

— Merci, mon Dieu. J'étais sûr que mon heure était venue… » La voix de Vernon se perdit dans un sanglot.

Tom l'aida à s'asseoir. L'état de son frère le consternait. Vernon avait le visage et le cou gonflés par les piqûres. Il s'était gratté jusqu'au sang. Ses vêtements étaient incroyablement sales, ses cheveux emmêlés et puants. Il était encore plus maigre que d'ordinaire.

« Ça va ? », demanda Tom.

Vernon acquiesça de la tête. « Oui, sauf que je me suis fait dévorer tout cru. J'ai eu une de ces trouilles ! » Après s'être essuyé le visage avec une manche crasseuse qui le salit plus qu'elle ne le nettoya, il étouffa un autre sanglot.

Tom l'étudia un moment. Ce n'était pas l'état physique de Vernon qui le préoccupait, mais son état mental. Dès qu'ils auraient regagné le campement, il le renverrait à la civilisation en compagnie de Pingo.

« Don Alfonso, dit-il, faisons demi-tour et sortons d'ici.

— Et le Maître… », souffla Vernon.

Tom s'immobilisa. « Quel Maître ? »

Vernon désigna la pirogue d'un mouvement de la tête. « Il est malade. »

Tom se pencha et jeta un regard au fond de l'embarcation. Gisant dans un sac de couchage imbibé d'eau, presque caché sous les ballots de matériel et de vivres en désordre, un homme à la barbe et à la chevelure blanches tournait vers lui un visage bouffi. Il était conscient. Sans mot dire, il levait vers Tom des yeux bleus à l'expression mauvaise.

« C'est qui ?

— Mon Maître de l'ashram.

— Qu'est-ce qu'il fiche ici ?

— On est ensemble. »

L'homme regardait Tom fixement.

« Qu'est-ce qu'il a ?

— La fièvre. Il ne parle plus depuis deux jours. »

Tom sortit la boîte à pharmacie et monta à bord de l'autre pirogue. Le Maître ne le quittait pas des yeux. Tom se pencha pour tâter le front du malade. Il était brûlant. Sa température devait s'élever à quarante degrés au bas mot. Son pouls était quasi imperceptible et extrêmement rapide. Tom l'ausculta au stéthoscope. Les poumons rendaient un son clair et le cœur battait normalement, mais très vite. Tom lui injecta un antibiotique à large spectre et une médication antipaludéenne. Sans moyen d'effectuer des examens diagnostiques, il ne pouvait faire mieux.

« D'où vient cette fièvre ? demanda Vernon.

— Impossible de le savoir sans analyses de sang.

— Il va mourir ?

— Je l'ignore. » Tom s'exprima en espagnol. « Don Alfonso, vous savez de quoi souffre cet homme ? »

Après l'avoir rejoint, le vieillard se pencha sur le malade. Il lui tapota la poitrine, lui examina les yeux et les mains, lui prit le pouls et leva le regard vers Tom. « Oui, je connais bien cette maladie.

— Elle s'appelle comment ?

— La mort.

— Non, protesta Vernon. Ne dites pas ça. Il ne meurt pas. »

Tom regrettait d'avoir demandé son avis à Don Alfonso. « On va le ramener au campement en bateau. Chori peut piloter celui-ci. Moi, je piloterai l'autre. » Il se tourna vers Vernon. « On a trouvé un guide mort là-bas. Où est le deuxième ?

— Un soir, un jaguar s'est jeté sur lui et l'a emporté dans un arbre. » Vernon frissonna. « On entendait ses hurlements et le craquement de ses os. C'était... » Sa phrase s'acheva sur un hoquet. « Tom, sors-moi de là !

— Oui. Ton Maître et toi, on va vous renvoyer à Brus avec Pingo. »

Ils parvinrent au campement peu après la tombée de la nuit. Vernon monta une de leurs tentes, où ils transportèrent le Maître. Celui-ci refusa de s'alimenter et resta silencieux. Il braquait sur eux un regard déstabilisant. Tom se demandait si cet homme avait encore toute sa tête.

Vernon insista pour rester toute la nuit avec le Maître sous la tente. Le lendemain matin, alors que le soleil commençait tout juste à dépasser la cime des arbres, il réveilla le groupe en appelant à l'aide. Tom arriva le premier. Assis dans son sac de couchage, le Maître était très agité. Dans son visage blême et sec, ses yeux luisants comme deux éclats de porcelaine bleue allaient et venaient sans jamais se poser. Ses mains se refermaient sur le vide.

« Vernon, s'écria-t-il tout à coup en tendant les bras devant lui. Mon Dieu, où es-tu, Vernon ? Où suis-je ? »

Choqué, Tom s'aperçut que le Maître n'y voyait plus.

Vernon lui saisit la main et s'agenouilla. « Je suis là. Nous sommes sous une tente. Nous vous ramenons en Amérique. Vous allez vous en sortir.

— Quel con j'ai été ! » s'écria le malade. Des postillons sortaient de sa bouche, qui se tordait sous l'effort.

« S'il vous plaît. Ne vous énervez pas. Nous rentrons à Big Sur, à l'ashram...

178

— J'avais tout ! rugit le Maître. J'avais de l'argent. J'avais des adolescentes à baiser. J'avais une maison au bord de l'océan. J'étais entouré de gens qui me vénéraient. *J'avais tout !* » Les veines saillaient sur son front. La bave s'écoulait de ses lèvres et pendait à son menton. Tout son corps tremblait si violemment que Tom croyait entendre les os s'entrechoquer. Telles des boules de flipper, les yeux aveugles roulaient follement dans leurs orbites.

« Nous allons vous emmener à l'hôpital, Maître. Ne parlez pas, tout ira bien…

— Et qu'est-ce que j'ai fait ? Ah ! Ça ne me suffisait pas ! Comme un crétin, j'en voulais plus ! Je voulais cent millions de dollars ! *Et regarde ce qui m'est arrivé !* » Après avoir hurlé ces derniers mots, il s'effondra avec lourdeur. Son corps fit le bruit d'un poisson qui tombe au sol. Il resta étendu, les yeux grands ouverts, mais privés de leur éclat.

Il était mort.

Incapable de parler, Vernon dévisageait le Maître d'un air horrifié. Tom posa la main sur l'épaule de son frère et s'aperçut que celui-ci tremblait. Ce n'était pas une belle fin.

Don Alfonso, lui aussi, était secoué. « Il faut partir, dit-il. Un mauvais esprit est venu emporter cet homme et il n'a pas voulu s'en aller.

— Préparez un des bateaux pour le retour, lui dit Tom. Pingo ramènera Vernon à Brus pendant que nous poursuivrons… si vous n'y voyez pas d'inconvénient. »

Don Alfonso hocha la tête. « C'est mieux comme ça. Ton frère n'est pas fait pour le marais. » Il lança des ordres à Chori et Pingo, qui se mirent à courir en tous sens, terrifiés, mais heureux de lever le camp.

« Je ne comprends pas, murmura Vernon. Il était si bon. Comment a-t-il pu avoir cette mort ? »

Vernon se laissait toujours embobiner par les escrocs, se dit Tom. Dans le domaine financier, émotionnel et spirituel. Mais ce n'était pas le moment de le lui faire remarquer. « Parfois, on croit connaître les gens, mais on se trompe, lâcha-t-il.

— J'ai passé trois ans avec lui. Je le *connaissais*. C'est cette fièvre… Il délirait, il perdait la boule. Il ne savait plus ce qu'il disait.

— Enterrons-le et remettons-nous en route. »

Vernon s'en alla creuser une tombe. Tom et Sally le rejoignirent. Ils dégagèrent un petit espace derrière le campement, coupèrent les racines avec la hache de Chori et firent un trou dans le sol. Vingt minutes plus tard, ils avaient aménagé une fosse peu profonde. Ils y traînèrent le corps du Maître, l'y couchèrent et le recouvrirent d'un peu d'argile, sur laquelle ils déposèrent des galets ramassés au bord de l'eau. Dans la pirogue, Don Alfonso, Chori et Pingo attendaient avec impatience de partir.

« Ça va ? demanda Tom à Vernon en prenant son frère par l'épaule.

— C'est décidé. Je ne rentre pas. Je viens avec vous.

— Mais tout est organisé…

— Pourquoi je rentrerais ? Je suis complètement fauché et je n'ai même pas de voiture. Je ne peux pas retourner à l'ashram.

— Tu trouveras bien une solution.

— J'y ai réfléchi. Je viens avec vous.

— Tu n'es pas en état. Tu as failli y rester.

— Il le faut. Maintenant, je me sens bien. »

Tom se demanda si Vernon se sentait aussi bien qu'il le prétendait.

« S'il te plaît, Tom. »

Le ton était si suppliant que Tom en fut surpris et, malgré lui, assez content. Il serra l'épaule de Vernon. « D'accord. On part ensemble, comme Père le voulait. »

Don Alfonso applaudit. « Assez parlé ! On y va ? »

Tom opina du chef et le vieillard donna l'ordre de pousser la pirogue à l'eau.

« Maintenant qu'on a deux bateaux, dit Sally, je peux aussi manier la gaffe.

— Pouah ! C'est un travail d'homme.

— Vous êtes un cochon de sexiste. »

Le vieillard fronça les sourcils. « C'est quoi, cette bête-là ? On m'insulte ?

— Exactement ! » confirma Sally.

Don Alfonso s'appuya de tout son poids sur la gaffe et l'embarcation glissa dans le marais. Il arborait un large sourire. « Alors, je suis content. Être insulté par une belle femme, c'est toujours un honneur ! »

28

Marcus Aurelius Hauser examinait le plastron de sa chemise blanche. Il saisit avec délicatesse un petit coléoptère qui grimpait laborieusement vers le col, l'écrasa entre le pouce et l'index, entendit avec un certain plaisir le craquement de la carapace et jeta l'insecte au loin. Il tourna de nouveau son attention vers Philip Broadbent. Toute sa morgue envolée, ce snobinard était accroupi au sol, pieds et poings liés. D'une saleté répugnante, il avait le corps couvert de piqûres et le visage mangé par la barbe. Quelle honte de voir certains individus incapables de préserver leur hygiène corporelle dans la jungle !

Hauser lança un coup d'œil à leur guide immobilisé par trois de ses soldats. Le gaillard lui avait donné du fil à retordre. Le privé n'avait mis un terme à la tentative de fuite d'Orlando Ocotal qu'après une poursuite échevelée. Il avait perdu toute une journée. La seule erreur de l'Indien avait consisté à croire qu'un gringo, un *yanqui*, ne pourrait pas le rattraper dans ce dédale. De toute évidence, il n'avait jamais entendu parler du Vietnam.

Tant mieux. À présent, tout était clair. Ils avaient pratiquement traversé le marais et Ocotal n'était plus utile. La leçon que Hauser allait lui donner profiterait également à Philip.

Le privé inhala l'air fécond de la forêt. « Vous vous souvenez, Philip, du jour où on a chargé les bateaux ? Vous vous demandiez à quoi serviraient les menottes et les chaînes. »

Le prisonnier ne souffla mot.

Hauser lui avait expliqué que, par l'impression qu'il produirait sur l'esprit des militaires, cet attirail lui permettrait de mieux les contrôler, mais que, bien entendu, il ne s'en servirait pas. «Maintenant, vous savez. C'était pour vous.

— Pourquoi ne pas en finir et me tuer?

— Chaque chose en son temps. On ne tue pas à la légère le dernier d'une lignée.

— Qu'est-ce que ça veut dire?

— Ravi de vous entendre poser la question. Je vais bientôt m'occuper de vos deux frères, qui nous suivent dans le marais. Quand l'ultime Broadbent aura été éliminé, je prendrai ce qui m'appartient.

— Vous êtes un psychopathe.

— Un être humain rationnel, qui répare un tort subi dans le passé.

— Quel tort?

— Votre père et moi, nous étions associés. Après sa première grande découverte, il m'a volé ma part de butin.

— C'était il y a quarante ans.

— Ce qui rend le crime d'autant plus grave. Pendant que je m'échinais à gagner ma vie, il se prélassait dans le luxe.»

Philip se débattit en faisant cliqueter ses chaînes.

«Quelle merveille de voir la roue tourner! reprit Hauser. Il y a quarante ans, votre père m'a privé d'une fortune. Pendant qu'il prenait la route de la gloire, je prenais celle d'un joli pays qui s'appelle le Vietnam. Me voilà sur le point de tout récupérer, et plus encore. Délicieuse ironie du sort! Imaginez un peu. Vous m'avez tout présenté sur un plateau d'argent.»

Philip ne répondit rien.

Hauser prit une nouvelle inspiration. Il adorait la chaleur. Il adorait cet air. Il ne se sentait aussi vivant, aussi en forme que dans la jungle. Il ne lui manquait que le discret parfum du napalm. Il se tourna vers un des soldats. «On va d'abord régler son compte à Ocotal. Venez, Philip, il ne faut pas manquer ça!»

Les deux pirogues étaient déjà chargées. Les militaires poussèrent les prisonniers dans la première. Après avoir mis les moteurs en marche, ils se dirigèrent vers le labyrinthe de mares et de chenaux latéraux sur lequel s'achevait le lac. Debout à la poupe, Hauser surveillait la manœuvre.

« Par ici. »

Les embarcations parvinrent à une étendue stagnante que des troncs immergés avaient isolée du chenal principal. Hauser savait que des piranhas y restaient emprisonnés. Depuis longtemps, ils avaient mangé tout ce qui s'y trouvait et désormais ils se dévoraient les uns les autres. Malheur à l'animal qui s'y égarerait !

« Coupez les gaz et jetez l'ancre. »

Les moteurs crépitèrent, puis se turent. Le silence qui s'ensuivit ne fut troublé que par le léger bruit des ancres de pierre.

Hauser se tourna vers Ocotal. Le spectacle promettait.

« Levez-le. »

Les militaires redressèrent le prisonnier. Hauser avança d'un pas et le dévisagea. Droit comme un I, vêtu d'une chemise et d'un short d'Occidental, l'Indien gardait son calme. Ses yeux ne laissaient transparaître ni peur ni haine. Ce Tawahka, se dit Hauser, était de ces malheureux qui se laissent gouverner par des idées d'honneur et de loyauté totalement dépassées. Le privé n'aimait pas ces gens-là. Ils étaient indignes de confiance et inflexibles. Max s'était révélé issu du même moule.

« Eh bien, *Don* Orlando, lâcha-t-il en appuyant avec ironie sur le titre honorifique. Vous avez quelque chose à dire pour votre défense ? »

L'Indien le regarda sans ciller.

Hauser sortit son couteau de poche. « Tenez-le bien. »

Les soldats s'exécutèrent. Ocotal avait les mains liées dans le dos et les pieds attachés par une corde au nœud lâche.

Hauser déplia la lame et l'affûta sur une pierre. Plusieurs *dzing*, *dzing* retentirent. Il l'appuya sur son pouce et sourit. Il tendit le bras et fit une longue entaille sur le torse d'Ocotal, dont il coupa la chemise avant d'atteindre la peau. L'estafilade n'était pas profonde, mais le sang qui commençait à couler dessinait une tache noire sur le tissu kaki.

Le Tawahka ne bronchait pas.

Hauser pratiqua d'autres entailles sur les épaules, les bras et le dos de l'Indien, qui restait impassible. Le privé était impressionné. Il n'avait pas observé pareille maîtrise de soi depuis qu'il avait interrogé les prisonniers du Viêt-Cong.

« Laissons au sang le temps de couler un peu », dit-il.

Ils attendirent. La chemise noircissait de plus en plus. Un cri d'oiseau retentit dans les profondeurs de la forêt.

« Balancez-le. »

Les trois soldats poussèrent Ocotal par-dessus bord. Le bruit du corps qui tombait fut suivi d'un moment de calme. C'est alors que l'eau commença à tourbillonner, d'abord lentement, puis de plus en plus fort, jusqu'à ce que la mare tout entière grouille d'agitation. Tels des éclairs d'argent, des zébrures d'un gris métallique apparurent dans les eaux sales, qu'un nuage rouge ne tarda pas à opacifier en grandissant. Des lambeaux de chair et de tissu kaki remontèrent à la surface et se balancèrent sur les vaguelettes.

Le bouillonnement dura cinq bonnes minutes avant de se mettre à décroître. Hauser était content. Il se tourna pour observer la réaction de Philip et n'eut pas à s'en plaindre.

Vraiment pas.

29

Trois jours durant, Tom et son groupe continuèrent de s'enfoncer au cœur du marais sur un réseau de chenaux interconnectés. Ils campaient sur des îles boueuses à peine plus hautes que le niveau de l'eau. Chori ne leur rapportant aucun gibier, ils cuisinaient des haricots et du riz sur des feux de bois humide qui dégageaient une épaisse fumée. Malgré la pluie incessante, la décrue s'était amorcée. Elle révélait la présence de troncs détrempés dans lesquels il leur fallait tailler une brèche pour progresser. Une nuée de mouches noires les accompagnait en permanence de leur vrombissement malveillant.

« Je crois que je vais me mettre à fumer, déclara Sally. Mieux vaut mourir du cancer que supporter ça. »

Un sourire de triomphe aux lèvres, Don Alfonso sortit la pipe de sa poche. « Tu verras, fumer te fera vivre vieille et heureuse. Moi-même, je fume depuis plus de cent ans. »

Un bruit profond s'éleva de la jungle. Il rappelait celui d'une toux d'homme, en plus fort et en plus lent.

« Qu'est-ce que c'est ?

— Un jaguar. Il a faim…

— C'est incroyable, tout ce que vous avez appris de la forêt, s'exclama Sally.

— Oui. » Don Alfonso poussa un soupir. « Mais aujourd'hui, plus personne ne veut rien en apprendre. Ce qui intéresse mes petits-enfants et mes arrière-petits-enfants, c'est le football et ces grosses chaussures blanches dans lesquelles les pieds moisissent, celles qui ont

186

un oiseau sur le côté et qu'on fabrique dans les usines de San Pedro Sula. » Il désigna des lèvres les baskets de Tom.

« Celles-ci ?

— Oui. Près de San Pedro Sula, il y a des villages entiers de petits garçons dont les pieds pourris sont tombés parce qu'ils les avaient portées. Maintenant, ils doivent marcher sur des prothèses en bois.

— Ce n'est pas vrai. »

Don Alfonso hocha la tête en émettant de petits suçotements désapprobateurs. La pirogue traversait des rideaux de plantes que Pingo écartait à coups de machette. Droit devant eux, Tom vit un rayon de soleil éclairer une trouée dans la végétation. Lorsqu'ils s'approchèrent, ils constatèrent qu'un grand arbre, tombé depuis peu, gisait en travers du chenal et les empêchait de passer. C'était le plus gros qu'ils aient rencontré jusque-là.

Don Alfonso murmura une malédiction. Chori ramassa sa Pulaski et sauta par-dessus bord sur le tronc. Agrippant la surface glissante de ses pieds nus, il commença à manier la hache et à faire voler des éclats de bois. Une demi-heure plus tard, il avait pratiqué une entaille assez profonde pour que l'embarcation s'y glisse.

Ils débarquèrent et se mirent à pousser. Au-delà de la souche, l'eau se faisait soudain plus profonde. Tom s'enfonça jusqu'à la taille dans cette soupe épaisse en s'efforçant de ne pas penser aux poissons cure-dents, aux piranhas et à toutes les maladies qui le guettaient.

Une main sur le plat-bord, Vernon le devançait en tirant l'embarcation. Tout à coup, Tom détecta une ondulation à leur droite. Au même instant, il entendit Don Alfonso pousser un cri strident. « Anaconda ! » Il réussit à grimper dans la pirogue, mais Vernon fut trop lent d'une fraction de seconde. Un tourbillon pareil à une boursouflure apparut soudain à la surface. Le hurlement de Vernon tourna court et le jeune homme disparut sous l'eau marron. Le dos luisant du serpent glissa le long du bateau. Ils entrevirent un corps aussi épais qu'un tronc d'arbre, qui s'enfonça aussitôt dans le marais.

« Aïïïe ! Il a eu Vernonito ! »

Tom sortit la machette de sa ceinture, plongea et cherctha à atteindre le fond à grand renfort de battements de pieds. La pénombre vaseuse l'empêchait d'y voir à plus de trente centimètres. À mi-parcours, il se contenta de nager avec les jambes et se servit de sa main libre pour chercher le reptile. Il sentit soudain un corps froid, rond et glissant, auquel il asséna un coup de machette avant même de comprendre qu'il s'agissait d'un tronc noyé. Il s'y cramponna et se propulsa vers l'avant en palpant comme un fou autour de lui. Ses poumons étaient sur le point d'éclater. Il remonta à toute allure à la surface et replongea presque aussitôt en tâtonnant devant lui. Où était donc ce serpent ? Depuis combien de temps y était-il ? Une minute ? Deux ? Vernon pourrait-il y survivre ? Avec l'énergie du désespoir, il reprit sa recherche parmi les souches gluantes.

Soudain, un tronc se déroba sous sa main. C'était un tube musculeux, aussi dur que l'acajou. Tom sentit une peau remuer et des muscles se contracter par vagues successives.

Il enfonça la machette aussi loin que possible dans cette chair. Pendant une seconde, il ne se passa rien. Puis l'anaconda se redressa comme la lanière d'un fouet et rejeta violemment Tom en arrière. Sous le choc, le jeune homme laissa une explosion de bulles s'échapper de sa bouche. Il s'aida des mains pour regagner la surface, où il remplit à nouveau ses poumons d'air. Les soubresauts du serpent faisaient bouillonner l'eau. Tom s'aperçut alors qu'il avait perdu la machette. De place en place, un corps sinueux émergeait en décrivant une arche luisante. L'espace d'un instant, le poing de Vernon apparut, suivi de sa tête. Le malheureux ouvrit la bouche et replongea.

« Une autre machette ! », hurla Tom.

188

Pingo lui en fit passer une. Tom en saisit le manche et se mit à tailler dans les anneaux visibles à la surface de l'eau.

« La tête! criait Don Alfonso du bateau. Tranche-lui la tête! »

Où se trouvait-elle, dans cette masse? Tom eut alors une idée. De la pointe de la machette, il piqueta le corps une fois, deux fois, pour provoquer la fureur de la bête. C'est alors qu'elle surgit des eaux. Laide, petite, dotée d'une gueule entourée de plaques et d'yeux réduits aux dimensions de simples fentes, elle cherchait l'auteur de ce harcèlement. Les mâchoires ouvertes, elle se tendit vers lui. Il plongea son arme dans la cavité rosâtre et l'enfonça dans la gorge du monstre. L'anaconda tressaillit, oscilla et mordit le bras de Tom qui, sans lâcher le manche, imprima plusieurs mouvements de torsion à la machette. Il sentit la chair céder sous la lame et le sang froid jaillir. La tête, qui commençait à se balancer d'avant en arrière, faillit lui arracher le bras. Mobilisant ses dernières forces, il vrilla une fois de plus son arme dans la gorge du reptile. Elle ressortit à hauteur de la nuque. Lorsqu'il lui fit décrire une rotation, il sentit un tremblement spasmodique s'emparer des mâchoires du serpent décapité de l'intérieur. Il utilisa son autre main pour forcer la gueule à s'ouvrir, dégagea son bras et chercha frénétiquement son frère dans l'eau encore agitée.

Tout à coup, Vernon refit surface. Tom le saisit par le col et le retourna. Son frère avait le visage écarlate et les yeux fermés. Tom le crut mort. Il le traîna jusqu'au bateau, dans lequel Pingo et Sally le hissèrent, grimpa à bord et s'écroula. Il avait perdu connaissance.

Lorsqu'il recouvra ses esprits, Sally était penchée sur lui. Les cheveux blonds de la jeune femme cascadaient devant ses yeux. Elle nettoyait les morsures de son bras en y frottant un coton imbibé d'alcool. La manche de Tom était déchirée à partir du coude et de profondes blessures apparaissaient sur sa chair. Le sang coulait à flots.

« Vernon…

— Il va bien, murmura Sally. Don Alfonso s'occupe de lui. Il a bu la tasse et il s'est fait mordre à la cuisse. »

Tom essaya de s'asseoir. Il avait l'impression que son bras était en feu. Plus que jamais, les mouches noires se pressaient autour de lui. Il en avalait à chaque inspiration. Sally le força à se recoucher en posant une main douce sur sa poitrine. « Ne bouge pas. » Elle prit une bouffée de sa pipe et la souffla sur lui pour chasser les insectes.

« Heureusement pour toi, les anacondas ont des dents minuscules. » Elle se remit à frotter.

« Ouille ! » Allongé sur le dos, il leva les yeux vers la canopée qui glissait lentement au-dessus de sa tête. Il n'y distinguait pas la moindre touche de bleu. Le feuillage formait un couvercle entre le ciel et lui.

30

Ce soir-là, Tom resta couché dans son hamac pour éviter de cogner son bras bandé. Vernon, qui s'était bien remis, aidait avec entrain Don Alfonso à faire bouillir un oiseau que Chori avait abattu pour le dîner. Ils avaient relevé les stores de fortune qui fermaient les côtés de la hutte. Malgré cette mesure, une chaleur suffocante régnait à l'intérieur.

Bien qu'il ait quitté Bluff depuis trente jours, Tom avait l'impression qu'une éternité s'était écoulée depuis son départ. Ses bêtes, les buttes de grès rouge qui se découpaient sur le ciel bleu, l'éclat aveuglant du soleil et les aigles qui survolaient le cours du San Juan... C'était comme si un autre homme avait contemplé ce décor. Étrange... Il s'était installé à Bluff avec Sarah, sa fiancée. Elle aimait les chevaux et la vie au grand air autant que lui, mais l'endroit s'était révélé trop calme pour elle. Un jour, elle avait chargé sa voiture et était partie. Il venait d'emprunter une grosse somme à la banque et de monter sa clinique. Il ne pouvait pas se dégager. Il n'y tenait pas non plus. Quand elle l'avait quitté, il s'était aperçu que, s'il avait eu le choix entre elle et Bluff, il aurait préféré Bluff. La rupture avait eu lieu deux ans plus tôt. Depuis, il n'avait eu aucune relation amoureuse. Il se disait qu'il n'en avait pas besoin, qu'une vie tranquille et la beauté de la région lui suffisaient pour le moment. La clinique lui prenait du temps. Le travail était harassant, et la gratification quasiment nulle. S'il restait sûr de son choix, il n'en oubliait pas pour autant sa passion pour la paléontologie. Son rêve d'enfance, chasser les ossements des grands dinosaures enchâssés dans la roche, restait vivace. Peut-être son père avait-il raison. Peut-être aurait-il dû faire un sort à cette ambition dès l'âge de douze ans.

Il se tourna pour calmer la douleur de son bras et lança un regard à Sally. La cloison était relevée pour laisser l'air circuler. Allongée dans son hamac, la jeune femme lisait un livre que Vernon avait emporté. C'était un thriller intitulé *Le Royaume d'Utopie*. Le royaume d'Utopie. C'était ce qu'il avait cru trouver à Bluff. Mais en réalité, il n'avait fait que fuir son père.

Enfin ! Tout ça, c'était du passé.

Il entendit Don Alfonso brailler ses ordres à Chori et Pingo. Un fumet de ragoût ne tarda pas à flotter dans la hutte. Il voyait Sally lire, tourner une page, rejeter ses cheveux en arrière, soupirer, tourner une autre page. Elle était un peu horripilante, mais tellement belle.

Elle posa le livre. « Qu'est-ce que tu regardes ? demanda-t-elle.

— C'est bien ?

— Super. » Elle sourit. « Comment ça va ?

— Bien.

— C'est ce qui s'appelle un sauvetage façon Indiana Jones ! »

Il haussa les épaules. « Je n'allais pas rester là, à ne rien faire, pendant qu'un serpent dévorait mon frère ! » Ce n'était pas ce sujet qu'il voulait aborder. « Parle-moi de ce M. Clyve, ton fiancé.

— Eh bien... » Elle sourit à ce souvenir. « Je me suis inscrite à Yale pour étudier avec lui. C'est mon directeur de thèse. On a... Oh ! Qui pourrait lui résister ? Il est très intelligent. Je n'oublierai jamais notre première rencontre, lors du pot hebdomadaire de la faculté. Je m'attendais à trouver un universitaire parmi tant d'autres, mais... Ouah ! On aurait dit Tom Cruise.

— Ouah !

— Bien sûr, les apparences ne comptent pas pour lui. Ce qui compte, c'est l'esprit, pas le corps.

— Je vois. » Tom ne put s'empêcher d'observer le corps de Sally, qui démentait les prétentions à la pureté intellectuelle de Julian. Le professeur était un homme comme les autres. Un peu moins honnête que la plupart de ses congénères, voilà tout.

« Il venait de publier *Le Déchiffrement du maya*. C'est un génie, au vrai sens du terme.

— Vous avez fixé la date du mariage ?

— Il ne croit pas au mariage. On restera concubins.

— Et tes parents ? Ils vont être déçus.

— Je n'en ai pas. »

Il se sentit rougir. « Excuse-moi.

— Pas de quoi. Mon père est mort quand j'avais onze ans et ma mère est décédée il y a dix ans. Je me suis habituée… autant que faire se peut.

— Alors comme ça, tu veux épouser ce type ? »

Elle le dévisagea. Un ange passa. « Qu'est-ce que ça veut dire ?

— Rien. » *Change de sujet, Tom*. « Parle-moi de ton père.

— C'était un cow-boy. »

Mais oui, bien sûr… pensa-t-il. *Un cow-boy riche qui devait élever des chevaux de course*. « Je ne savais pas qu'il en existait encore, dit-il sur un ton poli.

— Si, mais ils ne sont pas comme au cinéma. Un vrai cow-boy, c'est un travailleur qui s'échine à dos de cheval, qui gagne moins que le minimum légal, qui n'a pas fait d'études secondaires, qui a un problème d'alcool et qui se blesse ou meurt avant quarante ans. Papa était l'intendant d'un ranch qui appartenait à une société, dans le sud de l'Arizona. Il est tombé d'un moulin à vent qu'il essayait de réparer et il s'est cassé le cou. On n'aurait pas dû lui demander de grimper là-haut, mais le juge a décrété que c'était sa faute, parce qu'il buvait.

— Excuse-moi. Je ne voulais pas être indiscret.

— Ça fait du bien d'en parler. Tout du moins, c'est ce que dit mon analyste. »

Ne sachant s'il devait prendre cette remarque au sérieux ou non, Tom décida de jouer la prudence. La plupart des habitants de New Haven étaient sans doute en analyse. « Je croyais que ton père était propriétaire du ranch.

— Tu me prenais pour une gosse de riche ? »

Il sentit sa rougeur s'accentuer. « Euh… Quelque chose comme ça. Après tout, tu as fait tes études à Yale, tu es une cavalière émérite… » Il pensa à Sarah. Des gosses de riches, il en avait eu assez pour tenir jusqu'à la fin de ses jours. Il avait simplement cru que Sally en était une autre.

Elle partit d'un rire amer. « J'ai dû me battre pour obtenir tout ce que j'ai. Y compris Yale. »

Il vira au pourpre. Il avait fait preuve d'imprudence dans ses conclusions. Sally n'était pas Sarah.

« Malgré ses défauts, reprit-elle, mon père était merveilleux. Il m'a appris à monter, à tirer, à mener le bétail, à le suivre, à le trier. Quand il est mort, ma mère m'a emmenée à Boston, où vivait sa sœur. Pour m'élever, elle faisait la serveuse au Homard rouge. Je suis allée à l'université d'État de Framingham, la seule à laquelle des études secondaires assez médiocres dans l'enseignement public me permettaient d'accéder. Ma mère est morte quand j'étais étudiante. Rupture d'anévrisme. C'est venu sans prévenir. Pour moi, c'était la fin du monde. Et puis, enfin, il m'est arrivé un truc bien. Une prof d'anthropologie m'a fait découvrir qu'il était amusant d'apprendre et que j'étais bien plus qu'une gourdasse blonde. Elle a cru en moi. Elle voulait que je sois médecin. J'ai réussi l'internat, je me suis intéressée à la biologie pharmaceutique et, de là, je suis passée à l'ethnopharmacologie. Je me suis donné un coup de pied au cul et je me suis inscrite à Yale. Et là j'ai fait la connaissance de Julian. Je n'oublierai jamais cette première fois. Il se tenait au milieu de la pièce. Il racontait une histoire. Il raconte des histoires merveilleuses. Je me suis mêlée à l'assistance et j'ai écouté. Il décrivait son premier séjour à Copán. Il était… éblouissant. On aurait dit un explorateur des temps passés.

— Je n'en doute pas.

— Et toi, ton enfance ? Elle ressemblait à quoi ?

— Je préférerais ne pas en parler.

— Tu triches. »

Tom soupira. « Elle a été très ennuyeuse.

— Je n'en crois rien.

— Par où commencer ? « Nous vîmes le jour au château », comme dirait l'autre... Une maison gigantesque, une piscine, une cuisinière, une gouvernante à demeure, des écuries, mille hectares de terrain. Père nous offrait tout à profusion. Il avait forgé de grands projets à notre intention. Il avait lu toute une étagère d'ouvrages sur l'éducation des enfants. *Commencez toujours par de grandes espérances*, qu'ils disaient... Quand on était tout petits, il nous passait du Bach et du Mozart, il remplissait nos chambres de reproductions tirées de la collection « Les anciens maîtres de la peinture ». Quand on a appris à lire, il a collé des étiquettes sur tous les objets. Le matin, dès mon réveil, je voyais : BROSSE À DENTS, ROBINET, MIROIR. Les étiquettes me guettaient de partout. À sept ans, on a dû choisir un instrument de musique. Je voulais jouer de la batterie, mais il a insisté pour que j'apprenne un instrument classique. Alors j'ai étudié le piano. *La Lettre à Élise* une fois par semaine, avec une vieille fille à la voix stridente. Vernon a opté pour le hautbois et Philip s'est mis au violon. Le dimanche, au lieu d'aller à l'église – Père était farouchement athée –, on s'habillait en queue-de-pie et on lui donnait un concert.

— Oh mon Dieu !

— Tu peux le dire ! C'était pareil avec le sport. On a dû s'en choisir un. Pas pour s'amuser, pas pour faire de l'exercice, tu comprends, mais pour y *exceller*. On est allés dans les meilleures écoles privées. Chaque minute de notre journée était programmée : leçons d'équitation, professeurs et entraîneurs particuliers, football, stages de tennis et d'informatique, sports d'hiver à Taos et à Cortina d'Ampezzo.

— Quelle horreur ! Et votre mère, elle était comment ?

— Il y en a trois. Nous sommes demi-frères. Père était malheureux en amour, d'une certaine manière...

— On lui a confié votre garde ?

— Ce qu'il voulait, il l'obtenait. Les divorces n'ont pas été jolis à voir. Nos mères n'ont jamais occupé une place importante dans nos vies. La mienne est morte quand j'étais tout jeune. Père tenait à nous élever lui-même. Il voulait que personne ne s'en mêle. Il allait créer trois génies qui changeraient la face du monde. Il a essayé de nous imposer nos métiers. Même nos petites amies.

— Excuse-moi. Quelle enfance terrible ! »

Un peu agacé par ce commentaire, il se retourna dans son hamac. « Je n'emploierais pas cet adjectif pour qualifier Cortina à Noël. On a fini par en retirer quelque chose. J'ai appris à aimer les chevaux. Philip s'est passionné pour la peinture de la Renaissance. Et Vernon... Eh bien, en quelque sorte, il est tombé amoureux de l'errance.

— Votre père vous imposait vos petites amies ? »

Tom regretta d'avoir mentionné ce détail. « Il a voulu.

— Et alors ? »

Il se sentit de nouveau rougir. Il n'y pouvait rien. L'image de Sarah – parfaite, belle, intelligente, talentueuse, saine – s'imposa à son esprit.

« C'était qui ? » insista-t-elle.

Décidément, les femmes devinaient tout. « Il me l'avait présentée. C'était la fille d'un de ses amis. Ironie du sort, c'était la première fois que je voulais vraiment me soumettre à la volonté de Père. Je suis sorti avec elle. On s'est fiancés.

— Et qu'est-ce qui s'est passé ? »

Il l'observa attentivement. Elle exprimait autre chose qu'une simple curiosité. Qu'est-ce que ça voulait dire ? « Ça n'a pas marché. » Il se garda de mentionner l'épisode au cours duquel il l'avait trouvée chevauchant un autre type dans leur propre lit. Ce qu'elle voulait, elle l'obtenait, elle aussi. *La vie est trop courte*, disait-elle, *et je veux tout connaître. Quel mal y a-t-il à ça ?* Elle ne savait rien se refuser.

Sally le regardait toujours bizarrement. Elle secoua la tête. « Ton père était un cas. Il aurait pu écrire un livre intitulé *Comment ne pas élever ses enfants* ».

Un picotement de contrariété traversa Tom. Il savait qu'il ne devait pas le dire, il savait qu'il allait envenimer la discussion, mais il ne pouvait pas s'en empêcher. Il se lança. « Père aurait *adoré* Julian. »

Tout à coup, le silence se fit. Il sentit le regard de Sally posé sur lui. « Je te demande pardon ? »

Il s'enfonça un peu plus. « Tout ce que je veux dire, c'est que Julian est exactement le genre d'homme que Père voulait nous voir devenir. Stanford à seize ans, grand professeur à Yale, un « génie, au vrai sens du terme », comme tu le dis si bien.

— Ce commentaire ne mérite pas que je m'abaisse à y répondre », lâcha-t-elle avec raideur. Le visage blême de colère, elle saisit son livre et reprit sa lecture.

31

Enchaîné à un arbre, Philip avait les mains menottées derrière le dos. Les mouches noires grouillaient sur chaque centimètre carré de sa peau et lui dévoraient le visage par milliers. Réduit à l'impuissance, il les sentait s'infiltrer sous ses cils, mais aussi dans ses narines et ses oreilles. Il avait bien essayé de les chasser en secouant la tête, en clignant de l'œil ou en grimaçant, mais ses efforts s'étaient révélés vains. Ses paupières avaient déjà tellement enflé qu'elles en étaient presque fermées. Hauser parlait à voix basse avec un inconnu dans son téléphone par satellite. Philip n'entendait pas ses propos, mais il reconnaissait ses intonations à la fois paisibles et bourrues. Il baissa les yeux. Il avait atteint le stade ultime de l'indifférence. Tout ce qu'il demandait, c'était que Hauser mette fin à ses souffrances. D'une bonne balle dans la tête.

Assis à son bureau, Lewis Skiba était tourné vers la fenêtre. Son regard se perdait au-delà de la ligne de crête des gratte-ciel de Manhattan. Depuis quatre jours, il n'avait eu aucune nouvelle de Hauser. Lors de son dernier appel, le privé lui avait affirmé que la nuit portait conseil. Depuis, silence radio. Ces quatre jours avaient été les pires de sa vie. Le cours de l'action était descendu à six. La SEC avait délivré plusieurs assignations avant de saisir des ordinateurs portables et des disques durs au siège de la direction. Ces salauds lui avaient même confisqué sa propre bécane. La frénésie des vendeurs à découvert ne s'était pas calmée. Le *Journal* avait annoncé que l'Agence du médicament s'apprêtait à refuser la mise sur le marché du phloxatane. Standard & Poor se préparait à réduire l'action Lampe à l'état de déchet et, pour la première fois, le public s'interrogeait sur l'éventualité d'un recours au chapitre 11.

Ce matin-là, Skiba avait dû aviser sa femme que, compte tenu de la conjoncture, ils devaient mettre immédiatement en vente leur maison d'Aspen. Après tout, c'était la quatrième et ils ne l'occupaient qu'une semaine par an. Mais elle n'avait pas compris. Elle avait pleuré, pleuré encore et fini par aller dormir dans la chambre d'amis. Bon Dieu! Ça allait donc prendre cette tournure? Que se passerait-il s'ils devaient se défaire de leur résidence principale? Que ferait-elle s'ils devaient retirer leurs enfants de l'école privée?

Et, pendant tout ce temps, Hauser ne s'était pas manifesté. Qu'est-ce qu'il foutait? Il lui était arrivé quelque chose? Il avait abandonné? Skiba sentit la sueur perler de nouveau sur son front. Savoir que son sort et celui de la société reposaient entre les mains d'un type de cet acabit le rendait haineux.

Il sursauta quand le téléphone équipé d'un brouilleur retentit. Il était 10 heures. Hauser ne se manifestait jamais le matin. Skiba savait pourtant que l'appel venait du privé.

«Oui?» Il s'efforça de dissimuler son essoufflement.

«Skiba?

— Oui oui.

— Comment ça va?

— Bien.

— Alors, la nuit vous a porté conseil?»

Skiba avala sa salive. La boule était encore là. Une pelote de fil de plomb dans la gorge. Il ne pouvait pas parler. Elle l'en empêchait. Il avait déjà eu sa dose, mais une autre gorgée ne lui ferait pas de mal. Coinçant le téléphone au creux de son épaule, il ouvrit le cabinet et en sortit un verre. Il ne prit même pas la peine d'y verser de l'eau.

« Lewis, je sais que ce n'est pas facile, mais le moment est venu. Vous voulez le *Codex*, oui ou non ? Je peux tout arrêter dès maintenant et rentrer. Qu'en dites-vous ? »

Skiba avala le liquide brûlant et doré. Lorsqu'il eut retrouvé sa voix, elle sortit sous forme de murmure éraillé. « Je vous ai dit et répété que ça n'avait rien à voir avec moi. Vous êtes à huit mille kilomètres d'ici. Je n'ai aucun contrôle sur vous. Vous faites ce que vous voulez. Contentez-vous de me rapporter le *Codex*.

— Je n'ai rien entendu, avec ce brouilleur...

— Faites ce qu'il faut ! rugit Skiba. Laissez-moi en dehors de cette affaire !

— Ah, mais non. Noooon ! Je vous ai déjà expliqué qu'on était embarqués sur la même galère. »

La main de Skiba se referma sur le téléphone avec une force assassine. Tout son corps frémissait. Il se dit qu'en serrant un peu plus, il pourrait étrangler Hauser.

« Je me débarrasse d'eux ou pas ? poursuivit la voix enjouée. Sans quoi, si je récupère le *Codex*, ils viendront vous le réclamer. Et alors, vous savez, *vous ne gagnerez pas*. Ils vous le reprendront. Vous m'avez dit que vous vouliez faire les choses proprement, sans complications, sans poursuites judiciaires.

— Je leur verserai des droits. Ils seront milliardaires.

— Ils ne traiteront pas avec vous. Ils ont une autre idée. Je ne vous en ai pas parlé ? Cette femme, Sally Colorado, a des projets, de *grands* projets.

— Lesquels ? » Skiba tremblait de la tête aux pieds.

« Lampe n'y joue aucun rôle, c'est tout ce que vous devez savoir. Vous voyez, c'est le problème, avec vous, les hommes d'affaires. Vous êtes incapables de prendre des décisions difficiles.

— Vous êtes en train de parler de vies humaines.

— Je sais. Ce n'est pas facile pour moi non plus. Pesez le pour et le contre. D'un côté, quelques personnes disparaissent dans une jungle perdue. De l'autre, un médicament sauve plusieurs millions de malades, vingt mille salariés gardent leur emploi, les actionnaires vous adorent au lieu de réclamer votre tête et vous devenez le chéri de Wall Street parce que vous avez tiré Lampe du gouffre. »

Autre gorgée. « Donnez-moi encore une journée pour y réfléchir.

— Impossible. Ça ne peut plus durer. Vous vous rappelez, je vous ai dit qu'il fallait les arrêter avant les montagnes. Pour soulager votre conscience, je vous affirme que je n'agirai pas moi-même. Il y a ici des soldats honduriens, des renégats que je peux à peine maîtriser. Ce sont des fous. Ils sont capables de n'importe quoi. Ces choses-là arrivent sans cesse dans ce pays. Si je changeais d'avis, ils tueraient quand même tout le monde. Alors, Lewis, qu'est-ce que je fais? Je me débarrasse d'eux et je vous rapporte le *Codex*? Je tourne les talons et j'oublie tout? Il faut que je raccroche. Votre réponse?

— Allez-y. »

Un bourdonnement se fit entendre.

« Dites-le, Lewis. Dites-moi ce que je dois faire.

— Allez-y! Tuez-les, bordel de merde! Tuez les Broadbent! »

32

Deux jours et demi après l'attaque du serpent, alors qu'ils avançaient sur un autre chenal interminable, Tom remarqua une éclaircie. Il ne rêvait pas : la lumière commençait à briller à travers les arbres. Puis, avec une brusquerie surprenante, les deux pirogues quittèrent le marais de Meámbar. Les voyageurs eurent soudain l'impression de pénétrer dans un autre monde. Ils se trouvaient devant un immense lac aux eaux noires comme de l'encre. Le soleil de fin d'après-midi transperçait les nuages. Tom éprouva un intense soulagement en découvrant cet espace illimité. Ils étaient enfin sortis de leur prison verte. Une brise fraîche emporta les mouches noires. Tom voyait des collines bleutées s'élever face à eux et, plus loin, une chaîne de montagnes floues dont les sommets se perdaient dans les nuages.

Don Alfonso se dressa à la poupe et étendit les bras en croix. Son poing ridé se refermait sur sa pipe de bruyère. Il avait l'air d'un épouvantail en guenilles. « La Laguna Negra ! s'écria-t-il. On a traversé le marais de Meámbar ! Moi, Don Alfonso Boswas, je vous ai guidés avec efficacité et fidélité ! »

Quand Chori et Pingo eurent abaissé et mis en marche les moteurs, les deux bateaux filèrent vers la rive. Adossé aux ballots de vivres, Tom se délectait à sentir le souffle du vent pendant que Philou Apoil, sorti de sa poche, lui grimpait sur la tête, les yeux fermés, en produisant des bruits de succion et des gazouillis incessants. Tom avait presque oublié la sensation de l'air sur sa peau.

Ils établirent le campement sur une plage de sable. Chori et Pingo partirent chasser et revinrent une heure plus tard. Ils rapportaient un cerf vidé et découpé, dont ils avaient enveloppé les quartiers sanguinolents dans des palmes.

« Magnifique ! s'exclama Don Alfonso. Ce soir, on va se régaler de côtelettes et on fumera le reste pour le manger pendant la marche. »

Il fit griller la viande pendant que Chori et Pingo confectionnaient un fumoir et l'installaient au-dessus d'un deuxième feu. Tom regarda attentivement les compères. Ils découpèrent à la machette de longues lanières de viande, les disposèrent à même la structure et empilèrent sur le feu des branchages humides qui dégagèrent un panache de fumée odorante.

Quand les côtelettes furent cuites, Don Alfonso assura le service. Tandis que le petit groupe se restaurait, Tom posa la question qu'il avait gardée pour lui. « Don Alfonso, on va où maintenant ? »

Le vieillard lança un os derrière lui, dans l'obscurité. « Cinq rivières se jettent dans la Laguna Negra. On doit trouver celle que ton père a remontée.

— Elles viennent d'où ?

— Elles prennent leur source dans les montagnes de l'intérieur. Certaines dans la Cordillera Entre Ríos, d'autres dans la Sierra Patuca, et d'autres encore dans la Sierra de las Neblinas. Le Macaturi est le cours d'eau le plus long. Il descend de la Sierra Azul, à mi-chemin entre ici et le Pacifique.

— Et elles sont navigables ?

— On dit que leur cours inférieur l'est.

— On le dit ? Vous n'y êtes jamais allé ?

— Personne parmi les miens ne les a jamais remontées. L'arrière-pays est très dangereux.

— Comment ça ? intervint Sally.

— Les bêtes n'ont pas peur des hommes. En plus, il y a des tremblements de terre, des volcans, des esprits maléfiques et une cité de démons d'où personne n'est jamais revenu.

« — Une cité de démons ? demanda Vernon, soudain intéressé.

— Oui. La Ciudad Blanca, la Cité blanche.

— Elle est comment ?

— Les dieux l'ont construite il y a longtemps. Elle est en ruine. »

Après avoir rongé un os, Vernon le jeta au feu et dit d'une voix neutre : « La réponse est là.

— La réponse à quoi ? s'enquit Tom.

— C'est là que Père est allé. »

Son frère le dévisagea. « Tu vas un peu vite en besogne. Comment le sais-tu ?

— Je ne le *sais* pas, mais c'est exactement le genre d'endroit où il irait. Il adorerait cette rumeur. Il irait vérifier par lui-même. Or ce genre d'histoire se fonde souvent sur la réalité. Je parie qu'il a découvert une cité perdue, une grosse vieille ruine.

— Mais ces montagnes ne sont pas censées abriter des ruines.

— Qui a dit ça ? » Vernon sortit une autre côtelette des palmes et y mordit à belles dents.

Tom se souvint de Derek Dunn, l'homme au visage rougeaud selon qui les anacondas ne mangeaient pas les êtres humains. Il se tourna vers Don Alfonso. « Cette Cité blanche est très connue ? »

Le visage contracté en un masque ridé, le vieillard opina lentement du chef. « Oui, on en parle souvent.

— Mais elle se trouve où ? »

Don Alfonso secoua la tête. « Sa localisation change, mais elle se situe sur les plus hauts sommets de la Sierra Azul. Elle se déplace et se cache dans la brume.

— Alors, c'est une légende. » Tom lança un regard à Vernon.

« Non, Tomás, elle existe. On dit qu'on y parvient en franchissant une gorge sans fond. Ceux qui glissent et qui tombent meurent d'épouvante. Leur corps chute jusqu'à ce qu'il n'en reste que des os, et ces os chutent jusqu'à ce qu'ils se désintègrent. À la fin, il n'y a plus qu'un peu de poussière d'os qui s'enfonce dans le noir pour l'éternité. »

Il lança une branche dans le feu. Tom la regarda fumer, puis s'embraser. Les flammes ne tardèrent pas à la dévorer.

« Il n'y a plus de cités perdues à notre époque, affirma-t-il.

— Tu as tort, objecta Sally. Il y en a des dizaines, voire des centaines, au Cambodge, en Birmanie, dans le désert de Gobi et surtout ici, en Amérique centrale. Par exemple, le site Q…

— Le quoi ?

— Depuis trente ans, le site Q nous livre des pièces en quantités phénoménales. Les archéologues en deviennent fous. Ils pensent qu'il s'agit d'une grande ville maya, sans doute située sur les basses terres du Guatemala, mais ils n'arrivent pas à la trouver. Pendant ce temps, les pillards la démantèlent pierre par pierre et la vendent au marché noir.

— Père traînait dans les bars, précisa Vernon. Il payait des tournées aux Indiens, aux bûcherons et aux chercheurs d'or pour les faire parler de ruines et de cités perdues. Il a même appris quelques langues indiennes. Tu te souviens, Tom, qu'il les parlait au cours de certains dîners ?

— J'ai toujours cru qu'il frimait.

— Réfléchis un peu. Il n'aurait jamais creusé sa propre tombe. Il a réutilisé une de celles qu'il a pillées il y a longtemps. »

Personne ne souffla mot pendant un moment, puis Tom asséna : « Vernon, c'est une idée lumineuse !

— Et il a obtenu le concours des Indiens du coin. »

Un crépitement s'éleva du feu, suivi d'un silence de mort.

« Mais il n'a jamais dit un mot de la Cité blanche », reprit Tom.

Vernon sourit. « Exactement. Tu sais pourquoi ? Parce que c'est *là* qu'il a fait sa grande découverte, celle qui l'a lancé. Il est arrivé raide comme un passe-lacet, il est revenu avec une cargaison de trésors et il a monté sa galerie.

— Pas bête…

— Je ne te le fais pas dire. Je te fiche mon billet qu'il y est retourné pour s'y faire enterrer. C'est un plan parfait. Cette prétendue Cité blanche doit abriter une quantité invraisemblable de sépultures. Il savait où elles se trouvaient, puisque c'était lui qui les avait pillées. Tout ce qu'il a eu à faire, c'est revenir, en choisir une et s'y installer avec l'aide des Indiens de la région. La Cité blanche existe, Tom.

— J'en suis convaincue, renchérit Sally.

— Je sais même comment il a acheté le concours des autochtones, murmura Vernon, dont le sourire s'élargissait.

— Comment ?

— Tu te souviens du bordereau que la police de Santa Fe a découvert chez lui ? Tu te souviens de tous ces beaux ustensiles de cuisine français et allemands qu'il avait commandés juste avant son départ ? Voilà comment il a payé les Indiens. Avec des marmites. »

Don Alfonso s'éclaircit la gorge avec ostentation pour attirer leur attention.

« Tous ces bavardages sont absurdes, déclara-t-il.

— Et pourquoi donc ? demanda Tom.

— Parce que personne ne peut aller à la Cité blanche. Votre père n'a pas pu la trouver. Et s'il l'avait fait, elle est habitée par des démons qui l'auraient tué et lui auraient volé son âme. Il y souffle des vents qui l'auraient repoussé. Les brumes sèment la confusion dans l'œil et l'esprit. L'eau d'une source efface le souvenir. » Il secoua la tête avec vigueur. « Non, c'est impossible.

— Il faut remonter quelle rivière pour s'y rendre ? »

Don Alfonso fronça les sourcils. Derrière les verres sales de ses lunettes, ses gros yeux paraissaient très malheureux. « Pourquoi vouloir connaître cette information inutile ? Je te dis que c'est impossible.

— C'est possible et c'est là qu'on va. »

Après avoir passé un long moment à scruter Tom, le vieillard soupira. « Tu pourras faire la moitié du parcours sur le Macaturi, mais tu ne pourras pas dépasser les Chutes. La Sierra Azul se trouve à plusieurs jours de là, après des montagnes, des vallées et encore des montagnes. C'est un trajet infernal. Ton père n'a pas pu l'effectuer.

— Vous ne le connaissez pas. »

Don Alfonso bourra sa pipe. Son regard inquiet était fixé sur le feu. Il transpirait à grosses gouttes. La main qui tenait la pipe tremblait.

« Demain, reprit Tom, on remonte le Macaturi en direction de la Sierra Azul. »

Le vieillard ne quittait pas les flammes des yeux.

« Vous nous accompagnez ? demanda le jeune homme.

— C'est mon destin, Tomás. Je dois venir avec toi, répondit son interlocuteur d'une voix douce. Bien sûr, nous serons tous morts avant d'avoir atteint la Sierra Azul. Je suis vieux, je suis prêt à aller retrouver saint Pierre. Mais je serais triste de voir mourir Chori et Pingo, et Vernon, et la *curandera* qui est si jolie et qui a tant d'années de sexualité à vivre. Et je serais très triste de te voir mourir, Tomás, parce que maintenant tu es mon ami. »

33

À force de penser à la Cité blanche, Tom ne ferma pas l'œil de la nuit. Vernon avait raison. Tout concordait à merveille. C'était si évident que le jeune homme se demanda pourquoi il n'y avait pas songé plus tôt.

Philou poussait des couinements irrités à chaque fois que son maître se tournait et se retournait. Il finit par grimper au sommet d'un des pieux auxquels le hamac était attaché et dormit sur les traverses situées au-dessus de la tête de Tom. Vers 4 heures, celui-ci n'y tint plus. Il se leva, sortit, alluma un feu sur les cendres du précédent et y mit une marmite à bouillir. L'air encore contrarié, Philou descendit de son perchoir, gagna la poche de Tom et leva la tête pour que celui-ci le gratte sous le menton. Don Alfonso ne tarda pas à se manifester. Il s'assit et accepta une tasse de café. Les deux hommes restèrent longtemps côte à côte, dans la nuit de la jungle, sans dire un mot.

« Il y a une chose qui m'intrigue, finit par lâcher Tom. Quand on a quitté Pito Solo, vous avez parlé aux gens comme si vous ne comptiez pas revenir. Pourquoi ? »

Don Alfonso sirotait son café. La lueur dansante des flammes se reflétait sur ses lunettes. « Tomasito, quand le moment sera venu, tu auras la réponse à cette question-ci et à beaucoup d'autres.

— Pourquoi avoir fait ce voyage ?

— C'était annoncé dans la prophétie.

— Ce n'est pas une raison. »

Le vieillard se tourna vers Tom. « Le destin n'est pas une raison. C'est une *explication*. N'en parlons plus. »

Des cinq cours d'eau qui se jetaient dans la Laguna Negra, le Macaturi était le plus large. Plus navigable que le Patuca, il était aussi plus profond et plus propre. Il n'abritait ni bancs de sable ni obstacles cachés. Tandis que le petit groupe le remontait, le soleil se leva au loin sur les collines, qui se teintèrent d'un vert doré. Don Alfonso trônait de nouveau au sommet des ballots de vivres, mais son humeur avait changé. Il ne philosophait plus, évitait de parler sexualité, ne se plaignait plus de ses fils ingrats et ne nommait plus les bêtes à plumes ou à poil à l'intention des étrangers. Il se contentait de rester assis, de fumer et de river des yeux inquiets devant lui.

Plusieurs heures durant, les deux embarcations progressèrent vers l'amont. Au moment où elles négocièrent un méandre, un gros arbre apparut. Il gisait en travers de la rivière et les empêchait de passer. Tombé depuis peu, il avait gardé ses feuilles vertes.

« C'est curieux », marmonna Don Alfonso. Il demanda à Chori de ralentir pour que la pirogue pilotée par Pingo les double. Au milieu du second bateau, Vernon s'était adossé au plat-bord pour prendre le soleil. Au passage, il leur adressa un signe de la main.

Pingo orienta son embarcation vers l'autre rive, où le tronc était le plus mince, donc le plus facile à couper.

Soudain, Don Alfonso sauta sur le gouvernail et força la pirogue à virer à tribord. Elle fit une embardée, puis un tête-à-queue et faillit chavirer. « Baissez-vous ! » hurla le vieillard.

Au même instant, le bruit d'une rafale tirée par une arme automatique leur parvint de la forêt.

Tom se jeta sur Sally et la plaqua sur le fond du bateau au moment où une série de balles venait en frapper le flanc. Des éclats de bois se mirent à pleuvoir sur eux. Il entendait les balles faire jaillir l'eau autour d'eux et leurs agresseurs crier. Il se retourna et vit Don Alfonso, recroquevillé à la poupe, une main sur la poignée du moteur, s'efforçant de les conduire vers un promontoire sous lequel ils pourraient s'abriter.

Un cri inhumain s'éleva de l'autre embarcation. Quelqu'un avait été touché.

Tom était couché sur Sally. Il ne voyait qu'une masse de cheveux blonds et les rainures qui marquaient le bois de la coque. Dans la seconde pirogue, les hurlements de terreur et de douleur n'avaient pas cessé. *C'est Vernon. Il est blessé*, se dit Tom. Les tirs se poursuivaient, mais les balles leur passaient au-dessus de la tête. Le bateau racla le fond de la rivière une première, puis une deuxième fois, et l'hélice moulina sur les rochers des hauts-fonds.

Les tirs et les cris cessèrent en même temps. Leur pirogue se trouvait à l'abri.

Don Alfonso se releva péniblement et se retourna. Tom l'entendit lancer quelques mots en tawahka. Le vieillard n'obtint pas de réponse.

Tom se dressa à son tour, précautionneusement, et il aida Sally à en faire autant. Des gouttelettes de sang maculaient la joue de la jeune femme, que des échardes avaient blessée.

« Ça va ? »

Pour toute réponse, elle hocha la tête.

Leur pirogue longeait un escarpement de roche couverte d'une végétation dont le feuillage tombait jusqu'à l'eau. Tom s'assit face à l'autre bateau et cria : « Vernon ! Tu es touché ? » Il voyait une main ensanglantée s'accrocher au gouvernail. « Vernon ! » hurla-t-il de nouveau.

Son frère se leva en vacillant. Il avait l'air assommé.

« Mon Dieu ! Tu vas bien, Vernon ?

— Pingo est blessé.

— Grièvement ?

— Très grièvement. »

En amont, le toussotement d'un moteur se fit entendre, suivi d'un rugissement. Des cris fusaient au loin.

Don Alfonso s'efforçait de rester au plus près de la rive. Cramponné au gouvernail, Vernon suivait la première pirogue.

« On ne pourra pas les semer », déclara Tom.

Sally se tourna vers Chori. « Donne-moi ta carabine. »

Chori la dévisageait sans comprendre.

Sally saisit l'arme, vérifia si elle était chargée, referma violemment la culasse et s'accroupit à la poupe.

« Tu ne les arrêteras jamais avec ça, s'écria Tom. Ils ont des fusils automatiques.

— Je suis sûre que je peux les ralentir ! »

Tom vit deux bateaux chargés de soldats surgir au détour d'un méandre.

« Baissez-vous ! »

Tom entendit la carabine de Sally tirer un coup au moment même où une rafale arrosait les plantes sous lesquelles ils se dissimulaient. Une pluie de feuilles se déversa sur eux. Le geste de Sally produisit l'effet escompté. Les deux bateaux virèrent brusquement de bord pour aller se mettre à l'abri de la rive. Sally se laissa tomber à côté de Tom.

Don Alfonso forçait toujours leur pirogue à longer l'escarpement. L'hélice à demi immergée gémissait. D'autres balles sifflèrent au-dessus de leurs têtes. Une d'elles vint frapper le moteur, qui rendit un son métallique, se mit à crachoter et s'embrasa comme une torche. L'embarcation présentait le flanc au courant paresseux. Le feu se propagea à la vitesse de l'éclair et des flammes s'élancèrent des tuyaux en caoutchouc où circulait l'essence. La proue du bateau de Pingo et Vernon vint heurter leur poupe. Sur le fond de la pirogue immobilisée, l'essence enflammée commençait à se répandre et à cerner les réservoirs.

« On descend ! s'écria Tom. Ça va sauter. Emportez tout ce que vous pourrez ! »

Ils enjambèrent le plat-bord et gagnèrent la rive sur les hauts-fonds. Vernon et Chori soutinrent Pingo pour lui faire gravir la pente. D'autres balles vinrent percuter les roches qui les surplombaient et projetèrent sur eux des cailloux et de la terre. Incités à la prudence par le tir de Sally, les militaires gardaient toutefois leurs distances. Les fuyards escaladèrent à grand-peine le talus, se réfugièrent sous une masse de végétation et s'immobilisèrent pour reprendre leur souffle.

« Il faut continuer », insista Tom.

Il se retourna et vit leurs bateaux en flammes dériver vers l'aval. L'explosion d'un réservoir produisit un son étouffé et projeta une boule de feu dans les airs. Plus loin, les embarcations des militaires se dirigeaient prudemment vers eux. Toujours munie de l'arme de Chori, Sally mit un genou à terre et tira une deuxième fois à travers le rideau végétal.

Ils s'enfoncèrent dans l'épaisseur de la jungle. À tour de rôle, chacun portait Pingo. Derrière lui, Tom entendit d'autres cris, suivis de rafales tirées à l'aveuglette. L'explosion du deuxième réservoir fit un bruit sourd. De toute évidence, les hommes avaient accosté et poursuivaient sans conviction les fuyards. Plus Tom et son groupe progressaient dans la forêt, plus l'intensité des tirs sporadiques diminuait. Ils finirent par ne plus les entendre.

Ils firent halte dans une petite clairière herbeuse où Tom et Vernon étendirent Pingo. Tom chercha désespérément le pouls de leur compagnon. Il n'y en avait pas. Il localisa la blessure. Elle était horrible. Une balle explosive avait atteint l'Indien dans le dos, entre les omoplates, avant de ressortir avec une puissance phénoménale par son torse, où elle avait laissé un trou béant d'un diamètre supérieur à dix-huit centimètres. Elle lui avait percé le cœur. Tom était stupéfait de constater que Pingo avait pu survivre quelques minutes dans un tel état.

Il leva les yeux vers Chori, dont le visage affichait une expression de froideur absolue.

« Je regrette. »

Don Alfonso répondit : « On n'a pas le temps. Il faut partir.

— Et laisser le corps ici ?

— Chori restera avec lui.

— Mais les soldats doivent nous suivre… »

Don Alfonso l'interrompit. « Oui. Et Chori va faire son devoir. » Il se tourna vers Sally. « Garde sa carabine et ses munitions. On ne le reverra plus. Allons-y.

— On ne peut pas le laisser ici ! » protesta Tom.

Don Alfonso le prit par les épaules. Ses mains avaient la puissance de tenailles en acier. Il s'exprima avec calme, mais aussi avec intensité. « Chori doit en finir avec les assassins de son frère.

— Sans sa carabine ? demanda Sally, alors que l'Indien sortait une boîte cabossée de son sac en cuir pour la lui remettre.

— Dans la jungle, les flèches sont plus efficaces. Il en tuera assez pour mourir avec honneur. C'est la coutume. Ne vous en mêlez pas. » Sans un regard en arrière, il se tourna, donna un coup de machette à la muraille végétale et plongea dans l'ouverture ainsi pratiquée. Ils le suivirent en s'efforçant de ne pas se laisser distancer. Le vieillard se déplaçait aussi vite et aussi silencieusement qu'une chauve-souris. Tom n'avait aucune idée de la direction qu'ils avaient prise. Des heures durant, ils gravirent des pentes, en descendirent d'autres, franchirent des torrents impétueux et durent parfois se frayer un passage dans d'épais bouquets de bambou ou de fougères. Les fourmis venimeuses pleuvaient sur eux avant de courir sur leurs chemises. À plusieurs reprises, Don Alfonso empala de petits serpents sur la pointe de sa machette et les lança de côté. Une courte averse les trempa. À son retour, le soleil les sécha. Des nuées d'insectes les suivaient en les piquant avec férocité. Personne ne parlait. Personne n'en était capable. C'était la condition pour tenir le rythme.

Des heures plus tard, quand la lumière commença à décliner sur la cime des arbres, Don Alfonso fit halte. Sans un mot, il s'assit sur un tronc couché et chercha sa pipe dans sa poche. Tom regarda l'allumette s'enflammer et se demanda combien il leur en restait. Ils avaient presque tout perdu dans l'incendie des pirogues.

« Et maintenant ? demanda Vernon.

— On campe, répondit Don Alfonso en tendant sa machette devant lui. Fais du feu. Là. »

Vernon se mit à l'œuvre, aidé par Tom.

Don Alfonso pointa son arme vers Sally. « Toi, va chasser. Tu es peut-être une femme, mais tu tires comme un homme et tu as le courage d'un homme. »

Tom lança un regard à Sally. Le visage couvert de boue, les cheveux emmêlés, elle portait la carabine en bandoulière. Il reconnut ses propres émotions dans les yeux qu'elle tournait vers lui. La surprise due à l'attaque, l'horreur éveillée par la mort de Pingo, l'effroi consécutif à la perte des provisions, la volonté de survivre. Elle acquiesça de la tête et s'éloigna dans la forêt.

Don Alfonso se tourna alors vers Tom. « Toi et moi, on va construire une hutte. »

Une heure plus tard, la nuit était tombée. Assis autour du feu, ils finissaient un ragoût dont le principal ingrédient était un gros rongeur tué par Sally. Une petite hutte se dressait non loin de là. Don Alfonso était assis devant un tas de palmes dont il détachait les frondes pour les tresser et en faire des hamacs. Il n'avait ouvert la bouche que pour lancer ses ordres d'un ton sec.

« C'étaient qui, ces soldats ? », demanda Tom.

Le vieillard était absorbé par sa tâche. « Ceux qui ont remonté le fleuve avec votre autre frère.

— Philip ne leur aurait jamais permis de s'en prendre à nous, s'insurgea Vernon.

— C'est vrai », renchérit Tom. Il sentit le cœur lui manquer. Une mutinerie avait dû éclater dans le groupe de leur aîné. En tout état de cause, si celui-ci n'était pas mort, il courait sans doute de graves dangers. L'ennemi inconnu n'était autre que Hauser. C'était lui qui avait tué les policiers de Santa Fe, qui avait organisé l'arrestation à Brus et qui se cachait derrière l'attaque qu'ils venaient d'essuyer.

« On continue ou on arrête ? intervint Sally. Voilà toute la question. »

Tom hocha la tête.

« Ce serait suicidaire de continuer, dit Vernon. On n'a plus rien. Plus de vivres, de vêtements, de tentes, de sacs de couchage…

— Philip nous précède, déclara Tom. Il a des ennuis. Il est évident que Hauser tire toutes les ficelles. »

Un silence accueillit cette remarque. « On devrait rebrousser chemin, rassembler des provisions et repartir. On ne pourra pas l'aider dans ces conditions, Tom. »

L'interpellé lança un regard à Don Alfonso, qui se concentrait sur son travail. À voir la neutralité appliquée du vieillard, il devina que celui-ci avait réfléchi au problème. Quand il n'était pas d'accord, le sage prenait toujours cet air-là. « Don Alfonso ?

— Oui ?

— Vous avez un avis ? »

Le vieillard posa le hamac et se frotta les mains. Il regarda Tom droit dans les yeux. « Je n'ai pas d'avis. Je constate.

— Quoi ?

— Derrière nous, il y a un marais mortel dont les eaux baissent chaque jour. On n'a plus de pirogue. Il nous faudra au moins une semaine pour en fabriquer une autre. Mais nous ne pouvons pas rester sur place une semaine parce que les soldats vont nous trouver. En plus, pour fabriquer une pirogue, il faut faire du feu. La fumée leur permettra de nous localiser. On doit donc continuer à pied et traverser la jungle en direction de la Sierra Azul. Revenir sur ses pas, c'est mourir. Voilà ce que je constate. »

34

Marcus Hauser était assis sur une bûche auprès du feu. Un Churchill aux lèvres, il démontait son Steyr AUG pour l'inspecter. L'arme n'en avait pas besoin, mais, pour le privé, ce geste répétitif équivalait presque à une forme de méditation. Le fusil se composait en majeure partie de pièces en plastique finement moulées, ce qui plaisait à Hauser. Celui-ci enfonça la sécurité du chargeur, agrippa la poignée et, à l'aide du pouce gauche, abaissa la clenche de verrouillage. Ensuite, il fit tourner le canon dans le sens des aiguilles d'une montre et le tira vers l'avant. La pièce se désolidarisa avec une agréable souplesse.

De temps à autre, Hauser jetait un coup d'œil à la forêt où Philip était enchaîné. Le silence régnait. Plus tôt dans la journée, il avait entendu le rugissement d'un jaguar frustré et affamé. Le privé ne voulait pas que son prisonnier se fasse dévorer avant de lui avoir dit où Maxwell était allé. Il empila de nouvelles branches sur le feu pour affronter l'obscurité et éloigner le félin en maraude. À sa droite, le Macaturi, près duquel le campement était dressé, tourbillonnait et s'écoulait en produisant des clapotis et des gargouillis discrets. Pour changer, la nuit était belle. Le ciel velouté était semé d'étoiles qui se reflétaient sous forme de lueurs dansantes à la surface de la rivière. Il était près de 2 heures, mais Hauser faisait partie des privilégiés qui peuvent se passer de dormir.

Il poussa une autre bûche dans le feu pour que la lumière augmente et fit glisser le bloc de culasse pour

216

l'extraire de son réceptacle. Il caressa d'un doigt léger les pièces lisses en plastique et en métal – les premières chaudes, les secondes froides –, tout en humant avec délice les effluves de graisse et en écoutant le cliquetis des éléments qu'il délogeait. Après avoir effectué les mêmes gestes pour la millième fois, il vit les six composantes principales du fusil réparties devant lui. Il les souleva une à une, les examina, les nettoya, y passa la main et commença à les remonter. Il œuvrait lentement, comme en rêve. La précipitation n'était pas de mise en ces lieux.

Il perçut un bruit sourd. Les deux bateaux rentraient. Il marqua un temps d'arrêt et dressa l'oreille. L'opération était finie. Les hommes revenaient à l'heure pile. Il était content. Son plan était si parfait qu'il avait même su résister à ces trous-du-cul de soldats honduriens.

Et si… Il vit les contours d'une pirogue se préciser sur la toile de fond noire de l'eau. Seuls trois des cinq militaires partis en mission y étaient assis. L'embarcation contourna un gros rocher plat qui faisait office de débarcadère. Deux soldats bondirent à terre. Leurs silhouettes éclairées par le feu dansant se détachaient sur l'obscurité ambiante. Ils aidèrent un troisième homme à se lever. Il marchait avec raideur en gémissant de douleur. Trois sur cinq…

Hauser remit la plaque de couche en place, fit de nouveau glisser le bloc de culasse et releva la clenche de verrouillage. Il travaillait au toucher, les yeux fixés sur les militaires qui approchaient du foyer. Ils avançaient d'un pas méfiant, nerveux. Un d'entre eux soutenait le blessé, dont la cuisse était traversée par une flèche longue d'un mètre. Une extrémité empennée apparaissait sur la face postérieure et une pointe de métal dentelé ressortait par la face antérieure. La jambière du pantalon était déchirée et raidie par le sang séché.

Les hommes s'immobilisèrent sans rien dire, les yeux baissés, et se balancèrent d'un pied sur l'autre d'un air penaud. Hauser patientait. Il avait fait confiance à ces minables pour accomplir la plus élémentaire des opérations. L'énormité de son erreur lui sautait aux yeux. Il continua à remonter le fusil, replaça le canon en lui imprimant un mouvement de rotation et relogea le magasin en le glissant dans la crosse, où il produisit un cliquètement. Son arme chargée sur les genoux, il attendit, le cœur comme pris dans la glace.

Ce silence était insupportable. Un des soldats allait bien finir par parler.

«*Jefe…*» commença le lieutenant.

Hauser espérait des excuses.

«On en a tué deux. On a brûlé leurs bateaux et leurs vivres. Les corps sont dans la pirogue.»

Au bout d'un moment, le privé demanda: «Deux? Lesquels?»

Un silence inquiet accueillit sa question. «Les Tawahkas.»

Hauser ne dit plus rien. C'était un désastre.

«Le vieux qui les accompagne a senti le piège avant qu'on ouvre le feu, reprit le *teniente*. Ils ont fait demi-tour. On les a poursuivis en direction de l'aval, mais ils ont réussi à débarquer et à s'échapper dans la jungle. On a incendié leurs pirogues et leurs provisions. Après, on les a pourchassés, mais un des Tawahkas nous a tendu un piège. Il avait un arc et des flèches. Hélas pour nous… Le temps de le localiser, il avait tué deux des nôtres et en avait blessé un troisième. On l'a éliminé. Vous savez comment ils sont, *jefe*, ces Indiens de la forêt… Silencieux comme des jaguars…»

Il traîna sur la dernière syllabe avec une intonation de désespoir et eut un geste de nervosité. Le soldat à la cuisse transpercée laissa échapper un grognement.

«Vous voyez, *jefe*, on en a tué deux et on a forcé les autres à s'enfoncer dans la jungle, sans matériel, sans nourriture, sans rien. Ils vont sûrement mourir…»

Hauser se leva. «Excusez-moi, *teniente*, l'état de cet homme nécessite des soins urgents.

— *Sí señor.*»

Le fusil à la main, Hauser entoura le blessé de son autre bras et l'arracha au militaire qui le soutenait.

218

«Viens avec moi. Laisse-moi te soigner», murmura-t-il en se penchant vers lui.

Le visage décomposé, l'officier resta près du feu.

Hauser aida l'homme à marcher. Le malheureux boitait en geignant. La fièvre rendait sa peau sèche et brûlante.

«Doucement, susurra le privé. On va juste te soigner là-bas.» Il emmena le blessé dans l'obscurité, à une cinquantaine de mètres du bivouac, et lui proposa de s'asseoir sur une souche. Le soldat tituba, gémit, mais réussit à s'exécuter. Hauser lui ôta sa machette.

«*Señor*, donnez-moi du whisky avant de couper la flèche, murmura le militaire, terrifié à l'idée de souffrir.

— Ça ne prendra qu'une seconde.» Hauser lui tapota l'épaule. «On va te remettre sur pied en un rien de temps. Je te le promets, ça ne fera pas mal.

— Non, *señor*, s'il vous plaît, d'abord du whisky...»

La machette à la main, Hauser se pencha pour examiner la flèche. Le soldat se raidit, serra les dents et tourna des yeux affolés vers la lame. Pendant ce temps, le privé approchait la bouche du Steyr AUG à quelques centimètres de la nuque du blessé. Il fit reculer la détente pour la mettre en position de tir automatique et y imprima une légère pression. La force de la rafale fit basculer le militaire, qui s'effondra de tout son long, le visage dans la boue. Il ne bougeait plus. Le silence revint.

Hauser regagna le campement, se lava les mains et se rassit près du feu. Il ramassa une moitié de Churchill et la ralluma à l'aide d'une brindille enflammée. Les deux soldats ne le regardaient pas, mais d'autres, ayant entendu du bruit, étaient sortis des tentes. Perdus, angoissés, ils fouillaient les environs l'arme au poing.

«Ce n'est rien, dit Hauser en les chassant d'un geste. Il fallait l'opérer. L'intervention a été brève, indolore et elle a pleinement réussi.»

Il ôta le Churchill de sa bouche, recueillit une goutte d'eau sur la flasque pendue à sa ceinture, resserra les lèvres autour du cigare ainsi humidifié et en aspira une bouffée. La fumée ne le rafraîchit pas totalement. Ce n'était pas la première fois qu'il commettait l'erreur de confier une tâche simple à ces soldats honduriens et qu'il les voyait échouer. Malheureusement, il était seul et il n'avait pas quatre bras. C'était toujours le même problème. Toujours...

Il se tourna et sourit au lieutenant. « Je suis bon chirurgien. Sachez-le en cas de besoin. »

35

Ils restèrent toute la journée du lendemain au campement. Don Alfonso passa le plus clair de son temps assis en tailleur devant un énorme tas de frondes de palmes. Après les avoir déchirées en bandes fibreuses, il les tressa pour en confectionner des sacs à dos et d'autres hamacs. À son retour de chasse, Sally était chargée d'une grosse antilope que Tom prépara et fuma au-dessus du feu. Vernon cueillit des fruits et déterra des racines de manioc. Le soir venu, ils avaient amassé une petite quantité de vivres en prévision du voyage.

Ils inventorièrent leur matériel. À eux tous, ils possédaient plusieurs pochettes d'allumettes étanches et une boîte de munitions qui renfermait trente balles. Le sac de survie de Tom contenait un minuscule réchaud, une batterie de casseroles et de poêles en aluminium, deux recharges d'alcool à brûler et un flacon de répulsif. Avant de fuir, Vernon s'était emparé d'une paire de jumelles. Don Alfonso était muni d'une poignée de sucreries, de trois pipes, de deux paquets de tabac, d'une petite pierre à aiguiser, d'une bobine de fil de pêche et d'hameçons, le tout enfermé dans la besace en cuir graisseux qu'il avait arrachée à la pirogue en flammes. Chacun disposait de la machette qu'il portait à sa ceinture lors de l'attaque.

Ils se mirent en route le lendemain. Tom ouvrait la voie à grands coups de lame fraîchement aiguisée. Sur ses talons, Don Alfonso lui indiquait le chemin à voix basse. Au bout de quelques kilomètres, ils débouchèrent sur une piste d'animaux qui s'enfonçait dans la fraîcheur d'une forêt d'arbres à l'écorce lisse. La lumière était faible, et le sous-bois quasi inexistant. Tous les bruits s'étaient tus. Ils avaient l'impression d'avancer parmi les colonnes d'une immense cathédrale verte.

En début d'après-midi, ils parvinrent au pied d'une chaîne montagneuse. Plus pentu que celui de la forêt, le terrain était jonché de rochers moussus. La piste s'y élevait en droite ligne. Don Alfonso la gravit à une allure impressionnante pendant que Tom et les autres, surpris par sa vigueur, le suivaient à grand-peine. Lorsqu'ils eurent pris de l'altitude, l'air gagna en fraîcheur. Les arbres majestueux de la jungle laissèrent place à leurs cousins des montagnes, maigrichons et bancals, dont les branches étaient couvertes de barbes de mousse. Au crépuscule, ils atteignirent un plateau à l'extrémité duquel s'élevaient des roches en forme de feuilles. Pour la première fois, ils se retournèrent pour contempler la forêt qu'ils venaient de traverser.

Tom s'essuya le front. La pente s'étendait jusqu'à une fantastique déclivité vert émeraude qui aboutissait, neuf cents mètres plus bas, à un océan de végétation. Au-dessus de leurs têtes, d'énormes cumulus glissaient avec lenteur.

« Je n'aurais jamais cru qu'on était si haut, dit Sally.

— Grâce à la Sainte Mère de Dieu, on a fait un bon bout de chemin, déclara Don Alfonso en posant son sac à dos. C'est un bel endroit où camper. » Il s'assit sur une souche, alluma sa pipe et commença à donner des ordres.

« Sally, va chasser avec Tom. Vernon, fais du feu et construis la hutte. Moi, je me repose. »

Il s'étendit, les yeux mi-clos, en fumant avec nonchalance.

Sally passa sa carabine en bandoulière et suivit avec Tom la piste tracée par un animal. « Je n'ai pas eu l'occasion de te remercier d'avoir tiré sur les soldats, dit le jeune homme. Tu nous as sans doute sauvé la vie. Tu ne manques pas de cran.

— Tu es comme Don Alfonso. Tu as l'air de t'étonner qu'une femme sache manier une carabine.

— Je parlais de ta présence d'esprit, pas de tes talents de tireuse… Mais oui, je dois le reconnaître, je suis surpris.

— Permets-moi de t'apprendre que nous sommes au XXIe siècle et que les femmes font des choses surprenantes. »

Il secoua la tête. « Tout le monde à New Haven est aussi susceptible ? »

Elle posa tranquillement ses yeux verts sur lui. « On continue la chasse ? Tu fais peur au gibier avec tes bavardages. »

Tom retint un commentaire et regarda la silhouette svelte s'éloigner dans la jungle. Non, Sally n'avait rien de Sarah. Elle était carrée, ombrageuse et franche. Sarah, elle, était lisse. Elle n'exprimait jamais sa véritable pensée, ne disait jamais la vérité et se montrait sympathique avec des gens qu'elle ne supportait pas. Elle trouvait tellement plus amusant de tromper son monde…

Ils reprirent leur marche silencieuse sur l'épais tapis de feuilles humides. La jungle était fraîche et profonde. À travers les arbres, Tom aperçut le Macaturi dont les méandres scintillaient plus bas, dans la forêt pluviale.

Un raclement de gorge s'éleva de la pente boisée qui les surplombait. Ils crurent entendre une toux d'homme, en plus profond, plus caverneux.

« Ça, chuchota Sally, c'est un félin.

— Un jaguar ?

— Oui. »

Ils avancèrent côte à côte en écartant de la main les feuilles et les fougères. Les lieux étaient particulièrement silencieux. Même les oiseaux avaient mis fin à leur gazouillis. Un lézard escalada un tronc d'arbre à toute allure.

« C'est bizarre ici, dit Tom. Irréel.

— C'est une forêt pluviale de haute altitude. » Prête à faire feu, Sally poursuivait sa progression. Le jeune homme la suivait pas à pas.

Une autre toux retentit. Un calme insolite s'était étendu sur les bois.

« Ça se rapproche, murmura Tom.

— Les jaguars ont bien plus peur de nous que nous d'eux. »

Ils gravirent un talus couvert de gros éboulis. Après s'être faufilés entre deux rochers moussus, ils découvrirent un épais bouquet de bambous que Sally contourna. Les nuages étaient bas et des écharpes de brume flottaient parmi les arbres. Une odeur d'humus flottait dans les airs. En contrebas, le paysage avait disparu sous un voile blanc.

Sally marqua une pause, leva sa carabine et attendit.

« Qu'est-ce que c'est ? chuchota Tom.

— Là-haut. »

Ils avancèrent pliés en deux. Devant eux, un autre amas d'éboulis prenait l'aspect d'une ruche, percée de trous sombres et d'anfractuosités, où un être humain aurait à peine pu ramper.

Tom patientait derrière Sally. Les vagues de brume déferlaient sur les arbres, qu'elles transformaient en ombres chinoises. Le brouillard absorbait le vert féerique du décor et le changeait en gris bleu mat.

« Quelque chose remue sur ces rochers », souffla Sally.

Ils s'accroupirent pour attendre. Tom sentait la brume les envelopper et s'insinuer sous leurs vêtements.

Dix minutes plus tard, une tête où brillaient deux yeux noirs apparut dans la fente d'un rocher. Un animal qui ressemblait à un gros cochon d'Inde sortit en humant l'atmosphère.

Le coup partit aussitôt. La bête poussa un couinement strident et tomba à terre, le ventre en l'air.

Sally se leva. Elle ne pouvait s'empêcher de sourire à belles dents.

« Joli coup ! lâcha Tom.

— Merci. »

Il saisit sa machette et alla examiner le cadavre.

« Je continue », le prévint la jeune femme.

Il lui adressa un signe de tête et retourna la bête du pied. C'était un gros rongeur aux incisives jaunes, au corps rond et gras, au pelage fourni. Dégoûté par la corvée qui l'attendait, Tom brandit sa machette. Il fendit l'animal en deux, gratta ses entrailles, le vida, lui coupa la tête et les pattes, puis le dépeça. Une forte odeur de sang imprégnait l'air. Malgré sa faim, il se sentit perdre l'appétit. Ce n'était pas une mauviette – son métier l'avait habitué à tout –, mais il préférait soigner plutôt que participer à une tuerie.

Il perçut un autre bruit. Cette fois-ci, c'était un grondement sourd. Il s'immobilisa et dressa l'oreille. Une série de toussotements délicats se firent entendre. Il aurait eu du mal à dire d'où ils provenaient. D'un peu plus haut sur la pente ou des rochers situés au-dessus de lui ? Il chercha Sally du regard et la localisa, une vingtaine de mètres plus bas, au-dessous d'un éboulis. La silhouette svelte se déplaçait en silence dans la brume. Elle disparut.

Après avoir découpé la bête, il enveloppa les quartiers dans des palmes en constatant à regret qu'ils étaient peu charnus. C'était bien la peine ! Peut-être Sally rapporterait-elle une proie plus grosse, par exemple un cerf.

Tandis qu'il finissait d'envelopper la viande, il entendit un nouveau bruit. La proximité du doux ronronnement l'effraya. Tout son corps était aux aguets. Soudain, un cri à réveiller les morts déchira la forêt et s'acheva en grognement affamé. La machette à la main, il se releva d'un bond et s'efforça d'en déterminer l'origine. Les branches et les roches étaient nues. Le jaguar se cachait bien.

Tom baissa les yeux vers l'endroit où Sally s'était volatilisée. Mécontent que le félin ne se soit pas enfui après le coup de feu, il abandonna le rongeur découpé et chercha à rejoindre la jeune femme.

« Sally ! »

Le jaguar poussa un autre cri. Cette fois-ci, il semblait se tenir juste au-dessus de Tom. Instinctivement, celui-ci tomba à genoux en brandissant sa machette. Il ne vit que des rochers tapissés de mousse et des troncs à l'aspect fantomatique.

« Sally ! appela-t-il plus fort. Ça va ? »

Silence.

Le cœur battant la chamade, il commença à descendre la pente à toutes jambes. « Sally ! »

Une voix faible lui répondit : « Je suis là. »

Il poursuivit sa course en dérapant sur les feuilles humides et en faisant rouler des cailloux. À chaque minute qui passait, la brume s'épaississait. Il entendit une nouvelle série de toussotements rauques. Le bruit venu de derrière lui évoquait celui d'un être humain. Le fauve le suivait.

« Sally ! »

L'arme à la main, elle surgit du brouillard en affichant une expression moqueuse. « Ton cri m'a fait rater mon coup. »

Il s'arrêta net et glissa la machette dans sa ceinture d'un air gêné. « Je m'inquiétais, c'est tout. Je n'aime pas le bruit de cette bestiole. Elle nous traque.

— Les jaguars ne traquent pas les êtres humains.

— Tu as entendu ce que mon frère a raconté à propos de la mort de son guide.

— Franchement, je n'y crois pas. » Elle fronça les sourcils. « On ferait mieux de rentrer. De toute façon, je n'arriverai à rien dans cette purée de pois. »

Ils remontèrent la pente pour rejoindre l'endroit où le corps du rongeur était resté. Les quartiers avaient disparu. Seules subsistaient quelques palmes déchirées et ensanglantées.

Sally éclata de rire. « Voilà ce qu'il voulait ! T'éloigner pour dévorer notre dîner. »

Tom rougit d'embarras. « Il ne m'a pas éloigné. C'est moi qui suis parti te chercher.

— Ne t'inquiète pas. Moi aussi, j'aurais sans doute détalé. »

L'expression « sans doute » l'irrita, mais il garda ses justifications pour lui. Il ne se laisserait plus entraîner sur ce terrain. Pour rentrer au campement, ils reprirent la même piste qu'à l'aller. Au moment où ils approchaient des premiers éboulis, le jaguar poussa un cri qui résonna avec une étrange netteté dans la forêt brumeuse. La carabine levée, Sally s'immobilisa. Ils patientèrent. La jungle bruissait du clapotis des gouttes qui s'écoulaient des feuilles.

« Au départ, il ne nous devançait pas, remarqua Tom.

— Tu crois toujours qu'il nous traque ?

— Oui.

— C'est absurde. Si c'était le cas, il ne ferait pas un tel raffut. Et d'ailleurs, il a déjà mangé. » Un large sourire s'afficha sur les traits de Sally.

Ils avancèrent à pas feutrés vers les rochers déserts où s'ouvraient quantité de trous et de crevasses.

« Prudence ! Contournons cette caillasse, murmura Tom.

— D'accord. »

Ils se mirent à gravir la pente pour éviter l'obstacle. La brume se faisait de plus en plus dense. Tom sentait l'humidité imprégner ses uniques vêtements. Soudain, il se figea. Un froissement parcourait la végétation.

Sally l'imita.

« Passe derrière moi, dit-il.

— J'ai la carabine. Je dois marcher en tête.

— *Passe derrière moi !*

— Pour l'amour du Ciel ! » Elle obtempéra.

Il tira sa machette et avança parmi les troncs aux formes tortueuses et aux basses branches tapissées de mousse. Le brouillard était si dense qu'il ne distinguait pas la cime des arbres. Il s'aperçut que Sally et lui se trouvaient sous le vent. Le jaguar les avait dépassés pour mieux les sentir, même s'il ne les voyait pas.

« Sally, je suis *sûr* qu'il nous traque.

— C'est bizarre… »

Tom se figea. Le félin se tenait une dizaine de mètres plus loin. Debout sur une branche qui enjambait la piste, il les observait calmement en agitant la queue. Face à une telle splendeur, le jeune homme eut le souffle coupé.

Il comprit pourquoi Sally ne levait pas sa carabine pour tirer. Il était impensable d'abattre une bête aussi magnifique.

Après une seconde d'hésitation, le jaguar bondit avec souplesse sur une autre branche, sur laquelle il se mit à marcher sans les quitter des yeux. Telles des vagues de miel, ses muscles ondulaient sous sa fourrure dorée.

« Regarde comme il est beau », soupira Sally.

Oui, il était beau. Avec une incroyable légèreté, il s'élança sur une branche encore plus proche d'eux. Il marqua un temps d'arrêt, puis s'assit avec lenteur. Il fixait sur eux un regard d'où la crainte était absente, ne faisait aucun effort pour se cacher et gardait une immobilité totale, exception faite du tressaillement qui agitait sa queue. Il avait du sang sur les babines. Dans ses yeux, se dit Tom, seul se lisait le mépris.

« Il n'a pas peur, constata Sally.

— Il n'a encore jamais vu d'être humain. »

Tom et Sally reculèrent à pas lents. Resté sur son perchoir, le fauve les observait. Une écharpe de brume le dissimula soudain à leur regard.

De retour au campement, ils racontèrent leur histoire à Don Alfonso, dont le visage brun se plissa d'inquiétude. « Il faut faire très attention, déclara-t-il, et ne plus parler de cet animal. Sinon, il nous suivra pour nous écouter. Il est fier. Il n'aime pas qu'on dise du mal de lui.

— Je croyais qu'il n'attaquait pas les êtres humains », lança Sally.

Le vieillard rit en lui donnant une tape sur le genou. « Elle est bien bonne ! Quand il nous regarde, qu'est-ce qu'il voit, d'après toi ?

— Je n'en sais rien.

— Un morceau de viande debout. Faible, idiot, lent, sans cornes, ni dents, ni griffes.

— Alors pourquoi il n'a rien fait ?

— Comme tous les félins, il aime jouer avec la nourriture. »

Elle frissonna.

« *Curandera*, être dévoré par un jaguar n'est pas agréable. Il mange d'abord la langue, sans toujours attendre qu'on soit mort. La prochaine fois que tu as la possibilité de le tuer, n'hésite pas. »

Cette nuit-là, la forêt fut si paisible que Tom eut peine à s'endormir. Peu après minuit, espérant qu'un peu d'air lui ferait du bien, il sauta à bas de son hamac et poussa la porte de la hutte. Le spectacle qui l'attendait le laissa sans voix. Tout autour de lui, la jungle était plongée dans une lueur phosphorescente. Il avait l'impression qu'on avait versé une poudre lumineuse sur chaque arbre, chaque souche, chaque feuille et chaque champignon. Plus le regard s'enfonçait dans la forêt, plus les objets se fondaient dans cette lueur brumeuse. Il crut un instant que le ciel était tombé sur la terre.

Cinq minutes plus tard, il regagna leur hutte de fortune et secoua doucement Sally pour la réveiller. Elle se retourna. Sa chevelure ressemblait à une lourde torsade d'or. Comme les autres, elle dormait tout habillée. « Qu'est-ce qu'il y a ? demanda-t-elle d'une voix ensommeillée.

— Viens voir.

— Je dors.

— Tu dois absolument voir ça.

— Je ne *dois* rien du tout. Va-t'en !

— Sally, pour une fois, fais-moi confiance. »

Elle se leva en grommelant. Une fois dehors, elle se figea et resta là, muette, à contempler la scène. Plusieurs minutes s'écoulèrent. « Mon Dieu, murmura-t-elle. Je n'ai jamais rien vu d'aussi beau. C'est comme survoler Los Angeles à une altitude de trente mille pieds. »

Son visage inondé de lumière se détachait sur l'obscurité ambiante. Dans son dos, ses longs cheveux n'évoquaient plus une cascade d'or, mais un fleuve d'argent.

Il lui prit la main sans réfléchir. Elle se laissa faire. Un érotisme surprenant se dégageait de ce simple contact.

« Tom ?

— Oui.

« — Pourquoi tu me montres ça ?

— Eh bien, parce que… je voulais le partager avec toi, c'est tout.

— C'est tout ? » Elle le regarda un long moment. Un éclat inhabituel irradiait de ses yeux. Peut-être ne s'agissait-il que d'un effet de lumière. Elle finit par articuler : « Merci. »

Tout à coup, le rugissement du jaguar lacéra la nuit. Une forme noire remua avec lenteur sur l'arrière-plan phosphorescent. Une absence de lumière en mouvement… Lorsqu'il tourna la tête vers eux, ils virent des millions de points scintillants se refléter dans ses yeux, telles deux minuscules galaxies.

Tout en douceur, Tom força Sally à reculer vers le tas de braises qui, la veille encore, était un feu. Il se baissa et y ajouta quelques branchages. Lorsque les flammes jaunes s'élancèrent vers le ciel, le jaguar disparut.

Un peu plus tard, Don Alfonso vint les rejoindre devant le foyer.

« Il continue de jouer avec la nourriture », murmura-t-il.

36

Le lendemain matin, lorsqu'ils reprirent leur progression, le brouillard était si dense qu'ils n'y voyaient pas à plus de trois mètres. Ils poursuivirent leur ascension en suivant la piste tracée par un animal. Après avoir atteint la cime d'une chaîne de moyenne altitude, ils amorcèrent leur descente. Tom entendait le mugissement d'un cours d'eau. Un peu plus tard, ils atteignirent le bord pentu d'une rivière qui déchirait la montagne et se fracassait sur des rochers.

« Il faut abattre un arbre », dit Don Alfonso. Après avoir cherché aux alentours, il découvrit un tronc mince dont l'emplacement lui indiquait qu'il tomberait à l'endroit voulu. « Coupez ici », ordonna-t-il. Chacun s'exécuta. Au bout d'un quart d'heure, l'arbre tombé enjambait la cataracte rugissante. À ce niveau, la rivière se rétrécissait, puis elle formait une chute qui s'achevait dans une sorte de bassin délimité par un fouillis de troncs.

Don Alfonso asséna plusieurs coups de machette à un arbrisseau. Quelques minutes plus tard, il avait taillé une perche longue de trois mètres cinquante qu'il tendit à Vernon.

« Toi d'abord, Vernonito !

— Et pourquoi moi ?

— Pour vérifier si le pont est assez solide. »

Vernon dévisagea un instant le vieillard, qui éclata de rire en lui tapant sur l'épaule. « Déchausse-toi. Ce n'est pas pour rien que le Bon Dieu nous a donné des pieds. »

Le jeune homme obtempéra, attacha ses lacets ensemble et suspendit ses chaussures à son cou. Don Alfonso lui remit la perche.

« Vas-y doucement et arrête-toi si le tronc se met à bouger. »

Tel un funambule, Vernon avança en s'aidant de la perche comme d'un balancier. Sur le vert sombre du bois, ses pieds semblaient blancs comme neige. « Ça dérape autant qu'une plaque de verglas, s'écria-t-il.

— Doucement, doucement », susurrait Don Alfonso.

Quand Vernon eut atteint l'autre rive, l'arbre oscilla quelques minutes. Le jeune homme leur lança la perche.

« À ton tour », dit Don Alfonso en la tendant à Tom.

Tom ôta ses chaussures avant de saisir le balancier. Il se sentait aussi ridicule qu'un artiste de cirque débutant. Il commença à progresser en faisant glisser un pied, puis l'autre, sur l'écorce froide et gluante. À chacun de ses mouvements, le tronc tremblait. Tom faisait un pas, attendait, faisait un autre pas... À mi-parcours, Philou, qui dormait dans la poche du jeune homme, eut l'idée de tendre le cou pour observer les environs. Lorsqu'il vit la rivière s'écouler au-dessous de lui, il poussa un cri, sortit de son abri et grimpa sur la tête de son maître pour s'agripper à sa chevelure. Pris de court, Tom fit pencher le balancier et, en proie à la panique, voulut en relever l'extrémité la plus basse. Sous l'effet de la force d'inertie, elle se dressa plus haut que prévu. Le jeune homme fit deux autres pas en s'efforçant de conserver son équilibre. La manœuvre fit tressauter l'arbre avec violence.

Tom tomba.

Pendant une fraction de seconde, il flotta dans le vide. Puis il eut l'impression d'être aspiré dans un trou sombre et glacé. Quand le courant s'empara de lui, il perçut une poussée d'une force terrifiante. Comme en état d'apesanteur, il se sentait emporté à toute vitesse. Il entendit le grondement de la chute, écarta les bras et essaya de refaire surface sans savoir où se situait le haut. Tout à coup, le courant le projeta sur un amas de troncs immergés dans lequel il se trouva coincé. Il chercha à s'en extraire tandis qu'un poids terrible lui comprimait la poitrine. Ses poumons se vidaient. Il tenta de donner un coup de pied pour se libérer, mais les arbres qui l'entouraient étaient glissants. La pression devenait insupportable. Il avait le sentiment d'être enterré vivant. Des éclairs troublaient sa vision. Il ouvrit la bouche pour hurler et sentit l'eau s'y précipiter. Il se tortilla désespérément en cherchant à respirer, essaya de se dégager et se vrilla de nouveau. Il avait perdu tout sens de l'orientation. Il se débattait, jouait des pieds et des mains en sentant ses forces l'abandonner. Il se faisait plus léger et s'éloignait, s'éloignait…

C'est alors qu'un bras lui enserra le cou et qu'il fut brutalement ramené à la réalité. Il sentit qu'on le portait au-dessus du flot, qu'on le traînait sur des rochers et qu'on l'étendait au sol. Il leva les yeux vers un visage qu'il connaissait bien. Il lui fallut un moment pour comprendre qu'il s'agissait de celui de Vernon.

« Tom ! criait son frère. Regardez, il a les yeux ouverts ! Dis quelque chose ! Mon Dieu, il ne respire plus ! »

Les traits de Sally apparurent. Un poids pesait sur la poitrine de Tom. Tout lui paraissait étrange, ralenti. Puis Vernon se pencha sur lui. Il sentit son frère lui appuyer sur le torse et quelqu'un d'autre lui soulever les bras. Soudain, la pression parut céder. Il toussa violemment. Vernon le coucha sur le côté. Tom toussa de nouveau et sentit le mal de tête l'aveugler. La réalité venait prendre sa revanche.

Il voulut s'asseoir. Son frère lui mit le bras autour des épaules pour le soutenir.

« Qu'est-ce qui s'est passé ?

— Cet idiot de Vernonito a sauté à l'eau pour te dégager des troncs. De toute ma vie, je n'ai jamais vu un fou comme lui.

— Il a fait ça ? »

Tom se tourna vers Vernon. Trempé, celui-ci portait une blessure au front. Du sang et de l'eau ruisselaient dans sa barbe.

Vernon prit son frère dans ses bras pour le redresser. Tom recouvrait peu à peu ses esprits. La migraine semblait se dissiper. Il jeta un coup d'œil à la chute qui se déversait dans le bassin encombré de troncs et de branchages, puis leva de nouveau les yeux vers Vernon.

Il venait de comprendre. « Toi… » murmura-t-il d'une voix incrédule.

Vernon haussa les épaules.

« Tu m'as sauvé la vie, reprit Tom.

— Et toi la mienne, répondit Vernon, presque sur la défensive. Tu as décapité un serpent. Moi, je n'ai fait que plonger. »

Don Alfonso intervint : « Par la Vierge Marie, je n'arrive toujours pas à y croire. »

Tom fut victime d'une nouvelle quinte de toux. « Eh bien, merci Vernon.

— Aujourd'hui, la Mort doit être déçue ! s'exclama le vieillard en désignant le petit singe mouillé qui rampait, l'air terrifié, sur un rocher au bord de l'eau. Même le *mono chiquito* l'a trompée. »

Le malheureux Philou regagna la poche de Tom pour y reprendre sa place en poussant des petits cris outragés.

« Merde alors ! Ne te plains pas, lâcha Tom. Tout ça, c'est ta faute ! »

Pour toute réponse, le jeune insolent fit claquer un baiser.

Au-delà du cours d'eau, la piste s'élevait de nouveau. Ils continuèrent leur ascension de la montagne. L'obscurité et le froid s'accentuaient. Toujours trempé, Tom commençait à grelotter.

Soudain, Don Alfonso déclara d'un ton neutre : « Vous savez, la bête dont on a parlé hier… »

Tom mit un certain temps à comprendre de quoi il retournait.

« C'est une dame et elle est toujours avec nous.

— Comment le savez-vous ? », demanda Sally.

Le vieillard baissa la voix. « Elle a mauvaise haleine.

— Vous l'avez *sentie* ? »

Don Alfonso branla du chef.

« Elle va nous suivre longtemps ? insista la jeune femme.

— Jusqu'à ce qu'elle ait mangé. Elle attend des petits et elle a faim.

— Super ! Alors comme ça, on va faire office de cornichons ou de crème glacée !

— Prions la Vierge qu'elle pousse un fourmilier en travers de son chemin. »

Don Alfonso adressa un signe de tête à Sally. « Garde la carabine chargée. »

La piste traversait une forêt d'arbres aux formes contournées qui semblait s'épaissir à mesure que le petit groupe prenait de l'altitude. À un moment donné, Tom remarqua que l'air était plus vif et qu'il semblait imprégné d'un léger parfum. Brusquement, ils sortirent de la brume et retrouvèrent la lumière. Étonné, Tom marqua une pause. Ils dominaient un océan de blancheur. Au loin, le soleil couchant incendiait la ligne d'horizon. Des corolles éclatantes émaillaient le sol de la forêt.

« On est au-dessus des nuages ! s'écria Sally.

— Il faudra camper au sommet », dit Don Alfonso en se remettant à marcher d'un pas plus alerte.

La piste aboutissait à une vaste prairie semée de fleurs sauvages qui ondoyaient sous la brise. Ils avaient atteint la crête. Au nord-ouest s'étendait un tapis de nuages mouvants. À environ quatre-vingts kilomètres à vol d'oiseau, Tom distinguait une succession de pics bleus aux contours déchiquetés qui le transperçait, tel un chapelet d'îles en plein ciel.

« La Sierra Azul », dit Don Alfonso d'une petite voix.

37

Les yeux fixés sur la cheminée, Lewis Skiba se laissait absorber par les couleurs chatoyantes du feu. Il n'avait rien fait de toute la journée. Il n'avait répondu à aucun appel, accepté aucun rendez-vous ni rédigé aucun mémo. Deux questions le taraudaient : Hauser en avait-il fini ? Avait-il fait de lui, Skiba, un meurtrier ? Il se prit la tête entre les mains en songeant à la maison de Wharton, à sa façade couverte de lierre et au lourd sens des responsabilités qui restait associé à cette époque lointaine. Le monde était là, devant lui, comme un fruit mûr prêt à être cueilli. À présent... les souvenirs l'assaillaient. Il avait proposé des emplois et des ouvertures à des milliers de personnes, fait croître son entreprise et fabriqué des médicaments qui sauvaient des patients atteints de terribles affections. Il était père de trois beaux garçons. Et pourtant, depuis la semaine dernière, la première pensée qui lui venait à l'esprit à son réveil était : *je suis un assassin*. Il voulait retirer ce qu'il avait dit, mais c'était impossible. Hauser n'avait pas appelé et lui, Skiba, n'avait aucun moyen de le contacter.

Pourquoi avait-il demandé au privé d'en finir ? Pourquoi s'était-il laissé bousculer ? Il essayait de se convaincre que Hauser aurait agi de toute façon, que lui-même n'avait provoqué la mort de personne, que ce n'étaient sans doute que paroles en l'air. Certains individus se plaisaient à employer un langage violent, à vanter leurs armes, et ainsi de suite. Des malades. Hauser en faisait sans doute partie. Grande gueule et petits moyens.

La ligne intérieure bourdonna. Il appuya sur le bouton d'une main tremblante.

« M. Fenner, de la société Gestion d'Actifs Dixon, pour son rendez-vous de 14 heures. »

Il déglutit. Celui-là, il ne pouvait pas le manquer. « Faites entrer. »

Comme la plupart des analystes du marché qu'il connaissait, Fenner était petit, sec et très imbu de lui-même. Du reste, c'était là le secret de sa réussite : on avait envie de lui faire confiance. Skiba lui avait rendu quantité de menus services, lui avait fait croiser la route de quelques OPA juteuses, l'avait aidé à inscrire ses enfants dans une école privée très sélecte de Manhattan et avait versé deux ou trois cent mille dollars à l'œuvre de charité préférée de son épouse. En retour, Fenner n'avait cessé de défendre l'action Lampe, au point d'orienter ses infortunés clients droit dans le mur, voire de les y précipiter – tout en réalisant un bénéfice de plusieurs millions dans l'opération. En bref, c'était un analyste qui avait réussi.

« Comment ça va, Lewis ? demanda-t-il en prenant un siège près du feu. Ça ne rigole pas…

— Non, Stan.

— Je m'en voudrais de débiter des gracieusetés dans des moments pareils… Nous nous connaissons depuis trop longtemps. Donne-moi une raison de conseiller à mes clients de s'accrocher à Lampe. Une bonne raison, pas plus. »

Skiba avala sa salive. « Je peux t'offrir quelque chose ? Eau minérale ? Porto ? »

Fenner secoua la tête. « Le comité d'investissement va me doubler. Il est grand temps de vendre. Ils sont épouvantés et, franchement, moi aussi. Je t'ai fait confiance. »

Quel connard ! Il connaissait la situation de l'entreprise depuis des mois. Il avait été tenté par les miettes que Skiba avait semées sur son chemin et par les affaires que Lampe avait fait miroiter à Dixon. Sale requin ! En même temps, si Dixon passait du « Achetez » au

« Gardez » ou au « Vendez », alors Lampe était fini. La société n'échapperait plus au chapitre 11.

Il toussa pour s'éclaircir la voix, ne put émettre aucun son et toussa de nouveau pour dissimuler son aphonie.

Fenner attendait.

Skiba réussit enfin à s'exprimer. « Stan, je peux te donner quelque chose. »

Fenner pencha imperceptiblement la tête.

« Il s'agit d'une information ultraconfidentielle. Si tu l'utilises, il y a délit d'initié.

— Il n'y a délit d'initié que si on *vend*. Or je cherche une raison de ne pas vendre. Mes clients sont dans l'action Lampe jusqu'au cou. J'ai besoin d'un argument qui les fasse tenir. »

Skiba prit une profonde inspiration. « Dans les semaines qui viennent, Lampe va annoncer l'acquisition d'un manuscrit de deux mille pages que les anciens Mayas ont compilé. C'est un exemplaire unique. Il dresse la liste de toutes les plantes et de tous les animaux de la forêt tropicale qui détiennent des propriétés médicinales actives. Il décrit également leur mode d'extraction, leur dosage et leurs effets secondaires. Il constitue la somme du savoir médical que les anciens Mayas ont acquis pendant des millénaires en vivant dans la poche de biodiversité la plus riche de la planète. Lampe va en avoir la pleine et entière propriété. Il nous arrivera nu et cru, libre de droits, sans obligation de partenariat, sans possibilité de contestation ou d'obstruction. »

Il se tut. Fenner avait gardé la même expression. S'il avait quelque chose à l'esprit, il n'en laissait rien transparaître.

« Quand allez-vous l'annoncer ? Je peux avoir une date ?

— Non.

— C'est certain ?

— Tout à fait. »

Le mensonge était facile. Le *Codex* représentait leur unique espoir. De toute façon, en cas d'échec, plus rien n'aurait d'importance.

Long silence. Fenner laissa ce qui pouvait passer pour un sourire apparaître sur son visage fin et pointu. Il ramassa sa serviette et se leva. « Merci, Lewis. Tu m'en bouches un coin. »

Skiba opina du chef et le regarda sortir à petits pas. Pauvre Fenner ! Si seulement il savait...

38

Lorsqu'ils commencèrent à descendre, ils s'aperçurent que la forêt changeait d'aspect. Extrêmement accidenté, le terrain était coupé de profonds ravins et de torrents qui s'écoulaient entre des rives escarpées. Les marcheurs suivaient toujours la même piste, désormais enfouie sous la végétation au point qu'ils durent établir un roulement pour s'y frayer un chemin à coups de machette. Ils glissaient et tombaient quand ils gravissaient une pente boueuse, glissaient et tombaient à nouveau quand ils en dévalaient une autre.

Ils avancèrent avec difficulté des jours durant. Incapables de trouver un endroit plat où camper, ils devaient dormir à la belle étoile, sous la pluie, dans des hamacs tendus entre les arbres. Le matin, la jungle était sombre et brumeuse. En une journée, ils parcouraient environ huit kilomètres. Au crépuscule, ils étaient terrassés par la fatigue. Le gibier était presque inexistant. Ils n'étaient jamais rassasiés. Tom n'avait jamais eu aussi faim de sa vie. La nuit, il rêvait d'une entrecôte-frites. Le jour, de homards grillés et de glaces. Le soir, autour du feu, le petit groupe ne parlait que cuisine.

Les journées commencèrent à se confondre. Pas une fois la pluie ne cessa de tomber, pas une fois le brouillard ne se leva. Ils durent rafistoler les hamacs attaqués par la moisissure. Leurs vêtements étaient déchirés. Les puces chiques s'insinuaient sous leur peau. Les coutures de leurs chaussures lâchaient. Ils n'avaient pas de tenue de rechange et la jungle allait bientôt les réduire à la nudité. Leurs corps étaient couverts de piqûres, de morsures, de griffures, de coupures, de croûtes et de bleus. Alors qu'ils gravissaient la pente d'un ravin, Vernon glissa et se rattrapa à un buisson d'où une pluie de fourmis rouges se déversa sur lui. Les insectes le mordirent avec tant de férocité qu'une fièvre se déclara et qu'il put à peine tenir debout au cours des vingt-quatre heures suivantes.

Le seul avantage de la forêt pluviale, c'était sa flore. Sally, qui découvrait un véritable trésor de plantes médicinales, put confectionner un onguent à base d'herbes qui fit des miracles sur les morsures d'insectes, les éruptions cutanées et les infections fongiques. Ils burent une tisane de sa préparation qui, selon elle, avait un effet antidépresseur, mais qui ne les empêcha pas de se sentir démoralisés.

De nuit comme de jour, ils entendaient le jaguar tousser et rôder autour d'eux. Personne n'en parlait – Don Alfonso l'avait interdit –, mais l'esprit de Tom ne parvenait pas à s'en détacher. La forêt devait bien abriter d'autres proies dont il pouvait se nourrir. Que voulait-il ? Pourquoi les suivait-il sans jamais attaquer ?

Lors de la quatrième ou cinquième nuit – Tom se perdait dans le compte –, ils campèrent sur une butte entourée d'énormes arbres aux troncs pourrissants. Il avait plu et la brume montait du sol. Ils mangèrent de bonne heure un lézard bouilli accompagné de racine de *maca*. Après le dîner, Sally ramassa sa carabine et se leva.

« Jaguar ou pas, je vais chasser.

— Je viens avec toi », dit Tom.

Ils suivirent le cours d'un ruisseau qui se perdait au fond d'un ravin. La lumière était grise, et la forêt qui les entourait avachie sous l'humidité. Une vapeur s'élevait de la végétation. Le bruit de l'eau qui s'égouttait se mêlait au cri rauque des oiseaux.

Une demi-heure durant, ils progressèrent dans le ravin en franchissant des rochers moussus et des troncs couchés. Ils atteignirent un torrent qu'ils longèrent, l'un derrière l'autre, en traversant des volutes de brouillard.

Sally elle-même se déplaçait comme un félin, se dit Tom en la voyant se faufiler en silence parmi les buissons.

Soudain, elle s'immobilisa en tendant le bras. Elle épaula, visa et tira.

Ils entendirent une bête s'écrouler en couinant dans les broussailles. Le bruit qu'elle faisait en se débattant cessa rapidement.

« Je ne sais pas ce que c'est, mais c'est gros et c'est couvert de poils. » Dans les fourrés, ils trouvèrent l'animal gisant sur le côté, les pattes projetées à l'horizontale.

« C'est une espèce de pécari, déclara Tom en l'observant de loin. Je ne m'habituerai jamais à cette boucherie.

— À toi de jouer », dit Sally en lui décochant un large sourire.

Il sortit sa machette et se mit à vider l'animal sous les yeux de la jeune femme. Une vapeur montait des organes que Tom sortait à pleines mains.

« Si on l'ébouillante au camp, on pourra lui ôter ses poils en les grattant, affirma Sally.

— Hmmm ! J'ai hâte ! » Tom acheva son ouvrage, coupa une branche et attacha les pattes du pécari. Ils le glissèrent sur la perche, dont chacun posa une extrémité sur son épaule. La bête ne pesait pas plus de quinze kilos, mais elle leur permettrait de faire un bon repas et elle fournirait de la viande à fumer. Pour rentrer, ils reprirent le même chemin qu'à l'aller.

Ils n'avaient pas parcouru plus de vingt mètres que le jaguar les arrêta. Il se tenait au milieu de la piste, juste en face d'eux. Il les observait de ses yeux verts et agitait sa queue d'avant en arrière.

« Recule, dit Tom. Doucement. » Lorsqu'ils joignirent le geste à la parole, le fauve avança d'un pas, puis d'un autre. Toutes griffes rentrées, il maintenait le même écart entre eux et lui.

« Tu te souviens du conseil de Don Alfonso ?

— Je ne pourrai pas, murmura Sally.

— Vise au-dessus de la tête. »

Elle leva le canon de la carabine et appuya sur la détente.

Curieusement, le coup fut assourdi par le brouillard et l'épaisse végétation. Hormis un infime tressaillement, rien dans l'attitude du jaguar ne laissait deviner qu'il l'avait entendu. Il continuait de les dévisager en agitant la queue avec une régularité de métronome.

« On va le contourner », décréta Sally.

Ils quittèrent le fond du ravin et s'enfoncèrent dans les fourrés. La bête ne les suivit que des yeux et ne tarda pas à se fondre dans l'obscurité. Après avoir marché quelques centaines de mètres, Tom décida de couper en direction de la ligne de crête. Ils entendirent le jaguar tousser à deux reprises sur leur gauche et s'écartèrent de nouveau de leur chemin. Au bout de deux cent cinquante mètres, ils firent halte. Ils auraient dû retrouver le torrent qui coulait au fond du ravin. Or il n'en était rien.

« On devrait prendre plus à gauche », dit Tom.

Dans la forêt, plus dense et plus sombre, les arbres étaient petits et serrés.

« Je ne reconnais pas cct cndroit. »

Ils s'immobilisèrent pour tendre l'oreille. Un silence irréel s'était abattu sur la jungle. Ils n'entendaient que le ruissellement de l'eau qui s'écoulait des branches, et non celui du torrent.

Une toux profonde s'éleva derrière eux.

Sally fit volte-face et s'écria d'une voix courroucée : « Dégage ! Ouste ! »

Ils reprirent leur progression en redoublant de vitesse. Tom, qui ouvrait la marche, leur frayait un passage au milieu des buissons. De temps à autre, il entendait sur sa gauche le félin qui avançait à leur hauteur en ron-ronnant. Il ne s'agissait absolument pas d'un bruit sympathique, mais d'une sorte de grondement menaçant. Tom savait qu'ils étaient perdus, qu'ils ne prenaient pas la bonne direction. Ils couraient presque.

Soudain, dans un éclair doré, le jaguar parut sortir de la brume droit devant eux. Le corps ramassé, il se tenait sur une basse branche.

Ils se figèrent, puis reculèrent lentement sous son regard scrutateur. Dans un mouvement fluide, il bondit et atterrit non loin d'eux. Il fit trois autres bonds et se positionna derrière eux, sur une autre branche, d'où il bloquait leur retraite.

Sally ne cessait de le viser sans pour autant tirer. Tom et elle ne le lâchaient pas des yeux. Il leur rendait la pareille.

« Il me semble qu'il est temps de l'abattre, chuchota Tom.

— Je ne peux pas. »

C'était en quelque sorte la réponse que le jeune homme attendait. Il n'avait jamais vu d'animal aussi vivant, aussi souple, aussi magnifique.

Tout à coup, le jaguar se tourna et partit en bondissant avec légèreté de branche en branche. Il ne tarda pas à disparaître dans la forêt.

Ils restèrent là, sans parler. Sally finit par sourire. « Je te le disais bien, qu'elle était curieuse.

— Nous suivre sur quatre-vingts kilomètres, c'est de la curiosité ou je ne m'y connais pas ! » Il promena les yeux autour de lui, glissa sa machette dans sa ceinture et ramassa la perche où le pécari était suspendu. Il se sentait mal à l'aise, déstabilisé. Ce n'était qu'un début.

Ils n'avaient pas fait cinq pas que le jaguar se laissa tomber sur eux en poussant un cri perçant. Pareil à une pluie d'or, il se reçut sur le dos de Sally en produisant un son étouffé. Le coup partit sans atteindre son but. La jeune femme tomba en se contorsionnant. Tous deux atterrirent ensemble. La violence du choc fit rouler la bête un peu plus loin. La chemise de Sally était à moitié déchirée.

Tom s'élança sur le dos du jaguar et l'enserra de ses jambes comme s'il s'agissait d'un cheval sauvage. Ses pouces cherchaient à s'enfoncer dans les yeux du félin pour l'énucléer. Au moment où il allait y parvenir, il sentit le corps massif se contracter et se détendre tel un ressort d'acier. Le jaguar poussa un nouveau cri, sauta en l'air et se retourna en plein vol pendant que Tom sortait sa machette. La bête retomba sur lui, en l'étouffant sous sa fourrure à l'odeur de fauve. Il sentit son arme s'enfoncer dans la chair et un jet de sang chaud lui inonder le visage. Le jaguar rugit en se vrillant sur lui-même. De toutes ses forces, Tom imprima à la lame un mouvement de torsion. Elle avait dû transpercer les poumons de l'animal, dont le rugissement se changea en gargouillis. Le jaguar se fit lourd. Tom le repoussa et ressortit sa machette. Un dernier spasme agita le corps puissant, qui demeura inerte.

Le jeune homme courut vers Sally, qui s'efforçait de se relever. Quand elle le vit, elle ne put retenir un cri. « Mon Dieu, ça va ?

— Et toi ?

— Qu'est-ce qu'elle t'a fait ? » Elle tendit les mains vers le visage de Tom, qui comprit soudain.

« Ce n'est pas mon sang, c'est le sien, dit-il d'une voix faible en se penchant au-dessus d'elle. Fais-moi voir ton dos. »

Elle se tourna sur le ventre. Sa chemise était en lambeaux. Quatre griffures s'étiraient d'une épaule à l'autre. Il arracha les restes du tissu.

« Hé ! Je n'ai rien ! protesta une voix sourde.

— Tais-toi. » Tom ôta sa propre chemise et en trempa un pan dans une flaque. « Ça va faire mal. »

Elle poussa un grognement de douleur quand il lui nettoya ses blessures. Les plaies n'étaient pas profondes. Le seul danger était celui d'une infection. Il ramassa de la mousse, en fit un tampon et l'appliqua sur les griffures, qu'il banda à l'aide de sa chemise. Puis il aida la jeune femme à se vêtir et à s'asseoir.

Elle le regarda de nouveau en grimaçant. « Mon Dieu ! Mais tu es en sang ! » Son regard se porta sur le majestueux corps doré qui gisait au sol, les yeux ouverts. « Tu l'as tuée ?

— J'avais la machette à la main. Elle a sauté dessus. Elle a fait tout le travail elle-même. » Il entoura Sally de son bras. « Tu peux te lever ?

— Bien sûr ! »

Il l'aida à se remettre debout. Elle vacilla un instant avant de retrouver son équilibre. «Ramasse ma carabine.»

Tom obéit. «Je vais la porter, dit-il.

— Non, je la passerai sur l'autre épaule. Toi, porte le pécari.»

Sans chercher à contester, il rattacha la bête à la perche, souleva l'ensemble et lança un dernier regard au jaguar, couché dans une mare écarlate, les yeux déjà vitreux.

«Tu vas en avoir, des choses à raconter dans les cocktails, quand on sera rentrés!» s'écria Sally en souriant.

Au campement, Vernon et Don Alfonso écoutèrent leur récit en silence. Quand Tom eut fini de parler, le vieillard lui prit l'épaule et le regarda droit dans les yeux. «Tu es un fou de *yanqui*, Tomasito, tu sais?»

Tom et Sally se retirèrent dans l'intimité de la hutte. Elle s'assit par terre en tailleur, retira sa chemise et commença à la repriser avec du fil d'écorce que Don Alfonso avait confectionné. Pendant ce temps, il lui appliqua l'onguent antibiotique qu'elle avait préparé. Elle l'observa du coin de l'œil en s'efforçant de ne pas sourire. «Je t'ai remercié de m'avoir sauvé la vie? finit-elle par demander.

— Je n'ai pas besoin de mercis.» Il tenta de dissimuler l'afflux de sang qui lui montait aux joues. Ce n'était pas la première fois qu'il la voyait torse nu – il y avait belle lurette qu'ils avaient abandonné toute fausse pudeur –, mais cette fois-ci, il ressentait une intense charge érotique. Il s'aperçut qu'une rougeur apparaissait sur le buste de Sally et qu'elle s'étendait entre ses seins aux tétons dressés. Éprouvait-elle la même chose que lui?

«Oh si, tu en as besoin», murmura-t-elle. Elle posa la chemise qu'elle raccommodait, se retourna, le prit par le cou et l'embrassa délicatement sur la bouche.

39

Hauser ordonna aux soldats de faire halte au bord du cours d'eau. Au loin, les flancs bleus de la Sierra Azul s'élevaient vers les nuages, tel le monde perdu décrit par Arthur Conan Doyle. Le privé traversa la clairière pour examiner la piste boueuse qui débutait en face. Il s'agenouilla. Certes, la pluie incessante avait emporté la plupart des traces, mais elle présentait l'avantage de lui indiquer que les empreintes de pas restées visibles étaient récentes. Elles ne devaient pas avoir plus de quelques heures. De toute évidence, c'étaient celles de six hommes. Peut-être s'agissait-il d'une bande de chasseurs.

Dans ce cas, c'étaient les Indiens auxquels Broadbent s'était allié, car personne d'autre ne vivait dans cette forêt d'altitude oubliée de Dieu.

Hauser se releva et réfléchit un moment. Au jeu du chat et de la souris, il serait perdant. Par ailleurs, négocier ne lui rapporterait rien. Aussi ne lui restait-il qu'une solution.

Il fit signe aux militaires d'avancer et ouvrit la marche. Le petit groupe suivit la piste sans difficulté. Hauser avait laissé Philip, menotté, sous la surveillance d'un de ses hommes. Le fils Broadbent était trop faible pour tenir le rythme ou pour s'enfuir. Bien sûr, il était dommage de se priver des services d'un soldat, surtout lorsqu'on manquait de bras compétents, mais Philip pouvait faire office de monnaie d'échange en temps voulu. Il ne fallait jamais sous-estimer la valeur d'un otage.

Le privé demanda à sa troupe de doubler le pas.

Tout se passa comme prévu. Les Indiens, qui les avaient entendus, s'étaient évanouis dans la forêt – mais pas avant que Hauser eût remarqué la direction qu'ils avaient prise. Expert en traque dans la jungle, il se lança à leurs trousses, selon une tactique de guerre-éclair qui ne manquait jamais de terrifier l'ennemi, fût-il le mieux préparé du monde. Dans ces conditions, l'effet produit sur une bande de chasseurs insouciants était facile à imaginer... Il divisa ses hommes en deux groupes. Accompagné de deux militaires, il effectua un crochet pour couper la route aux Indiens.

Ce fut rapide, sauvage et assourdissant. La forêt en trembla. L'opération lui rappela ses combats au Vietnam avec une précision surprenante. En moins d'une minute, tout était réglé. Les arbres dépouillés de leur écorce étaient tombés, les broussailles fumaient, la terre était pulvérisée et une brume âcre s'élevait dans les airs. Aux branches d'un arbrisseau pendaient des grappes d'orchidées et des guirlandes d'intestins.

Vraiment, c'était incroyable, ce que deux simples lance-grenades pouvaient accomplir !

Après avoir fait le compte des restes humains, il décréta que quatre Indiens étaient morts et que deux autres s'étaient échappés. Pour une fois, ses soldats s'étaient montrés efficaces. Ces gars étaient faits pour la tuerie franche, sans complications. Il saurait s'en souvenir.

Le temps pressait. Il devait arriver au village peu après les deux survivants. Il frapperait au moment où la confusion et la terreur atteindraient leur comble et où toute forme d'organisation serait impossible.

Il se retourna et cria à ses hommes : « *Adelante ! Vamonos !* »

Enfin dans leur élément, les militaires s'exclamèrent : « Au village ! »

40

La pluie tomba toute une semaine sans interruption. Ils avançaient peu à peu, descendaient le flanc d'un canyon, gravissaient l'autre, longeaient de dangereuses falaises et traversaient des torrents rugissants au sein d'une jungle dont l'épaisseur laissait Tom sans voix. Les grands jours, ils parcouraient six kilomètres et demi. Un matin, le jeune homme s'aperçut au réveil que le déluge avait cessé. Debout depuis longtemps, Don Alfonso surveillait un feu. La gravité se peignait sur ses traits. Tout en prenant son petit déjeuner, il déclara :

« Cette nuit, j'ai fait un rêve. »

Le sérieux qui se devinait dans sa voix surprit Tom. « Quelle sorte de rêve ?

— J'ai rêvé que je mourais. Mon âme montait au Ciel et partait à la recherche de saint Pierre. Je le trouvais aux portes du Paradis. À mon arrivée, il me saluait : « C'est toi, Don Alfonso, vieille fripouille ?

« — Oui, que je lui disais. C'est bien moi, Don Alfonso Boswas, mort dans la jungle, loin de chez lui, à l'âge de cent vingt et un ans. Je veux entrer pour voir ma Rosita.

« — Que faisais-tu dans la jungle, Don Alfonso ? qu'il demandait.

« — J'accompagnais des cinglés de *yanquis* à la Sierra Azul, que je répondais.

« — Et tu y es arrivé ? qu'il demandait.

« — Non, que je répondais.

« — Eh bien alors, Don Alfonso, espèce de scélérat, tu dois y retourner. » »

Il marqua une pause et conclut : « Alors je suis revenu. »

Tom ne savait comment réagir. Il pensa un moment qu'il s'agissait là d'une des plaisanteries dont Don Alfonso raffolait. Il remarqua alors l'expression préoccupée du vieillard et croisa le regard de Sally, qu'il n'avait pas vue arriver.

« Ça signifie quoi, ce rêve ? » demanda-t-elle.

Don Alfonso porta un morceau de racine de *maca* à sa bouche, le mâcha d'un air pensif et se pencha de côté pour cracher la pulpe. « Ça signifie que je n'ai plus que quelques jours à passer avec vous.

— Allons ! Ne soyez pas ridicule ! »

Il finit son ragoût et se leva. « N'en parlons plus et partons pour la Sierra Azul. »

Cette journée fut pire que les précédentes, car les insectes étaient revenus dès la fin des pluies. Les voyageurs franchirent avec difficulté plusieurs chaînes sur des sentiers boueux. Poursuivis par des essaims bourdonnants, ils glissaient et tombaient sans arrêt. Dans l'après-midi, alors qu'ils descendaient un ravin, ils entendirent le mugissement d'un torrent. Plus ils s'en approchaient, plus Tom comprenait qu'un grand cours d'eau coulait au fond. Lorsque le feuillage s'éclaircit et qu'apparut la berge, Don Alfonso, qui marchait en tête, s'immobilisa avant de battre précipitamment en retraite. Il leur fit signe de rester à couvert.

« Qu'est-ce qui se passe ? s'inquiéta Tom.

— Il y a un cadavre en face, sous un arbre.

— Un Indien ?

— Non. Il porte des vêtements nord-américains.

— Une embuscade ?

— Non, Tomás. Si c'était le cas, on serait déjà morts. »

Tom suivit Don Alfonso au bord de l'eau. À une cinquantaine de mètres de l'autre rive, un gros arbre se dressait au milieu d'une petite clairière naturelle. Tom entraperçut un point de couleur derrière le tronc. Il emprunta ses jumelles à Vernon pour l'examiner et vit un pied nu, horriblement gonflé, ainsi qu'un morceau de pantalon en lambeaux. Le reste du corps était caché. Tom remarqua qu'un nuage de fumée bleue, puis un autre, s'élevaient dans les airs.

« À moins qu'un mort ne fume, cet homme est vivant, dit-il.

— Par la Mère de Dieu, tu as raison. »

Ils entreprirent de couper un arbre pour traverser la rivière. Le bruit de la hache résonnait dans la forêt, mais l'individu assis derrière le tronc ne bronchait pas.

Quand l'arbre fut couché, Don Alfonso jeta un regard soupçonneux à l'autre rive. « C'est peut-être un démon. »

Ils traversèrent le cours d'eau sur ce pont branlant en s'aidant de la perche. En face, l'homme était devenu invisible.

« Il faut continuer et faire comme si on ne l'avait pas vu, murmura le vieillard. À présent, je suis sûr que c'était un démon.

— Absurde ! répliqua Tom. Je vais vérifier par moi-même.

— S'il te plaît, n'y va pas. Il va te voler ton âme et l'emporter au fond de la rivière.

— Je viens avec toi, déclara Vernon.

— *Curandera*, reste ici. Je ne veux pas que ce démon vous emmène tous. »

Tom et Vernon s'éloignèrent en sautillant sur les rochers polis et laissèrent Don Alfonso se tenir à voix basse des propos affligés. Ils ne tardèrent pas à atteindre la clairière et contournèrent l'arbre.

Ils découvrirent une véritable épave. Assis le dos au tronc, fumant une pipe de bruyère, l'homme les regardait fixement. Malgré sa peau presque noire, il n'avait pas le type indien. Ses vêtements étaient en loques et il s'était gratté le visage au point que sa chair était à vif. Les morsures d'insectes le faisaient saigner. Ses pieds nus étaient striés d'entailles et boursouflés. Il était si maigre que les os de son corps ressortaient de façon grotesque, comme ceux d'un réfugié mourant de faim. Ses cheveux étaient collés et il portait une barbe courte dans laquelle s'étaient prises des brindilles et des feuilles.

L'arrivée de Tom et Vernon l'avait laissé de marbre. Il se contentait de lever vers eux ses yeux caves. Il avait l'air plus mort que vif. Soudain, il fut pris d'un léger sursaut, d'une sorte de tressaillement. Il ôta la pipe de sa bouche et dit d'une voix à peine audible :

« Comment allez-vous, mes bien chers frères ? »

41

Tom sursauta lorsqu'il s'aperçut que ce mort-vivant avait la voix de Philip. Il se pencha en avant pour scruter le visage de l'individu et ne put y déceler aucune ressemblance avec celui de son frère. Horrifié, il recula : le cou de l'homme présentait une plaie dans laquelle deux asticots se tortillaient.

« *Philip ?* », murmura Vernon.

Un croassement affirmatif lui répondit.

« Mais qu'est-ce que tu fais là ?

— Je me meurs. » Il s'était exprimé sur un ton parfaitement dégagé.

Tom s'agenouilla et observa de plus près le visage de son frère. Encore trop épouvanté pour parler ou réagir, il posa la main sur l'épaule décharnée de Philip. « Qu'est-ce qui t'est arrivé ? »

Le cadavre ferma un instant les yeux, puis les rouvrit. « Plus tard.

— Bien sûr. Où avais-je la tête ? » Tom se tourna vers Vernon. « Va chercher Don Alfonso et Sally. Préviens-les qu'on a trouvé Philip et qu'on doit camper ici. »

Trop assommé pour en dire plus, il continua de dévisager son frère. Affichant un calme olympien, celui-ci lui donnait l'impression de s'être résigné à mourir. Ce n'était pas normal. Dans ses yeux se lisait la sérénité de l'apathie.

Soulagé d'apprendre que le démon n'était autre qu'un être humain, Don Alfonso se mit à débroussailler la clairière pour y établir le campement.

Quand Philip vit Sally, il ôta la pipe de sa bouche et cligna des yeux.

« Je m'appelle Sally Colorado », dit-elle en prenant sa main dans les siennes.

Il parvint à incliner la tête.

« Il faut qu'on vous lave et qu'on vous soigne.

— Merci. »

Ils le transportèrent à la rivière, l'étendirent sur un lit de feuilles de bananier et le dévêtirent. Un grand nombre des ecchymoses qui couvraient son corps étaient infectées et certaines grouillaient de vers. Ces bestioles, se dit Tom en examinant les blessures, étaient en réalité un bienfait, car elles dévoraient les chairs malsaines et réduisaient les risques de gangrène. Dans plusieurs plaies qu'elles avaient nettoyées apparaissaient déjà des tissus bourgeonnants. D'autres, en revanche, avaient vilaine allure.

En proie à un sentiment d'horreur, il regarda son frère. Privés de médicaments et de bandes, les membres du petit groupe ne disposaient que des simples onguents de Sally. Après avoir lavé Philip avec soin, ils le transportèrent à la clairière et le couchèrent, totalement nu, sur un lit de palmes aménagé près du feu.

Sally commença à trier les sacs d'herbes et de racines qu'elle avait ramassées.

« Elle sait soigner par les plantes, précisa Vernon.

— Je préférerais une bonne piqûre d'amoxicilline, souffla Philip.

— On n'en a pas. »

Étendu sur sa couche végétale, l'aîné des Broadbent ferma les paupières. Tom soigna les blessures de son frère, cureta ses chairs nécrosées et les aspergea d'une eau qui emporta les asticots. Sally y saupoudra un antibiotique naturel et y apposa des bandes d'écorce stérilisées dans l'eau bouillante, puis séchées au feu de bois. Ils rincèrent ses haillons et l'en revêtirent, car ils n'avaient rien d'autre à lui mettre. Lorsque le soleil commença à décliner, les soins étaient finis. Ils redressèrent Philip, à qui Sally apporta un peu de tisane.

Le blessé, qui semblait aller mieux, prit la tasse. «Tournez-vous, Sally, que je voie vos ailes…»

Elle rougit.

Il but une première gorgée, puis une deuxième. Don Alfonso avait pêché une demi-douzaine de poissons qu'il faisait griller. Une délicieuse odeur flottait dans les airs.

«C'est curieux, je n'ai aucun appétit, dit Philip.

— C'est fréquent quand on est sous-alimenté», expliqua Tom.

Quand le vieillard eut servi le repas sur des feuilles, ils se restaurèrent en silence. Ensuite, Philip prit la parole.

«Eh bien, nous voici tous réunis. Petit repas de famille dans la jungle du Honduras!» Il promena des yeux brillants autour de lui et lâcha: «G.»

Après un moment de silence, Vernon dit: «A.»

Tom enchaîna: «D.»

Philip reprit: «I.»

Après un autre moment de silence, Vernon s'écria: «Eh merde! N.»

«C'est à Vernon de faire la vaisselle!», croassa Philip.

Tom se tourna vers Sally pour lui expliquer: «On jouait à ça quand on était petits.» Un sourire niais se dessinait sur ses lèvres.

«Ah, vous êtes vraiment des frangins!

— Si on veut, intervint Vernon. Sauf que Philip est un con.»

L'intéressé laissa échapper un éclat de rire. «Pauvre Vernon! C'est toujours toi qui finissais à la cuisine!

— Content de voir que tu as repris du poil de la bête», dit Tom.

Philip tourna son visage émacié vers son frère. «C'est vrai. Je vais mieux.

— Tu as envie de nous raconter ce qui s'est passé?»

Philip se rembrunit. «C'est une histoire façon *Au cœur des ténèbres*, avec un vrai Missié Ku'tz. Vous êtes sûrs de vouloir l'entendre?

— Oui, répondit Tom. On y tient.»

À gestes lents et appliqués, Philip sortit d'une boîte en fer-blanc une pincée de Dunhill Early Morning dont il bourra sa pipe. « Dieu merci, ils ne m'ont pas pris l'essentiel. » Les yeux mi-clos, il aspira quelques bouffées en faisant le tri dans ses pensées.

Tom en profita pour examiner son frère, désormais propre. Il retrouva enfin la finesse de traits aristocratique qu'il lui connaissait si bien. La barbe donnait à Philip un aspect décontracté qui, curieusement, le faisait ressembler à leur père. Le visage était toutefois différent. Cet homme avait traversé des moments effroyables qui l'avaient profondément marqué.

Philip rouvrit les paupières et commença son récit.

« Quand je vous ai quittés, j'ai pris l'avion pour New York et je suis allé voir Marcus Aurelius Hauser, l'ancien ami de Père. Je m'imaginais qu'il saurait mieux que personne où Père était parti. C'est avant tout un détective privé. J'ai découvert un type bien en chair et parfumé. En deux coups de fil, il est parvenu à apprendre que Père s'était rendu au Honduras. Je l'ai jugé compétent et je l'ai engagé. Nous sommes arrivés ici. Il a monté une expédition, loué quatre pirogues et s'est assuré la collaboration de douze soldats. Il a financé le tout en me forçant à vendre la jolie petite aquarelle de Klee que Père m'avait donnée...

— Oh ! s'exclama Vernon. Comment est-ce possible ? »

Philip ferma les yeux d'un air las. Vernon se tut. Le blessé reprit la parole. « On s'est tous envolés pour Brus et on s'est entassés dans les bateaux pour remonter le fleuve. Chouette excursion ! On a choisi un guide dans un hameau reculé et on a poursuivi à travers le marais de Meámbar. C'est alors que Hauser a organisé un coup. Ce connard gominé avait tout prévu depuis le début. C'est un sale nazi, un fou du détail. Ils m'ont attaché comme un chien, Hauser a balancé notre guide aux piranhas et ils vous ont tendu une embuscade pour vous tuer. »

À ces mots, sa voix faiblit. Il tira quelques bouffées de la pipe qu'il retenait d'une main osseuse et tremblante. Il racontait cette histoire avec l'humour goguenard que Tom lui associait depuis toujours.

« Après m'avoir enchaîné, Hauser a laissé cinq GI *latinos* à la Laguna Negra pour qu'ils vous descendent. Il m'a emmené avec les autres militaires et on a remonté le Macaturi jusqu'aux Chutes. Je n'oublierai jamais le retour des soldats. Il n'en restait que trois, dont un qui avait une flèche d'un mètre plantée dans la cuisse. Je n'entendais pas tout ce qui se disait. Hauser était furieux. Il s'est éloigné avec le gars et lui a tiré une balle dans la tête à bout portant. Je savais qu'ils avaient tué deux personnes et j'étais sûr que vous étiez morts. Je dois vous dire, mes bien chers frères, qu'à votre arrivée, je me croyais aux portes de l'Enfer et que je vous ai pris pour le comité d'accueil. » Il partit d'un petit rire sec. « On a laissé les bateaux aux Chutes et on a suivi la trace de Père à pied. S'il lui en prenait l'envie, Hauser serait capable de traquer une souris dans la jungle. Il me gardait pour m'utiliser comme monnaie d'échange avec vous. Il a rencontré un groupe d'Indiens des montagnes, il en a massacré plusieurs et il a pourchassé les autres jusqu'à leur village. Il a attaqué les habitants et réussi à capturer leur cacique. Je n'ai pas assisté à ces événements car j'étais retenu en arrière, mais j'ai vu le résultat. »

Il frissonna. « Une fois le chef pris en otage, on a gravi la montagne en direction de la Cité blanche.

— Hauser est au courant de son existence ?

— Un Indien la lui a apprise, mais il ne sait pas où se trouve la tombe. Apparemment, seuls le cacique et quelques anciens connaissent son emplacement exact.

— Comment tu t'es sauvé ? » demanda Tom.

Philip ferma les yeux. « L'enlèvement de leur chef a poussé les Indiens à se battre. Ils ont attaqué Hauser pendant qu'il se rendait à la Cité blanche. Même avec leur armement lourd, Hauser et ses hommes ne savaient plus où donner de la tête. Hauser m'avait ôté mes chaînes pour les mettre au prisonnier. Au plus fort de l'affrontement, je me suis débrouillé pour m'enfuir. J'ai passé les dix derniers jours à marcher – je devrais dire à me traîner – en me nourrissant d'insectes et de lézards. Il n'y avait pas moyen de traverser la rivière. Je mourais de faim et je ne pouvais plus tenir debout. Alors je me suis assis sous cet arbre pour attendre la fin.

— Tu y étais assis depuis combien de temps ?

— Trois ou quatre jours, Dieu seul le sait. Ils se sont télescopés.

— Bon Dieu, Philip ! C'est horrible !

— Au contraire, c'est un sentiment très revigorant. Je ne m'inquiétais plus de rien. Je ne me suis jamais senti aussi libre de ma vie. Je pense même avoir éprouvé un ou deux moments de bonheur. »

Le feu s'était éteint. Tom y ajouta quelques branches et les agita pour ranimer la flamme.

« Tu as vu la Cité blanche ? demanda Vernon.

— Je me suis échappé avant.

— On est à quelle distance de la Sierra Azul ?

— Il y a peut-être une quinzaine de kilomètres d'ici aux premiers contreforts, et une quinzaine ou une vingtaine d'autres jusqu'à la Cité blanche. »

Ils gardèrent le silence. Le feu crépitait en sifflant. Au loin, un oiseau perché dans un arbre poussa un cri lugubre. Philip ferma les paupières et murmura d'une voix sarcastique : « Cher vieux Père, quel bel héritage tu as laissé à tes fils aimants ! »

Le temple était enfoui sous les lianes. Veinées de mousses vertes, des colonnes de calcaire dressées sur une base carrée supportaient son fronton ainsi qu'une partie de sa toiture en pierre. Hauser leva les yeux vers les étranges glyphes gravés sur les piliers. Ces curieux visages, ces animaux, ces points et ces lignes lui rappelaient le *Codex*.

«Restez dehors!», lança-t-il aux soldats en taillant une brèche dans la végétation. L'intérieur était sombre. Le privé promena sa torche électrique autour de lui. Il n'y avait ni serpents ni jaguars. Des araignées grouillaient dans un coin. Quelques souris détalèrent. Sec et bien isolé, l'endroit était parfait pour abriter un quartier général.

Hauser s'enfonça dans l'édifice. Plus loin se dressait une autre rangée de piliers, dont deux flanquaient une porte en ruine qui ouvrait sur une cour sombre. Il enjamba les décombres et découvrit quelques statues qui gisaient au sol, profondément érodées par le temps et ravinées par la pluie. D'énormes racines serpentaient sur les pierres, tels des anacondas. Elles avaient crevassé les murs et les toits jusqu'à ce que les arbres, devenus partie intégrante de la structure, en assurent la solidité. De l'autre côté de la cour, une deuxième porte menait à une chambre qui renfermait une sculpture représentant un homme couché sur le dos, un récipient dans les mains.

Le privé rejoignit les militaires à l'extérieur. Deux d'entre eux encadraient le cacique. Plié sous le poids des ans, celui-ci portait un pagne ainsi qu'une pièce de cuir retenue par des cordons à son cou et une ceinture à sa taille. Tout son corps était couvert de rides. Il avait l'air plus âgé que tous les hommes rencontrés par Hauser au cours de sa vie. Et pourtant il ne devait pas avoir plus de soixante ans. On vieillit vite dans la jungle.

Le privé eut un geste à l'intention du *teniente*. « On va rester ici. Faites nettoyer cette salle par les soldats. J'y installerai mon lit de camp et ma table. » Il désigna le prisonnier de la tête. « Enchaînez-le dans la petite pièce au fond de la cour et faites-le garder par un homme. »

Les militaires poussèrent le vieux chef indien à l'intérieur du temple. Après s'être assis sur un bloc de pierre, Hauser prit un tube métallique dans sa poche de chemise, le décapsula et en sortit un cigare couvert d'une fine lamelle de bois de cèdre. Il huma cette protection, la froissa dans sa main et inhala de nouveau le parfum exquis qui s'en dégageait. Il s'absorba alors dans le rituel de l'allumage qu'il aimait tant.

Tout en fumant, il observa les ruines d'une pyramide qui se dressait juste en face de lui. Sans soutenir la comparaison avec ses sœurs de Chichén Itzá ou de Copán, elle était assez impressionnante. Ces constructions abritaient souvent un beau mobilier funéraire. Hauser était persuadé que le vieux Max s'était enterré dans une tombe qu'il avait pillée autrefois. Pour contenir tous les biens du défunt, elle devait être de dimensions respectables.

L'escalier qui menait au sommet de la pyramide avait été démantelé par des racines, lesquelles avaient soulevé de nombreux blocs avant de les envoyer rouler en bas de l'édifice. Sur la plate-forme se dressait un petit bâtiment percé de quatre portes. À l'intérieur, le plafond était soutenu par quatre colonnes. Un autel bas servait aux sacrifices humains. Hauser prit une profonde inspiration. Il se représenta les prêtres qui plongeaient un poignard dans la poitrine des victimes, leur écartaient la cage thoracique, y prélevaient un cœur palpitant et l'élevaient en poussant un cri de triomphe, pendant que les corps dégringolaient au pied des marches, où des nobles les découpaient avant de les cuisiner en ragoût accompagné de maïs.

Quels barbares !

Il prenait plaisir à fumer. Même noyée sous la végétation, la Cité blanche était assez imposante. Max en avait à peine gratté la surface. Il y avait beaucoup d'objets de valeur à emporter. Un simple bloc orné, par exemple, d'une tête de jaguar pouvait aller chercher dans les cent mille dollars. Hauser devait veiller à tenir secrète la localisation du site.

Du temps de sa splendeur, la ville devait être d'une beauté éblouissante. Il parvenait presque à la voir : ses temples d'un blanc étincelant, ses jeux de balle où les perdants se faisaient décapiter, la foule vociférante des spectateurs, les processions de sacerdotes couverts d'or, de plumes et de jade. Que s'était-il passé ? Leurs descendants vivaient dans des huttes d'écorce et leur grand prêtre était un vieux en haillons. Que le monde change…

Il s'emplit les poumons de fumée. Certes, tout ne s'était pas déroulé comme prévu, mais peu importait. Une longue expérience lui avait appris que chaque opération était un exercice d'improvisation. Ceux qui pensaient en programmer une et l'exécuter à la perfection mouraient en suivant les instructions du manuel. L'imagination, c'était là sa grande force. Les êtres humains étaient intrinsèquement imprévisibles.

Philip, par exemple. Lors de leur première entrevue, Hauser l'avait pris pour un frimeur, avec son costume coûteux, ses manières affectées et son drôle d'accent de la haute. Il avait encore peine à croire que son prisonnier s'était échappé. Philip agonisait sans doute dans la jungle – il avait déjà un pied dans la tombe lors de sa fuite –, mais le privé était inquiet. Et impressionné. Peut-être, après tout, ce petit snobinard, ce sale con, tenait-il un peu de Max… De fait, cette grosse merde s'était révélée complètement frappadingue.

L'essentiel, c'était de ne pas perdre de vue les priorités qu'il s'était fixées. D'abord le *Codex*, ensuite le reste de la camelote, et enfin la Cité blanche elle-même. Depuis quelques années, il avait suivi avec intérêt le pillage du site Q. La Cité blanche serait son site Q à lui.

Il examina l'extrémité de son Churchill, qu'il tenait de sorte que la volute de fumée vienne lui chatouiller les narines. Les cigares avaient bien résisté à la traversée de la forêt pluviale. Il pouvait même affirmer qu'ils s'étaient bonifiés.

Le *teniente* ressortit et le salua. «À vos ordres, *señor!*»

Hauser le suivit dans le temple en ruine. Les soldats nettoyaient l'intérieur, désincrustaient les déjections animales, brûlaient les toiles d'araignées, arrosaient le sol pour y fixer la poussière et couvraient le pavement de fougères. Le privé franchit la porte basse, pénétra dans la cour, dépassa les statues à terre et entra dans la salle du fond. L'Indien ridé était enchaîné à un pilier. Hauser braqua sa torche sur lui. Le vieux débris lui rendit son regard sans manifester la moindre crainte. Hauser n'aimait pas ça. Ce visage lui rappelait celui d'Ocotal. Ces foutus Indiens ressemblaient vraiment aux gars du Viêt-Cong.

«Merci, *teniente*.

— Qui va traduire? Il ne parle pas espagnol.

— Je saurai me faire comprendre.»

L'officier se retira. Hauser posa les yeux sur l'Indien qui, une fois de plus, ne baissa pas les siens. Ni méfiant, ni irrité, ni peureux. Tout simplement observateur.

Le privé s'assit sur un coin de l'autel en faisant soigneusement tomber la cendre de son Churchill, constata que celui-ci s'était éteint et le ralluma.

«Je m'appelle Marcus», dit-il en souriant. Il sentait déjà que ce n'était pas gagné. «Voici ce qui se passe, chef. Je veux que vous me disiez où vous et votre peuple avez enterré Maxwell Broadbent. Si vous acceptez, pas de problème, nous nous contenterons d'y aller, de prendre ce que nous voulons et nous vous laisserons en

262

paix. Si vous refusez, votre peuple et vous aurez bien du malheur. De toute façon, je découvrirai la tombe et je la pillerai. Alors, qu'est-ce que vous décidez ? »

Il leva les yeux vers le vieux et tira vigoureusement sur son cigare pour en faire rougeoyer l'extrémité. Le chef n'avait rien pigé. Pas grave. Il n'était pas idiot. Il savait ce que Hauser voulait.

« Maxwell Broadbent ? » répéta le privé en détachant chaque syllabe. Faisant un geste compréhensible de tout le monde, il tourna les paumes vers le ciel et haussa les épaules.

L'Indien ne répondit rien. Le privé se leva, s'avança vers lui et tira de nouveau sur son Churchill, dont l'extrémité rougeoyait de plus en plus. Il s'immobilisa, ôta le cigare de sa bouche et le leva devant le visage du vieux. « Vous prendrez bien un Churchill ? »

44

Philip avait achevé son récit. Le soleil était couché depuis longtemps et le feu n'était plus qu'un amas de braises vermillon. Tom ne parvenait pas à croire que son frère ait pu endurer de telles horreurs.

Sally prit la parole. « Hauser est coupable de génocide. »

Un silence embarrassé s'ensuivit.

« Il faut faire quelque chose, insista-t-elle.

— Quoi, par exemple ? demanda Vernon d'une voix où transparaissait la lassitude.

— Aller trouver les Indiens des montagnes et leur proposer nos services. En unissant nos efforts, nous pourrons vaincre Hauser. »

Don Alfonso écarta les bras. « *Curandera*, ils nous tueront avant que nous puissions parler.

— J'irai au village. Ils ne tueront pas une femme désarmée.

— Si. Qu'est-ce qu'on peut faire ? On a un fusil, face à des soldats de métier munis d'armes automatiques. On est faibles et affamés. On n'a même pas une tenue de rechange. Et on a un homme qui ne peut plus marcher.

— Alors, qu'est-ce que vous proposez ?

— C'est la fin. Il faut repartir.

— Vous avez dit qu'on ne pourrait pas retraverser le marais.

— Maintenant, on sait qu'ils ont laissé leurs pirogues aux Chutes du Macaturi. On y va et on les vole.

— Et ensuite ?

— Je rentre à Pito Solo et vous rentrez chez vous.

— Et on laisse Hauser tuer tout le monde ?

— Oui. »

Elle était furieuse. « Je refuse. Je vais prendre contact avec le gouvernement et faire envoyer des troupes pour l'arrêter. »

Don Alfonso avait l'air épuisé. « *Curandera*, le gouvernement n'interviendra pas.

— Qu'est-ce que vous en savez ?

— Ce type s'est déjà arrangé avec les autorités. Nous ne pouvons rien faire, sinon accepter notre impuissance.

— Moi, je ne l'accepte pas ! »

Don Alfonso fixa sur elle des yeux vieux et tristes. Il cura soigneusement sa pipe, la tapota pour en faire tomber la cendre calcinée, la bourra et l'alluma à l'aide d'un brandon tiré du feu. « Il y a bien des années, dit-il, quand j'étais enfant, le premier Blanc est arrivé au village. C'était un petit homme à chapeau noir et barbe pointue. On l'a pris pour un fantôme. Il a sorti de son sac ces saloperies de lampes jaunes en métal et il a demandé si on les avait déjà vues. Ses mains tremblaient. Il avait une lueur folle dans les yeux. On avait peur. On a dit que non. Un mois plus tard, lors de l'inondation annuelle, le courant nous a ramené son bateau pourri. Il ne contenait que son crâne et ses cheveux. On a brûlé le bateau et on a fait comme si de rien n'était.

« L'année suivante, un homme en robe et chapeau noirs a remonté le fleuve. Il était bon. Il nous a donné des vivres et des croix, il nous a tous plongés dans l'eau et il a dit qu'il nous avait sauvés. Il est resté quelques mois avec nous, il a engrossé une femme et il a essayé de traverser le marais. On ne l'a plus jamais revu.

« Après, d'autres hommes se sont présentés. Ils cherchaient cette merde jaune qu'ils appellent *oro*. Ils étaient encore plus fous que le premier. Ils ont maltraité nos filles, volé nos bateaux et nos provisions, et ils sont partis vers l'amont. Un d'entre eux est revenu, mais il n'avait plus de langue. On n'a jamais su ce qui s'était passé. Ensuite sont arrivés d'autres hommes à croix. Chacun disait que la croix du précédent n'était pas la vraie, que la sienne était la seule valable et que les autres étaient bonnes à jeter aux ordures. Ils nous ont encore plongés dans l'eau, les suivants nous ont replongés dans l'eau en disant que les premiers s'y étaient mal pris, et d'autres sont venus nous plonger dans l'eau à leur tour, tant et si bien qu'on était complètement trempés et qu'on ne savait plus où on en était.

« Plus tard, un gars s'est présenté tout seul, il a vécu avec nous, il a appris notre langue et il nous a expliqué que tous les hommes à croix étaient des imbéciles. Il se disait *anthropologue*. Il a passé un an à se mêler de nos affaires, à nous poser des tas de questions idiotes sur la sexualité, sur qui était apparenté à qui, sur ce qui nous arriverait après la mort, sur ce qu'on mangeait, ce qu'on buvait, comment on faisait la guerre ou comment on faisait cuire le cochon. Il notait tout ce qu'on disait. Les jeunes crétins du village, dont je faisais partie, lui ont raconté des mensonges éhontés. Il les a écrits d'un air sérieux et il a dit qu'il allait les mettre dans un livre que tout le monde en Amérique lirait et qui nous rendrait célèbres. On a trouvé ça désopilant.

« Après, des hommes sont venus avec des soldats. Ils avaient des fusils et des papiers. On a signé tous les papiers et alors ils ont dit qu'on était d'accord pour avoir un nouveau chef, bien plus grand que celui du village, et pour lui donner toute la terre, tous les animaux, tous les arbres, tous les minéraux et tout le pétrole qu'il y aurait en dessous. On a bien rigolé. Ils nous ont donné une image de notre nouveau chef. Il était très vilain, avec une tête pleine de trous, comme un ananas. Quand notre vrai chef a protesté, ils l'ont emmené dans la forêt et ils l'ont tué.

« Ensuite, des soldats et des hommes qui portaient des cartables sont arrivés. Ils nous ont dit qu'il y avait eu une *révolution*, qu'on avait un autre chef et que l'ancien avait été fusillé. Ils nous ont demandé de faire d'autres marques sur d'autres papiers. De nouveaux missionnaires sont venus, ils ont construit des écoles, ils ont apporté des médicaments et ils ont essayé d'attraper les petits garçons pour les envoyer à l'école, mais ils n'ont pas pu.

« À cette époque-là, on avait un chef très sage. C'était mon grand-père, Don Cali. Un jour, il a appelé tout le monde. Il a dit qu'on devait comprendre ces hommes qui se comportaient comme des fous, mais qui étaient aussi habiles que des démons. On devait savoir qui ils étaient vraiment. Il a demandé des volontaires parmi les jeunes. Je me suis avancé. Quand les missionnaires sont revenus, je me suis laissé attraper et envoyer au pensionnat à La Ceiba. Ils m'ont coupé les cheveux, ils m'ont mis des vêtements qui piquaient et des chaussures qui tenaient chaud aux pieds, et ils m'ont battu parce que je parlais tawahka. J'y suis resté dix ans, j'ai appris l'espagnol et l'anglais, et j'ai vu, de mes yeux vu, qui étaient les Blancs. C'était mon travail : les comprendre.

« Je suis rentré et j'ai raconté aux miens ce que j'avais appris. Ils ont dit : « C'est terrible. Que faire ? » Alors j'ai dit : « Fiez-vous à moi. On leur résistera en étant d'accord avec eux. »

« Après, j'ai su quoi dire aux hommes qui arrivaient au village avec des cartables et des soldats. Je savais lire les papiers. Je savais quand les signer, et quand les perdre et faire l'idiot. Je savais quoi dire aux hommes de Jésus pour obtenir des médicaments, de la nourriture et des vêtements. Chaque fois qu'ils apportaient un portrait du nouveau chef et qu'ils me disaient de jeter celui de l'ancien, je les remerciais et j'accrochais le portrait dans ma hutte avec des fleurs.

« Et c'est comme ça que je suis devenu chef de Pito Solo. Comme tu vois, *curandera*, je comprends les choses. On ne peut pas aider les Indiens des montagnes. On va gâcher nos vies pour rien.

— En ce qui me concerne, je ne peux pas me contenter de partir », s'écria Sally.

Il posa la main sur la sienne. « Tu es la femme la plus courageuse que j'aie jamais rencontrée.

— Ah, vous n'allez pas remettre ça !

— Tu es même plus courageuse que la plupart des hommes que j'ai connus. Ne sous-estime pas les Indiens des montagnes. Je n'aimerais pas être un de ces soldats et poser mon dernier regard sur ma virilité mise à rôtir sur un feu. »

Quelques minutes durant, personne ne parla. Tom se sentait très fatigué. « Ce qui se passe est notre faute. Ou plutôt celle de nos pères. Nous sommes responsables.

— Ta faute, sa faute, ma faute. Ça ne veut rien dire, Tomás. On n'y peut rien. On est démunis. »

Philip acquiesça de la tête. « J'en ai marre de ce voyage de dingos. On ne peut pas sauver le monde.

— Je suis d'accord », confirma Vernon.

Tom remarqua que tous les regards étaient tournés vers lui. Une espèce de vote avait débuté et il devait se décider. Sally le dévisageait avec curiosité. Il ne se voyait pas abandonner après être allé si loin. « Je ne me supporterais plus si on devait repartir. Je suis avec Sally. »

Ils n'étaient que deux contre trois.

Don Alfonso commença à lever le camp avant l'aube. D'ordinaire impassible, il semblait en proie à une crainte qui lui faisait perdre la tête.

« Cette nuit, un Indien des montagnes s'est approché à pas même huit cents mètres d'ici. J'ai vu ses traces. Je n'ai pas peur de mourir, mais j'ai déjà provoqué la mort de Chori et Pingo. Je ne veux pas avoir encore du sang sur les mains. »

Tom le regarda rassembler à la hâte leurs maigres biens. Il avait la nausée. C'était la fin. Hauser avait gagné.

« Où qu'il aille avec ce *Codex*, quoi qu'il fasse, je ne le lâcherai pas, tonna Sally. Il ne m'échappera pas. On va peut-être retrouver la civilisation, mais je reviendrai. Ce n'est absolument pas fini. »

Philip ne pouvait pas marcher, car ses pieds étaient toujours infectés. Don Alfonso lui fabriqua une sorte de civière à l'aide de deux bâtons et de palmes tressées. Il ne leur fallut pas longtemps pour se préparer. Quand tout le monde fut réuni, Tom et Vernon soulevèrent leur frère. Ils se mirent à avancer en file indienne. En tête, Sally dégageait un étroit couloir dans la végétation à grands coups de machette. Don Alfonso fermait la marche.

« Excusez-moi d'être un tel fardeau, déclara Philip en ôtant la pipe de sa bouche.

— Tu as toujours eu le mot juste ! répliqua Vernon.

— Si je pouvais, je me frapperais la poitrine en signe de contrition. »

Tom écoutait ses frères. Il avait toujours entendu ces dialogues drolatiques, qui parfois restaient amicaux et parfois viraient à l'aigre. D'une certaine façon, il était content de voir que Philip allait suffisamment bien pour tarabuster Vernon.

« J'espère que je ne vais pas déraper et te balancer dans la boue », conclut ce dernier.

Don Alfonso vint une dernière fois inspecter leur paquetage. « Il faut faire le moins de bruit possible, dit-il. Philip, pas de fumée ! Ils la sentiraient. »

Le blessé lâcha un juron et rangea sa pipe. La pluie se mit à tomber. Tom s'aperçut que s'occuper de son frère était bien plus difficile qu'il ne l'avait cru. Il était pratiquement impossible de le porter et en même temps de gravir une pente glissante. La terreur s'empara de lui lorsqu'il fallut traverser un cours d'eau rugissant sur des rondins en équilibre incertain. Don Alfonso restait aux aguets et imposait une stricte discipline de silence. Il leur interdit jusqu'à l'usage de la machette. Cet après-midi-là, dans un état de total épuisement, ils établirent le campement sur une étendue boueuse. C'était le seul terrain plat qu'ils aient trouvé. La pluie tombait à verse, l'eau ruisselait dans la hutte que Vernon avait construite et la boue recouvrait tout. Tom et Sally partirent chasser. Ils errèrent deux heures dans la forêt sans rien voir. Par peur de l'odeur, Don Alfonso les arrêta lorsqu'ils voulurent allumer un feu. Ce soir-là, ils rongèrent une racine crue qui avait un goût de carton et deux ou trois fruits pourris habités par des vermisseaux blancs.

Il pleuvait sans discontinuer. Les ruisseaux se changèrent en torrents impétueux. Au terme de dix heures d'efforts, ils n'avaient parcouru que cinq kilomètres environ. Le lendemain et le surlendemain ressemblèrent à ce premier jour. Il était impossible de chasser et Don Alfonso n'attrapait aucun poisson. Pour subsister, ils consommèrent les racines, les baies et les fruits gâtés que le vieillard parvenait à leur dénicher. À la fin du quatrième jour, ils n'avaient pas dépassé une quinzaine de kilomètres. Philip, déjà sous-alimenté, s'affaiblissait rapidement. Ses yeux se creusèrent de nouveau dans son visage. Incapable de fumer, il passait le plus clair de son temps à scruter la canopée. Il ne répondait rien quand on lui adressait la parole. À force de le porter, ses frères perdaient également leur énergie. Ils devaient s'arrêter de plus en plus souvent. Pour sa part, Don Alfonso semblait se rabougrir. Ses os ressortaient horriblement sur sa peau distendue et plissée. Tom avait oublié la sensation que pouvaient procurer des vêtements secs.

Le cinquième jour, vers midi, Don Alfonso ordonna la halte et se baissa pour ramasser un objet tombé à terre. C'était une plume à laquelle était attaché un minuscule morceau de ficelle.

« Les Indiens des montagnes, murmura-t-il d'une voix frémissante. Ils ne sont pas loin. »

Personne ne releva.

« Il faut quitter la piste », décréta-t-il.

Suivre cette piste n'avait pas été une mince affaire. Désormais, marcher leur était presque impossible. Ils s'enfoncèrent dans une masse de fougères et de lianes si dense qu'elle semblait les repousser. Ils rampèrent sous des arbres tombés, en enjambèrent d'autres et pataugèrent dans des mares dont la vase leur montait parfois aux aisselles. La végétation grouillait de fourmis et d'insectes voraces qui, quand ils étaient dérangés, se laissaient tomber sur le petit groupe avec fureur, se répandaient dans les cheveux et s'insinuaient sous les cols pour mordre ou piquer. Philip en souffrait plus que les autres, car il fallait traîner son hamac à travers les épais fourrés. Don Alfonso n'en refusait pas moins de regagner la piste.

Ils vécurent un véritable enfer. La pluie ne leur laissait aucun répit. Ils avaient établi un roulement pour se frayer un passage sur quelques centaines de mètres dans le sous-bois. Ensuite, deux d'entre eux portaient Philip dans son hamac. Ils s'arrêtaient et, chacun son tour, dégageaient une nouvelle portion de chemin dans la forêt. Pendant deux autres jours, ils progressèrent à raison de deux cents mètres à l'heure, sans que le déluge cesse une minute. Ils s'enfonçaient jusqu'aux genoux dans la boue, glissaient pour monter une pente, souvent sur le ventre, et glissaient de nouveau, souvent sur le dos, pour en descendre une autre. La chemise de Tom avait perdu la majorité de ses boutons. Quant à ses chaussures, elles étaient décousues au point qu'il s'était blessé les pieds en marchant sur des brindilles pointues. Ses compagnons étaient dans le même état de dénuement. La forêt était vide de gibier. Les jours se fondaient en un long combat contre des fourrés obscurs et des marécages gorgés d'eau de pluie, où ils se faisaient mordre et piquer avec une telle constance que leur peau avait pris l'aspect rugueux de la toile à sac. Désormais, ils devaient se mettre à quatre pour porter Philip. Parfois, il leur fallait se reposer une heure pour lui faire franchir une dizaine de mètres.

Tom commença à perdre ses repères temporels. La fin approchait. Bientôt, ils ne pourraient plus avancer. Il se sentait bizarre, léger. Les jours et les nuits ne faisaient plus qu'un. Il s'écroulait dans la boue et y restait jusqu'à ce que Sally vienne le relever. Une demi-heure plus tard, il lui rendait la pareille.

Ils parvinrent à une clairière ouverte par la chute d'un arbre gigantesque. Pour une fois, le sol était à peu près égal. L'énorme tronc était tombé, de sorte qu'il était possible de s'y abriter.

Tom pouvait à peine marcher. Sans s'être concertés, ils firent halte au même moment pour camper. Le jeune homme était si faible qu'il se demanda s'il se relèverait après s'être allongé. Mobilisant leurs dernières forces, ils coupèrent des branchages, les appuyèrent contre le tronc et les couvrirent de fougères. Il devait être midi. Ils rampèrent sous ce refuge et se blottirent les uns contre les autres, à même le sol, dans cinq centimètres de boue. Plus tard, Tom et Sally essayèrent d'aller chasser et revinrent les mains vides bien avant la nuit. Ils se recroquevillèrent sous leur abri tandis que l'obscurité tombait sur la forêt.

Dans la lumière déclinante, Tom examina Philip. L'état de son frère était désespéré. La fièvre le faisait à moitié délirer. De gros trous apparaissaient à la place de ses joues et des cernes noirs s'étendaient sous ses yeux. Ses bras ressemblaient à des bâtons et ses coudes étaient enflés. Certaines blessures qu'ils avaient traitées avec tant de soin s'étaient rouvertes et les asticots s'y étaient réinstallés. Tom sentit son cœur se briser. Philip agonisait.

Au plus profond de lui-même, le jeune homme savait que personne parmi eux ne sortirait vivant de cette misérable clairière.

L'apathie de la sous-alimentation s'empara d'eux. Tom resta éveillé la majeure partie de la nuit. Il plut moins fort. À l'aube, le sommet des arbres était éclairé. Pour la première fois depuis des semaines, le jeune homme découvrit un ciel d'un bleu parfait. Des coulées de soleil glissaient le long des troncs. Des rayons tombaient sur des essaims d'insectes qu'ils changeaient en tornades de lumière. Une vapeur s'élevait du tronc monumental.

Quelle absurdité ! La trouée pratiquée dans la forêt encadrait une vue parfaite de la Sierra Azul. Ils s'étaient échinés toute une semaine pour avancer dans la mauvaise direction. Désormais, les montagnes semblaient plus proches que jamais. Leurs sommets aussi bleus que le saphir transperçaient des lambeaux de nuages. Tom n'éprouvait plus la sensation de faim. *C'est un effet de la sous-alimentation*, se dit-il.

Il sentit une main se poser sur son épaule. C'était celle de Sally.

« Viens voir. » Son ton était grave.

Il fut pris de peur. « Ce n'est pas Philip ?

— Non. C'est Don Alfonso. »

Il se leva et la suivit le long du tronc, jusqu'à l'endroit où le vieillard avait posé son hamac à même le sol humide. Couché sur le côté, Don Alfonso levait les yeux vers la Sierra Azul. Tom s'agenouilla et lui prit le poignet. Il était brûlant.

« Je regrette, Tomasito, mais je suis un vieil inutile. Si inutile que je me meurs.

— Ne dites pas ça. » Il toucha le front du vieillard et fut affolé par la chaleur qui en émanait.

« La mort vient me chercher. On ne peut pas lui dire : « Reviens dans une semaine, j'ai à faire. »

— Vous avez encore rêvé de saint Pierre cette nuit ? demanda Sally.

— Pas besoin de rêver de saint Pierre pour savoir que c'est la fin. »

Elle lança un coup d'œil à Tom. « Tu sais ce qu'il a ?

— Sans examens diagnostiques, sans analyses de sang, sans microscope… » Il lâcha un juron et se redressa en luttant contre un vertige. *Voilà, on a gagné !* L'injustice de la situation le mettait en rage.

Il chassa de son esprit ces vaines pensées et vérifia l'état de Philip. Son frère dormait. Comme Don Alfonso, il souffrait d'une forte fièvre. Tom doutait qu'il puisse se réveiller. Vernon alluma un feu malgré l'interdit murmuré par le vieillard et Sally prépara une tisane médicinale. Les traits de Don Alfonso étaient tirés, comme aspirés de l'intérieur. Sa peau avait perdu sa couleur et prenait une teinte cireuse. Son souffle était laborieux. Toutefois, le vieillard restait conscient. « Je vais boire ta tisane, *curandera*, mais ta médecine elle-même ne me sauvera pas. »

Elle s'agenouilla. « Don Alfonso, vous parlez de mort et vous mourez. Parlez de vie et vous vivrez. »

Il lui prit la main. « Non, mon heure est venue.

— Vous n'en savez rien.

— Ma fin était annoncée.

273

— Je ne veux plus entendre ces idioties. Vous ne connaissez pas l'avenir.

— Quand j'étais petit, j'ai eu une mauvaise fièvre. Ma mère m'a emmené voir une *bruja*, une sorcière. La *bruja* m'a dit que mon heure n'était pas venue, que je mourrais loin de chez moi, parmi des étrangers, face à des montagnes bleues. » Il jeta un regard à la Sierra Azul, qui se profilait derrière les arbres.

« Elle pouvait parler de n'importe quelles montagnes bleues.

— Elle parlait de celles-ci, qui sont aussi bleues que le grand océan lui-même. »

Sally chassa une larme d'un battement de cils. « Don Alfonso, ne dites plus de bêtises. »

À ces mots, il sourit. « Quelle merveille pour un vieux de voir une belle fille pleurer à son lit de mort.

— Ce n'est pas votre lit de mort et je ne pleure pas !

— Ne t'inquiète pas. Ça ne m'étonne pas. Je suis parti en sachant que ce serait mon dernier voyage. À Pito Solo, j'étais un vieil inutile. Je ne voulais pas mourir, faible et gâteux, dans ma hutte. Moi, Don Alfonso Boswas, je voulais mourir en *homme*. » Il marqua une pause, prit une profonde inspiration et frissonna. « Mais je ne pensais pas mourir sous un arbre moisi, dans cette boue puante, en vous laissant seuls.

— Alors ne mourez pas. On vous aime, Don Alfonso. Que la *bruja* aille au diable ! »

Il prit la main de Sally et lui sourit. « *Curandera*, il y a un point sur lequel elle avait tort. Elle a dit que je mourrais parmi des étrangers. Ce n'est pas vrai. Je meurs parmi des amis. »

Il ferma les yeux, murmura quelques mots et rendit l'âme.

45

Sally pleurait. Tom, pour sa part, détourna le regard et se leva. Sentant une colère irraisonnée monter en lui, il s'éloigna dans la forêt. Dans la lumière paisible, il s'assit sur une souche en serrant et desserrant les poings. Don Alfonso n'avait pas le droit de les abandonner. Il s'était laissé emporter par ses superstitions et s'était convaincu qu'il allait mourir parce qu'il avait entraperçu des montagnes bleues.

Tom repensa au jour où, pour la première fois, le vieillard lui était apparu, assis dans sa hutte sur son petit tabouret, agitant sa machette et plaisantant. Il lui semblait que cette scène s'était déroulée dans une autre vie.

Ils creusèrent une fosse dans la boue épaisse. Ce fut un travail long et épuisant. Ils étaient si faibles qu'ils peinaient à manier la pelle. Tom ne pouvait s'empêcher de penser : *quand ferai-je la même chose pour Philip ? Demain ?* Ils achevèrent leur tâche vers midi, enveloppèrent la dépouille de Don Alfonso dans un hamac, la firent rouler dans le trou gorgé d'eau et jetèrent sur elle quelques fleurs humides. Ensuite, ils rebouchèrent la fosse en y jetant de la terre détrempée. Tom confectionna une croix grossière, veinée de plantes grimpantes. Il l'enfonça à la tête de la sépulture, devant laquelle ils s'assirent, mal à l'aise.

« J'aimerais dire quelques mots », déclara Vernon.

Il se leva en titubant. Ses vêtements pendaient sur son corps. Ses cheveux et sa barbe étaient hirsutes. Il avait l'air d'un mendiant.

« Don Alfonso… » Il traîna sur la dernière syllabe et toussa. « Si vous êtes toujours dans les parages, avant de vous diriger vers les Portes de Perles, attendez encore un peu et aidez-nous. Vous voulez bien, l'ancien ? Nous sommes mal partis.

— Amen », conclut Sally.

Les nuages noirs qui commençaient à s'amonceler mirent fin à ce moment de répit. Un coup de tonnerre retentit et le bruit de gouttes éparses se fit entendre dans la canopée.

Sally s'approcha de Tom. « Je repars chasser. »

Il acquiesça de la tête, prit le fil de pêche et décida d'aller tenter sa chance dans le cours d'eau qu'ils avaient traversé peu de temps auparavant. Vernon resta sur place pour veiller sur Philip.

Ils revinrent en fin d'après-midi. Sally n'avait rien attrapé. Tom n'avait pris qu'un poisson qui ne pesait pas deux cents grammes. En leur absence, la fièvre de Philip avait grimpé et le malade avait sombré dans le délire. Ses yeux ouverts brillaient sous l'effet de la chaleur. Il remuait sans cesse la tête d'avant en arrière et tenait des propos sans suite. Tom était certain que son frère se mourait. Lorsqu'ils essayèrent de lui faire boire la tisane que Sally lui avait préparée, Philip se mit à pousser des cris incohérents et renversa la tasse. Ils plongèrent le poisson dans une marmite, y ajoutèrent de la racine de manioc et lui proposèrent le bouillon. Après s'être débattu en hurlant, Philip finit par boire le breuvage à la cuiller. Ils se partagèrent le reste et se recroquevillèrent à l'abri du tronc pour attendre la fin du jour. La pluie tombait sans discontinuer.

Peu avant l'aube, Tom s'éveilla le premier. Durant la nuit, la température de Philip avait monté. Le malade s'agitait, marmonnait et tirait inutilement sur son col. Son visage émacié avait perdu tout relief. Tom sentit le désespoir l'envahir. Ils n'avaient même pas de trousse de secours. Face à ce déchaînement de fièvre, les tisanes médicinales de Sally étaient inefficaces.

Vernon fit un feu autour duquel ils s'assirent, déprimés et silencieux. Les fougères sombres qui les surplombaient telle une foule menaçante hochaient la tête sous la violence du déluge et noyaient leur abri sous une obscurité verdâtre.

Tom finit par prendre la parole. « On va rester là tant que Philip ne se sera pas remis. »

Vernon et Sally opinèrent du chef, tout en sachant que Philip ne se remettrait pas.

« On fera le maximum pour chasser, pêcher et cueillir des plantes comestibles. On va en profiter pour reprendre des forces et se préparer au long voyage qui nous ramènera chez nous. »

Tout le monde était d'accord.

« Bien ! dit Tom en se levant. Au travail ! Sally va chasser. Moi, je vais prendre le fil de pêche et les hameçons. Toi, Vernon, reste ici pour soigner Philip. » Il les regarda tour à tour. « Il ne faut pas céder à l'abattement ! »

Sally et Vernon se mirent debout en vacillant. Tom eut la joie de voir un regain d'énergie s'emparer d'eux. Il saisit son matériel et s'enfonça dans la forêt, à l'opposé de la Sierra Azul. Chemin faisant, il déchiquetait des fougères pour se doter de points de repère et cherchait la moindre plante comestible. La pluie tombait toujours dru. Deux heures plus tard, épuisé, il parvint à une cascade boueuse. Un petit lézard qu'il avait attrapé allait lui servir d'appât. Il l'accrocha à l'hameçon et lança sa ligne dans le flot bouillonnant.

Au bout de cinq heures, alors que la lumière lui permettait à peine de regagner le campement, il déclara forfait. Il avait perdu trois de ses six hameçons et une bonne partie du fil de pêche. Pour rien. Il rejoignit les autres avant la nuit. Vernon s'occupait du feu et Sally était encore absente.

« Comment va Philip ?

— Pas bien. »

Tom examina son frère. Celui-ci se tortillait dans son sommeil, sombrait parfois dans le rêve et conversait à voix basse avec un interlocuteur invisible. Le relâchement de son visage et de ses lèvres effraya Tom, à qui il rappelait les derniers instants de Don Alfonso. Philip semblait monologuer avec leur père, qu'il abreuvait de reproches et d'accusations. Il lui arrivait de prononcer les noms de Tom, de Vernon et de sa propre mère, qu'il n'avait pas vue depuis vingt ans. Tout à coup, Tom eut l'impression que son frère assistait à un anniversaire. De toute évidence, Philip fêtait ses cinq ans, ouvrait des cadeaux et poussait des cris de joie.

Attristé, Tom alla s'asseoir près de Vernon devant le foyer. Son frère le prit par les épaules. « Il a été comme ça toute la journée. » Il lui tendit une tasse de tisane.

Tom l'accepta et la but. Sa main aux veines saillantes et semée de taches ressemblait à celle d'un vieillard. Il avait le ventre vide, mais ne ressentait pas la faim.

« Sally n'est pas rentrée ?

— Non. J'ai entendu deux ou trois coups de feu. »

Un frissonnement parcourut la végétation et Sally apparut comme si elle avait attendu un signal. Sans rien dire, elle lança sa carabine par terre et prit place auprès du feu.

« La chance n'était pas avec toi ? demanda Tom.

— J'ai touché deux ou trois souches. »

Il sourit et lui prit la main. « Aucune souche de cette forêt ne connaîtra le repos tant que Sally, la grande chasseresse, traquera sa proie. »

Elle essuya son visage maculé de boue. « Excusez-moi.

— Demain, enchaîna Tom, en partant de bonne heure, je pourrai retourner à la rivière où on a trouvé Philip. J'y passerai peut-être la nuit. C'était une grande rivière. Je suis sûr que je pourrai attraper des tonnes de poisson.

— Bonne idée, murmura Vernon d'une voix épuisée.

— Il ne faut pas renoncer.

— Non », renchérit Sally.

Vernon secoua la tête. « Je me demande ce que Père dirait s'il nous voyait. »

Tom eut un geste d'incertitude. Il n'en était plus à penser à Maxwell Broadbent. Si celui-ci savait qu'il avait envoyé ses trois fils à la mort... Cette pensée était insupportable. Ils l'avaient déçu de son vivant. Même après son décès, ils le décevaient encore.

Après avoir contemplé les flammes, Tom demanda : « Tu es en colère contre lui ? »

Vernon hésita. « Oui. »

Tom regarda son frère d'un air désemparé. « Tu crois qu'on pourra lui pardonner ?

— Qu'est-ce que ça peut bien faire ? »

Tom s'éveilla aux aurores. Il éprouvait une curieuse sensation à la base du crâne. Le jour n'était pas encore levé et la pluie tombait. Le bruit des gouttes d'eau semblait s'insinuer jusqu'à son cerveau. Il se tourna et se retourna sur la terre humide. La vague sensation se changea en migraine. Il replia les jambes, s'assit et découvrit, à sa grande stupeur, qu'il pouvait à peine garder son équilibre. Il se rallongea. Il avait le vertige. Il leva les yeux vers l'obscurité, qui lui parut envahie d'un entrelacs de spirales rouges et brunes. Des murmures s'y faisaient entendre. Près de lui s'élevait le doux babil de Philou. Il promena le regard autour de lui et vit le jeune singe, assis par terre, qui produisait des bruits de succion anxieux. Le petit animal comprenait que quelque chose ne tournait pas rond.

C'était bien plus que les conséquences de la faim. Tom comprit qu'il était malade. *Oh mon Dieu*, se dit-il, *pas maintenant !* Il tourna la tête pour essayer de chercher Sally ou Vernon dans l'obscurité tourbillonnante, mais n'y parvint pas. Ses narines semblaient imprégnées de l'odeur de la végétation pourrissante, de la pluie et de l'humus. Le vacarme des gouttes qui tambourinaient sur les feuilles se vrillait dans son crâne. Il se sentit happé par le sommeil et ouvrit les yeux. Sally braquait sur lui une torche électrique.

« Aujourd'hui, j'irai à la pêche, dit-il.

— Non, tu n'iras nulle part », répondit-elle. Elle tendit la main et la lui posa sur le front. Une frayeur qu'elle ne put cacher apparut dans son regard. « Je vais t'apporter de la tisane. »

Elle revint munie d'une tasse fumante et aida Tom à la boire. « Dors », lui conseilla-t-elle.

Il s'exécuta.

À son réveil, le temps s'était éclairci, mais il pleuvait toujours. Sally était penchée sur lui. Elle s'efforça de sourire quand elle le vit ouvrir les paupières.

Malgré la chaleur suffocante qui régnait sous le tronc, il frissonna. « Philip ? parvint-il à articuler.

— Pareil.

— Et Vernon ?

— Il est malade.

— Saloperie ! » Soudain inquiet, il regarda Sally. « Et toi ? Comment ça va ? » Elle parut rougir. « Tu n'es pas malade ? »

Elle lui mit la main sur la joue. « Si, ça commence, pour moi aussi.

— Je vais me remettre, s'écria-t-il. Je m'occuperai de toi. On va se sortir de ce merdier. »

Elle secoua la tête. « Non, Tom, on ne s'en sortira pas. »

Dès qu'elle eut formulé ce simple constat, il sentit le martèlement diminuer en lui. Il ferma les yeux. Alors comme ça, c'était fini... Ils allaient mourir sous la pluie, contre ce tronc moisi et les bêtes sauvages les déchiquetteraient. Personne ne saurait jamais ce qui leur était arrivé. Il essaya de se convaincre que ces idées lui étaient soufflées par la fièvre, que tout n'allait pas si mal, mais sentit en son for intérieur qu'il n'en était rien. Il était étourdi. Ils allaient tous y rester. Il rouvrit les yeux.

Elle était toujours là, une main posée sur la joue du malade. Elle le dévisagea longtemps. Elle avait le visage sale, couvert d'écorchures et de morsures. Ses cheveux étaient emmêlés et ternes, ses yeux enfoncés dans leurs orbites. Toute ressemblance avec la jeune femme qui avait galopé derrière lui là-bas, dans l'Utah, s'était évanouie. Ne restaient que le turquoise intense de ses yeux et la légère projection de sa lèvre inférieure.

Elle finit par parler. « On n'en a plus pour longtemps. » Elle marqua une pause et le regarda fixement. « Je dois te dire quelque chose.

— Quoi ?

— Je crois que je suis amoureuse de toi. »

La réalité s'en revint dans une soudaine clarté. Il était incapable de prononcer un mot.

Elle poursuivit d'un ton vif. « Voilà. Maintenant, tout est dit.

— Mais…

— Julian ? Le garçon rêvé, beau, intelligent, qui pense tout comme il faut ? Le gendre idéal ? Il est pour moi ce que Sarah était pour toi. Qui voudrait de ça ? Ce que je ressentais pour lui ne ressemble pas du tout à ce que je ressens pour toi. Toi et tes… » Elle sourit en hésitant. « … tes imperfections… »

Grâce à ces quelques mots, les complications étaient balayées. À présent, tout était simple et clair. Tom s'efforça de répondre et ne put que croasser : « Je t'aime aussi. »

Le temps d'un sourire, l'ancien éclat de la jeune femme resurgit. « Je sais et j'en suis heureuse. Excuse-moi d'avoir été blessante. C'était du déni. »

Ils gardèrent le silence un moment.

« Je crois que je t'ai aimée dès que tu as volé mon cheval pour me suivre, soupira-t-il. Mais je ne l'ai su que quand tu as refusé de tuer ce jaguar. Pour ce refus, je t'aimerai toujours.

— Quand tu m'as demandé de sortir pour voir la forêt scintiller… C'est à ce moment-là que j'ai compris que je tombais amoureuse de toi.

— Tu n'as rien dit.

— Il m'a fallu un moment pour l'accepter. Comme tu l'as remarqué, je suis butée. Je ne voulais pas reconnaître mes torts. »

Il avala sa salive. La tête lui tournait de nouveau. « Je suis un type très ordinaire. Je ne suis pas allé à Stanford à seize ans...

— Ordinaire ? Un type qui se bat contre les anacondas et les jaguars ? Qui emmène une expédition au cœur des ténèbres avec courage et bonne humeur ?

— Je ne l'ai fait que contraint et forcé.

— Voilà une autre de tes qualités. La modestie. À force de te côtoyer, j'ai commencé à comprendre qui était Julian. Il n'a pas voulu m'accompagner parce qu'il trouvait ce voyage dérangeant. Il aurait dû interrompre ses travaux. Et je crois qu'au fond il avait peur. C'est le genre de type qui ne fait rien sans être sûr de réussir. Toi, au contraire, tu tentes toujours l'impossible. »

Le vertige s'accentuait. Il s'efforça d'y résister. Ce qu'il entendait le plongeait dans le ravissement.

Elle eut un sourire triste et posa la tête sur la poitrine de Tom. « Quel dommage qu'on n'ait plus le temps ! »

Il lui passa la main dans les cheveux. « Drôle d'endroit pour tomber amoureux !

— C'est vrai.

— Peut-être dans une autre vie... » Il s'efforçait de garder le contact avec la réalité. « On aura une deuxième chance, autrement, autre part... » Il avait la tête lourde. Qu'essayait-il de dire ? Il ferma les yeux et tenta de maîtriser son étourdissement, qui empira sous l'effort. Lorsqu'il voulut rouvrir les paupières, il ne vit qu'un tourbillon de vert et de marron. Il se demanda brièvement s'il n'avait pas rêvé du cancer de son père, du voyage, de la jungle, de Sally et de son frère mourant. Oui, il avait fait un rêve long, étrange, dont il allait se réveiller dans son lit d'enfant. Au pied de l'escalier, Maxwell Broadbent s'écrierait : « Debout ! Un autre jour commence ! »

Sur cette image, il s'abandonna à l'oubli. Il était heureux.

46

Assis sur un pliant à l'entrée du temple en ruine, Marcus Hauser profitait de la matinée. Un toucan sautillait de branche en branche et ouvrait son énorme bec pour pousser des cris stridents. La journée était splendide, le ciel d'un bleu limpide et la jungle d'un vert tendre. Dans ces montagnes, le temps était plus frais et plus sec. Le parfum d'une fleur inconnue flottait dans les airs. Le privé sentit revenir un semblant de paix. La nuit avait été longue. Il était vidé et déçu.

Un froissement de feuilles lui signala l'arrivée de quelqu'un. Un des soldats lui apportait son petit déjeuner, composé d'œufs au bacon, de banane plantain et de café, sur une assiette en émail décorée d'un brin d'herbe aromatique. Hauser la posa sur ses genoux, jeta la garniture d'un air irrité, saisit sa fourchette et se mit à manger en repensant aux derniers événements. Il s'était dit qu'il devait absolument régler la question avec le chef. Au bout de dix minutes, il avait compris que le vieux ne craquerait pas. Mais il n'en avait pas moins poursuivi son entreprise. C'était exactement comme regarder un film porno. On ne peut s'en détacher, mais à la fin on se maudit d'avoir perdu son temps et son énergie. Il avait essayé. Il avait fait de son mieux. À présent, il devait songer à trouver d'autres solutions à son problème.

Deux militaires apparurent sur le seuil. Ils transportaient un corps inerte. « Qu'est-ce qu'on en fait, *jefe* ? »

La bouche pleine d'œuf, Hauser tendit sa fourchette en avant. « Dans la gorge ! »

Il finit son repas après leur départ. La Cité blanche était vaste et enfouie sous la végétation. Maxwell Broadbent pouvait être enterré n'importe où. Le village connaissait une telle effervescence qu'il était presque impossible d'y choisir un nouvel otage pour essayer de lui faire avouer l'emplacement de la tombe. En même temps, le privé n'aimait pas l'idée de devoir passer quinze jours à fouiller ces ruines infestées de rats.

Il soupira, mit la main à sa poche et en sortit un tube d'aluminium. Une minute plus tard, le rituel était accompli, et le cigare allumé. Hauser inhala profondément la fumée et sentit l'effet apaisant de la nicotine se propager de ses poumons à tout son corps. Les problèmes pouvaient se diviser en hypothèses et en sous-hypothèses. En fait, il n'y en avait que deux : soit il découvrait le tombeau par lui-même, soit il laissait ce soin à quelqu'un d'autre. Dans ce dernier cas, à qui ?

« *Teniente ?* »

L'officier, qui attendait les ordres du matin, le salua. « *Sí señor ?*

— Demandez à un soldat de reprendre la piste et d'aller vérifier l'état des Broadbent.

— Bien.

— Qu'il ne les maltraite pas et qu'il ne se fasse pas repérer. Je veux savoir comment ils vont, s'ils avancent toujours ou s'ils ont rebroussé chemin. Qu'il recueille toutes les informations disponibles.

— Bien.

— Cet après-midi, on s'attaquera à la pyramide. Il faudra pratiquer une ouverture sur cette face-ci avec de la dynamite et recommencer au fur et à mesure qu'on progressera. Préparez les explosifs et les hommes. Que tout soit prêt dans une heure. » Il posa son assiette au sol, se leva et passa son Steyr AUG en bandoulière. Il se planta au soleil et leva les yeux vers l'édifice pour y détecter le meilleur endroit où déposer les charges. Qu'il y découvre Maxwell Broadbent ou non, il occuperait les militaires et il les distrairait. Tout le monde aime les bonnes grosses explosions.

Le soleil. C'était la première fois qu'il le voyait depuis quinze jours. Ce serait bien agréable de travailler au soleil. Ça changerait…

47

La mort ne se présenta pas à Tom Broadbent sous l'aspect d'un squelette drapé de noir et muni d'une faux. Elle prit la forme d'un masque sauvage, hideux, rayé de rouge et de jaune, hérissé de plumes multicolores, doté d'yeux verts, de cheveux noirs et de dents blanches taillées en pointe qui, penché sur lui, fouillait son visage du regard. La mort que Tom attendait ne vint pas. Le personnage terrifiant offrit un liquide brûlant au jeune homme. Après avoir faiblement résisté, celui-ci accepta de boire et sombra de nouveau dans le sommeil.

À son réveil, il avait la gorge sèche et la tête prise dans un étau. Vêtu d'un tee-shirt et d'un short propres, il était allongé dans un hamac sec, à l'intérieur d'une hutte à toit de palmes. Dehors, le soleil brillait et la jungle bruissait. Tom resta un long moment sans pouvoir se souvenir de son nom ni de ce qu'il faisait là. Puis tout lui revint par bribes : la disparition de son père, l'étrange testament, la remontée du fleuve, les plaisanteries et les dictons de Don Alfonso, la petite clairière d'où ils voyaient la Sierra Azul, la mort sous la pluie contre un tronc pourri.

Ces événements lui parurent très anciens. Il se sentait régénéré, comme lors d'une seconde naissance, et aussi vulnérable qu'un nourrisson.

Il souleva maladroitement la tête jusqu'à ce que le martèlement de ses tempes lui interdise de prolonger le mouvement. Le hamac suspendu près du sien était vide. Son cœur fit un bond dans sa poitrine. Qui l'avait occupé ? Sally ? Vernon ? Qui était mort ?

« Ohé ! lança-t-il d'une voix faible en essayant de s'asseoir. Y a quelqu'un ? »

Il entendit du bruit à l'extérieur et vit Sally soulever le rabat de la hutte. Un flot doré inonda soudain les lieux. « Tom ! Je suis si contente que tu ailles mieux !

— Oh Sally ! J'ai vu ce hamac vide et j'ai cru… »

Elle approcha et lui prit la main. « Nous sommes tous ici.

— Philip ?

— Toujours malade, mais beaucoup moins. Vernon devrait aller mieux demain.

— Qu'est-ce qui s'est passé ? On est où ?

— Toujours au même endroit. Tu pourras remercier Borabé à son retour. Il est parti chasser.

— Borabé ?

— Un Indien des montagnes qui nous a découverts. Il nous a sauvé la vie en nous retapant.

— Pourquoi ?

— Je n'en sais rien.

— J'ai été malade longtemps ?

— On l'a tous été environ une semaine. On a eu une fièvre appelée *bisi*. Borabé est un *curandero*. Pas comme moi, un vrai. Il nous a donné des remèdes, il nous a nourris. Il parle même un drôle d'anglais. »

Tom s'efforça de se lever.

« Pas tout de suite ! » Elle le força à se rallonger. « Tiens, bois ! »

Elle lui tendit une tasse qui contenait un breuvage sucré. Il l'avala et s'aperçut que la faim le tenaillait. « Je sens une délicieuse odeur de cuisine.

— Tortue à la Borabé. Je vais t'en chercher. » Elle lui mit la main sur la joue.

Il leva les yeux vers elle. À présent, il se souvenait de tout.

Elle se pencha et lui donna un baiser. « On a encore du chemin à faire avant d'en avoir fini.

— Oh oui…

— Procédons par étapes ! »

Il acquiesça de la tête. Elle lui apporta un peu de soupe de tortue. Après l'avoir avalée, il s'enfonça dans un profond sommeil. À son réveil, la migraine s'était évanouie. Il put se lever et sortir d'un pas hésitant. Il avait les jambes en coton. Ils se trouvaient dans la même clairière, auprès du même arbre couché, mais les fourrés humides s'étaient changés en campement ouvert et accueillant. Sur le sol boueux, les fougères coupées formaient un tapis épais et agréable. Il vit deux huttes et un feu autour duquel des bûches faisaient office de sièges. La lumière se déversait à travers une trouée de la canopée. La Sierra Azul, violette sur le bleu du ciel, les dominait de sa masse. Installée près du foyer, Sally se leva d'un bond et lui prit le bras pour l'aider à s'asseoir.

« Il est quelle heure ?

— Dix heures.

— Comment va Philip ?

— Il se repose dans son hamac. Il est encore faible, mais ça ira. Vernon combat le peu de fièvre qui lui reste en dormant. Reprends de la soupe. Borabé nous a ordonné de manger tout ce que nous pourrions.

— Mais où est-il, ce mystérieux Borabé ?

— À la chasse. »

Il se resservit de la soupe à la tortue. Sur le feu bouillonnait une énorme marmite qui contenait non seulement des morceaux de viande, mais aussi toute une variété de racines et de légumes étranges. Quand il eut fini, il alla voir Philip dans l'autre hutte. Il ouvrit la porte de palmes, se courba et entra.

Allongé dans son hamac, Philip fumait. Il était encore d'une maigreur effrayante, mais ses blessures cicatrisaient et ses yeux n'étaient plus enfoncés dans leurs orbites.

« Content de te voir debout, déclara-t-il.

— Comment tu te sens ?

— Encore faible, mais plus vaillant. Mes pieds sont presque guéris. Dans un jour ou deux, je pourrai remarcher.

— Tu l'as vu, ce fameux Borabé ?

— Oh oui ! Un drôle de type peinturluré qui porte des disques dans les oreilles, des tatouages et tout le tremblement… Sally voulait le proposer à la canonisation, mais il ne me semble pas très catholique.

— Tu m'as l'air d'un homme nouveau.

— Toi aussi. »

Le silence embarrassé qui s'ensuivit fut interrompu par un cri. « Ohé, frères !

— Ah ! Il est revenu », dit Philip.

Tom se précipita hors de la hutte et vit un petit Indien des plus surprenants s'avancer dans la clairière. Son torse et son visage étaient peints en rouge. Un cercle noir lui entourait les yeux et des bandes d'un jaune agressif lui barraient la poitrine en diagonale. Ses avant-bras s'ornaient de bandes de tissu d'où pendaient des plumes. Il ne portait qu'un pagne. Dans les lobes de ses oreilles distendues étaient enfoncés deux énormes cylindres qui se balançaient à chacun de ses pas. Son ventre était couvert d'un réseau complexe de scarifications et ses incisives étaient taillées en pointes. Sous une frange de cheveux noirs, ses yeux étaient d'une couleur noisette tout à fait insolite, presque verte. Il avait un visage d'une beauté saisissante, des traits finement ciselés et une peau soyeuse.

Très digne, il approcha du feu. Dans une main, il tenait un fusil qui dépassait deux mètres de long, et dans l'autre un animal mort – d'une espèce inconnue.

« Frère, moi apporter viande », déclara-t-il en anglais. Il sourit, lança la bête à terre et l'enjamba. Par deux fois, il prit Tom dans ses bras et l'embrassa de chaque côté du cou. *Une sorte de rituel de bienvenue*, se dit le jeune homme. Le petit Indien se recula et porta la main à sa poitrine. « Moi Borabé, frère.

— Moi Tom.

— Et moi Jane », ajouta Sally.

Borabé se retourna. « Toi pas Sally ? »

Elle éclata de rire. « Je plaisantais.

— Toi, moi, lui, nous frères. » Borabé mit fin aux présentations en étreignant de nouveau Tom et en le couvrant de baisers dans le cou.

« Merci de nous avoir sauvé la vie », dit le jeune homme. Dès qu'il l'eut prononcée, cette phrase lui parut bien plate. Borabé, lui, semblait ravi.

« Mertchi, mertchi. Toi manger soupe ?

— Oui. Délicieuse.

— Borabé bon cuisinier. Toi manger plus !

— Où as-tu appris l'anglais ?

— Mère apprendre à moi.

— Tu parles bien.

— Moi parler mauvais. Mais moi apprendre de toi et après moi parler plus bien.

— Mieux, précisa Sally.

— Mertchi. Un jour, moi aller en Amérique avec toi, frère. »

Tom était sidéré de constater que, même dans un endroit aussi éloigné de la civilisation que celui-ci, il existait encore des gens qui voulaient aller en Amérique.

Borabé lança un coup d'œil à Philou, qui se tenait à sa place habituelle, dans la poche de Tom.

« Singe pleurer quand toi malade. Quoi être nom à lui ?

— Philou Apoil.

— Pourquoi toi pas manger singe quand toi mourir de faim ?

— Eh bien... Je me suis attaché à lui. De toute façon, je n'en aurais fait qu'une bouchée, pas plus.

— Et pourquoi toi appeler lui Philou Apoil ? Quoi être Philou Apoil ?

— Euh... Un surnom pour une bête couverte de poils.

— Bon. Moi apprendre nouveau mot. *Philou Apoil*. Moi vouloir apprendre anglais.

— Je veux apprendre l'anglais, corrigea Sally.

— Mertchi ! Toi dire moi quand moi tromper. » Il tendit le doigt vers le petit animal, qui le prit dans sa minuscule main, leva les yeux vers son propriétaire et se renfonça dans son abri en poussant un couinement.

Borabé éclata de rire. « Philou Apoil croire moi vouloir manger lui. Lui savoir que nous Taras aimer singes. Maintenant moi préparer nourriture. » Il retourna chercher le gibier qu'il avait laissé tomber et le rapporta, ainsi qu'une marmite. Puis il s'éloigna, s'accroupit et entreprit de dépouiller la bête. Enfin, il la tailla en quartiers et jeta le tout, y compris les tripes et les os, dans le récipient. Tom alla rejoindre Sally près du feu.

« Je suis encore un peu tourneboulé, dit-il. Qu'est-ce qui s'est passé ? D'où sort ce Borabé ?

— Je n'en sais pas plus que toi. Il nous a trouvés malades, à l'agonie sous ce tronc. Il a dégagé la clairière, construit les huttes et nous y a transportés. Il nous a nourris et soignés. Il a ramassé d'énormes quantités d'herbes et même des insectes bizarres, que tu vois suspendus aux solives de la hutte. Il s'en est servi pour préparer des remèdes. J'ai été la première à me remettre. C'était il y a deux jours. Je l'ai aidé à cuisiner et à prendre soin de vous trois. La fièvre que nous avons eue semble courte, mais intense. Dieu merci, ce n'est pas le paludisme. D'après Borabé, elle ne produit pas d'effets à long terme et n'est pas chronique. Si on n'en meurt pas dans les deux jours, elle passe. C'est elle qui a emporté Don Alfonso. Borabé pense que les personnes âgées y sont plus sensibles. »

Au souvenir de leur compagnon de voyage, Tom eut l'impression de recevoir un coup de poignard.

« Je sais, reprit Sally. Il me manque, à moi aussi.

— Je ne l'oublierai jamais, ni sa sagesse si particulière. J'ai peine à croire qu'il est parti. »

Ils observèrent Borabé. Celui-ci chantait un air qui s'élevait dans les aigus et s'abaissait dans les graves au gré de la brise.

« Il a parlé de Hauser et de ce qui se passe dans la Sierra Azul ?

— Non. Il ne veut rien dire. » Elle lui lança un regard hésitant. « Pendant un moment, j'ai bien cru que nous étions cuits.

— Hmmm.

— Tu te souviens de ce que je t'ai dit ?

— Oui. »

Elle rougit jusqu'aux oreilles.

« Tu veux le retirer ? », demanda Tom.

Lorsqu'elle secoua la tête, un tourbillon anima ses cheveux blonds. Les joues en feu, elle le dévisagea. « Jamais de la vie.

— Bien. » Il lui prit la main en souriant. Les épreuves l'avaient en quelque sorte embellie. Elle avait acquis une sorte de profondeur, une dimension supplémentaire qu'il ne pouvait définir. Son caractère ombrageux et agressif semblait avoir disparu. La proximité de la mort les avait tous changés.

Borabé vint les retrouver. Il avait enveloppé de menus fragments de chair crue dans une feuille. « Philou Apoil ! » appela-t-il avant de produire un bruit de succion qui ressemblait étrangement à celui du petit singe. Celui-ci sortit vivement la tête de la poche de Tom. Borabé avança la main. Après avoir hésité en poussant quelques couinements, Philou tendit la sienne, arracha un morceau de viande et l'enfourna dans sa bouche. Il en saisit un deuxième, puis un troisième et s'en empiffra à deux mains. La nourriture étouffait ses petits cris de plaisir.

« Maintenant Philou Apoil et moi amis », décréta Borabé en souriant.

La fièvre de Vernon tomba durant la nuit. Le lendemain, à son réveil, il était lucide, mais faible. Borabé s'activa autour de lui en le forçant à avaler toutes sortes de tisanes et autres décoctions. Ils passèrent le reste de la journée au campement, pendant que le petit Indien allait leur chercher de quoi se sustenter. Borabé revint dans l'après-midi, chargé d'un sac en palmes d'où il sortit des racines, des fruits, des noix et du poisson frais. Jusqu'au soir, il fit cuire les aliments, les fuma, les sala et les enveloppa dans des herbes ou des feuilles sèches.

« On s'en va ? demanda Tom.

— Oui.

— Où ça ?

— Nous parler après. »

Sa pipe de bruyère aux lèvres, Philip sortit en boitant de la hutte. Ses pieds étaient toujours bandés. « Quel après-midi splendide ! » s'écria-t-il. Il s'approcha du feu et s'assit. Tout en se versant une tasse de la tisane que Borabé avait préparée, il déclara : « Cet Indien devrait faire la couverture de *National Geographic !* »

Vernon vint les rejoindre. Il prit place sur une souche en vacillant.

« Toi manger ! » Borabé lui remplit aussitôt un bol de ragoût et le lui tendit. Vernon le prit d'une main tremblante en marmonnant quelques remerciements.

« Content de te retrouver sur la terre des vivants », lâcha Philip.

Son frère s'essuya le front sans rien dire. Il était pâle et amaigri. Il porta une cuillerée à sa bouche.

« Nous voilà bien ! » continua Philip.

Sa voix avait pris une intonation tranchante qui déplut à Tom. Une bûche éclata dans le feu.

« Dans quel guêpier nous sommes allés nous fourrer ! poursuivit Philip. Grâce à ce cher vieux Père... » Il leva sa tasse comme pour porter un toast. « À ta santé, Max ! » Il avala sa tisane d'un trait.

Tom l'observa de plus près. La récupération de Philip était stupéfiante. Sous l'effet de la colère, son regard avait retrouvé toute sa vivacité.

Il promenait les yeux autour de lui. « Alors, mes bien chers frères ? »

Vernon haussa les épaules. Son visage était pâle, émacié, et des cernes gris soulignaient le contour de ses yeux. Il avala une autre cuillerée de ragoût.

« Ou bien on se sauve la queue entre les jambes et on laisse ce Hauser mettre la main sur le Lippi, les Braque, le Monet et tout le reste... » Philip se tut un instant. « Ou bien on continue vers la Sierra Azul, au risque de voir nos intestins suspendus aux buissons. » Il ralluma sa pipe. « Telle est l'alternative. »

Son regard coulissa de l'un à l'autre sans que personne ne souffle mot.

« Eh bien ? insista-t-il. Je vous pose une grave question. Allons-nous laisser ce gros Cortès mener la danse et nous voler notre héritage ? »

Vernon leva les yeux. La maladie avait rendu son visage hagard et sa voix faible. « Réponds-y toi-même. C'est toi qui l'as amené ici. »

Philip braqua sur son frère un regard glacial. « J'aurais cru que l'heure n'était plus aux récriminations.

— En ce qui me concerne, elle vient tout juste de sonner.

— Ce n'est ni le moment ni le lieu », intervint Tom.

Vernon se tourna vers lui. « C'est Philip qui a conduit ce psychopathe jusqu'ici. C'est à lui d'en répondre.

— J'ai agi en toute bonne foi. Je ne savais absolument pas que ce Hauser se révélerait aussi monstrueux. Et j'en ai répondu, Vernon. Regarde-moi. »

L'interpellé secoua la tête.

« Le vrai coupable, puisque personne ne semble prêt à le reconnaître, c'est Père, reprit Philip. Vous n'êtes pas *un tantinet agacés* par ce qu'il nous a fait ? Il a failli nous tuer.

— Il a voulu nous mettre au défi, remarqua Tom.

— J'espère que tu ne prends pas sa défense.

— J'essaie de le comprendre.

— Moi, je ne le comprends que trop. Cette connerie façon *Tomb Raider* n'est qu'une des nombreuses épreuves qu'il nous a déjà imposées. Souviens-toi des entraîneurs sportifs, des moniteurs de ski, des cours d'histoire de l'art, d'équitation, de musique et d'échecs, des exhortations, des sermons et des menaces ! Souviens-toi du jour où on lui montrait le carnet de notes ! Il nous prend pour des ratés, Tom, depuis toujours. Et c'est peut-être vrai. Regarde-moi. À trente-sept ans, je suis toujours assistant dans une université pourrie. Toi, tu soignes les chevaux des Indiens à Pétaouchnok, dans l'Utah. Et Vernon passe ses plus belles années à psalmodier avec son gourou à la noix. On est des *perdants*. » Il partit d'un rire cruel.

Borabé se leva. En soi, ce geste était la simplicité même, mais il avait été accompli avec une lente détermination qui les réduisit tous au silence. « Mauvaises paroles, dit-il.

— Vous n'avez rien à voir là-dedans, rétorqua Philip.

— Fini, mauvaises paroles. »

Sans lui prêter attention, Philip s'adressa à Tom. « Père aurait pu nous léguer son argent comme n'importe qui. Il aurait pu le dépenser. Très bien. J'aurais accepté. C'était le sien. Mais non ! Il a fallu qu'il conçoive un plan pour nous *torturer* ! »

Borabé le foudroya du regard. « Silence, frère ! »

Philip se tourna vers lui. « Peu m'importe que vous nous ayez sauvé la vie. *Ne vous mêlez pas de nos histoires de famille.* » Une veine palpitait sur son front. Tom l'avait rarement vu aussi furieux.

« Toi écouter moi, petit frère, ou moi botter cul à toi », lança Borabé, les poings serrés, du haut de son mètre cinquante.

Un ange passa, puis Philip se mit à rire en hochant la tête. Tout son corps se détendait. « Bon sang de bois ! Il est vrai, ce type ?

— Nous sommes tous un peu énervés, souffla Tom, mais Borabé a raison. Ce n'est pas le lieu pour se disputer.

— Ce soir, reprit le petit Indien, nous parler. Très important.

— De quoi ? », demanda Philip.

Borabé se pencha sur la marmite, dont il se mit à touiller le contenu. Son visage peint était indéchiffrable. « Toi attendre. »

48

Lewis Skiba se renfonça dans le fauteuil en cuir de son antre lambrissé et secoua le *Journal* pour l'ouvrir à la page de l'éditorial. Il essaya de lire, mais les couinements et les coassements de son fils, qui s'exerçait à la trompette, l'empêchèrent de se concentrer. Près de quinze jours s'étaient écoulés depuis le dernier appel de Hauser. De toute évidence, ce type s'amusait à le laisser dans l'expectative. Ou alors, il s'était passé quelque chose. Se pouvait-il qu'il ait... agi ?

S'efforçant de repousser une montée de culpabilité, il fixa les yeux sur l'article dont les mots lui traversaient l'esprit sans y laisser la moindre trace de sens. Le Honduras central était un endroit dangereux. Il était tout à fait possible que Hauser ait dérapé, qu'il ait commis une bourde, une erreur de jugement, qu'il soit tombé malade. Il avait pu rencontrer des milliers de difficultés. En tout cas, il avait disparu. Deux semaines, c'était long. Peut-être avait-il tenté de tuer les Broadbent, qui s'étaient révélés plus forts que lui. Peut-être les trois frères l'avaient-ils descendu.

Contre tout espoir, Skiba espérait que Hauser serait mort. Avait-il vraiment demandé au privé de les tuer ? À quoi pensait-il à ce moment-là ? Un gémissement lui échappa. Si seulement Hauser avait passé l'arme à gauche... Désormais – alors qu'il était trop tard –, Skiba savait qu'il aurait préféré tout perdre plutôt que de se savoir coupable de meurtre. C'était un meurtrier. Il avait dit : *Tuez-les*. Il se demanda pourquoi Hauser avait tenu à ce qu'il prononce ces mots. Bon Dieu ! Comment se faisait-il que lui, Lewis Skiba, grand footballeur à l'université, diplômé de Stanford et de Wharton, bénéficiaire d'une bourse Fulbright, directeur général d'une entreprise figurant dans le classement Fortune 500, il se soit laissé enfermer, maltraiter, dominer par ce vulgaire criminel en polyester ? Il s'était toujours considéré comme un homme de morale, d'intellect, d'éthique, un *brave* homme. C'était un bon père. Il ne trompait pas sa femme. Il allait à l'église. Il siégeait au conseil d'administration de plusieurs organismes de charité, auxquels il faisait don d'une bonne partie de ses économies. Et pourtant un gros connard de privé, un fouille-merde au crâne d'œuf avait réussi à lui mettre le grappin dessus, à lui arracher son masque et à le révéler tel qu'il était réellement. Skiba ne pourrait jamais oublier ni pardonner. À lui comme à Hauser.

Une fois de plus, son esprit vagabonda. Il songea aux étés de son enfance, à la cabane en planches au bord du lac, au ponton tordu qui s'avançait dans les eaux immobiles, aux senteurs de feu de bois et de pin. S'il pouvait inverser le mouvement des aiguilles de l'horloge, remonter le temps jusqu'à un de ces longs étés et recommencer une nouvelle vie... Que n'aurait-il donné pour repartir de zéro ?

Il poussa un grognement de douleur, chassa ces pensées et avala une gorgée du verre de scotch qui reposait sur l'accoudoir. C'était fini, bien fini. Il ne pouvait pas revenir en arrière. Ils récupéreraient le *Codex*, peut-être Lampe prendrait-il un nouveau départ et personne n'en saurait jamais rien. Ou bien Hauser était mort, ils ne récupéreraient pas le *Codex* et personne n'en saurait jamais rien non plus. Personne ne saurait. Pour sa part, il pourrait vivre avec. Il *devrait* vivre avec. Sauf que lui, il saurait. Il saurait qu'il était capable de meurtre.

Il secoua les feuillets avec irritation et reprit sa lecture de l'éditorial.

À cet instant précis, le téléphone sonna. C'était celui de la société, la ligne sécurisée. Il plia le journal, tendit la main vers l'appareil et décrocha.

Il perçut une voix qui, malgré la distance, résonnait haut et clair. C'était la sienne.

Allez-y ! Tuez-les, bordel de merde ! Tuez les Broadbent !

Il eut l'impression d'avoir reçu un coup. Le souffle lui manqua. Il y eut un sifflement, puis sa voix répéta, tel un fantôme issu du passé :

Allez-y ! Tuez-les, bordel de merde ! Tuez les Broadbent !

Le brouilleur se remit en marche. « Vous avez pigé ? » demanda Hauser.

Skiba déglutit, hoqueta et s'efforça de faire fonctionner ses poumons.

« Allô ? reprit le privé.

— Ne m'appelez jamais à la maison, croassa Skiba.

— Vous ne me l'avez pas interdit.

— Comment avez-vous obtenu mon numéro ?

— Je suis détective, vous savez… »

Skiba avala sa salive. Pas la peine de répondre. Il savait pourquoi Hauser avait tellement insisté pour qu'il le dise. Il s'était fait piéger.

« Ça y est. On est à la Cité blanche. »

Skiba attendit la suite.

« On sait que Broadbent y est venu. Il a demandé à une bande d'Indiens de l'enterrer dans la sépulture qu'il a pillée il y a quarante ans. C'est sans doute celle où il a découvert le *Codex*. C'est pas beau, ça ? Et maintenant on y est, dans cette cité perdue, et il ne reste plus qu'à trouver la tombe. »

Skiba entendit une détonation sourde que le brouilleur transforma en long grincement. Hauser avait dû couper l'appareil au bon moment pour l'enregistrer. À présent, il n'était plus question de négocier un rabais sur ses cinquante millions. Au contraire, Skiba pressentait qu'il devrait payer plus, beaucoup plus, jusqu'à la fin de ses jours. Hauser le tenait à la gorge. Lui, Skiba, s'était fait manipuler comme le premier crétin venu. Incroyable !

« Vous avez entendu ? C'est le joli bruit de la dynamite. Mes hommes travaillent sur la pyramide. Malheureusement, la Cité blanche est vaste, couverte de végétation et Max peut être enterré n'importe où. Enfin ! Je vous appelle pour vous signaler un changement. Quand on aura trouvé la tombe et le *Codex*, on prendra la route de l'ouest, on franchira les montagnes et on traversera le Salvador jusqu'au Pacifique. D'abord à pied et après par le fleuve. Ça prendra un peu plus de temps. Vous aurez le *Codex* dans un mois.

— Vous aviez dit…

— Ouais, ouais. À l'origine, je voulais rentrer en hélicoptère avec le *Codex* à San Pedro Sula. On a eu deux ou trois morts dans l'armée hondurienne et il faudra les justifier. Allez savoir si un général d'opérette ne va pas en profiter pour nationaliser nos biens ! Dans ce pays, les hélicoptères appartiennent aux militaires et, pour venir ici, il faut traverser l'espace aérien qui leur est réservé. C'est pourquoi nous allons poursuivre vers l'ouest, dans une direction où personne ne nous attend. Vite fait, bien fait. Vous pouvez me croire, il n'y a pas mieux. »

Skiba déglutit de nouveau. Des soldats morts ? Cette discussion lui soulevait le cœur. Il voulait savoir si Hauser avait agi, mais ne pouvait se résoudre à aborder le sujet.

« Au cas où vous vous poseriez la question, sachez que je n'ai pas suivi vos instructions. Les trois Broadbent sont encore en vie. Ils sont coriaces, les bougres ! Mais je n'ai pas oublié. Je vous l'ai promis. J'agirai. »

Ses instructions. La boule bien connue de Skiba se formait dans sa gorge. Il avala sa salive et faillit s'étouffer. Ils étaient vivants. « J'ai changé d'avis, s'écria-t-il.

— C'est-à-dire ?

— Ne le faites pas.

— Quoi ?

— Ne les tuez pas. »

Un gloussement prolongé retentit dans le récepteur. « C'est *un peu* tard.

— Bon Dieu, Hauser! Je vous ordonne de ne pas les tuer. *On peut trouver une autre solution...* »

La communication était coupée. Il entendit un bruit et se retourna, le visage en sueur. Son fils se tenait sur le seuil. Vêtu d'un pyjama trop large, ses cheveux blonds en bataille, le gamin laissait sa trompette pendre à bout de bras. « Ne pas tuer qui, Papa ? »

49

Ce soir-là, Borabé leur servit un dîner complet. L'entrée se composait d'une soupe de poisson et de légumes, le plat de résistance de steaks grillés et d'une infinité de minuscules œufs contenant des embryons d'oiseaux, et le dessert d'une compote de fruits. Il les força à se servir une deuxième, puis une troisième fois. Ils mangèrent au point de frôler la nausée. Lorsqu'ils eurent achevé leur dernière bouchée, ils allumèrent les pipes pour se protéger des insectes nocturnes. Le ciel était dégagé et la pleine lune se levait derrière la silhouette sombre de la Sierra Azul. Sally et les trois frères s'assirent en demi-cercle autour du feu. Chacun fumait en attendant que Borabé prenne la parole. Le petit Indien tira quelques bouffées, puis posa sa pipe. Ses yeux, que les flammes faisaient briller, se portèrent sur chaque visage. Le coassement des grenouilles avait commencé de s'élever, mêlé à des bruits plus mystérieux qui ressemblaient à des sanglots, des hululements, des tambourinements et des cris perçants.

« Voilà, frères », déclara Borabé.

Il marqua un temps d'arrêt. « Moi commencer histoire de début, quarante ans derrière, un an avant naissance de moi. Un Blanc venir tout seul par fleuve et montagnes. Lui arriver dans village tara presque mort. Lui premier Blanc que Taras voir. Eux emmener lui dans hutte, nourrir lui, ramener lui à vie. Homme vivre avec Taras, apprendre langue de eux. Eux demander pourquoi lui venir. Lui dire chercher Cité blanche, que nous appeler Sukia Tara. Elle cité de ancêtres. Aujourd'hui, nous aller là pour enterrer morts, c'est tout. Taras conduire lui à Sukia Tara. Eux pas savoir lui vouloir voler dans Sukia Tara. Bientôt, lui prendre femme tara.

— Vous pensez! dit Philip en partant d'un rire sarcastique. Père n'a jamais été du genre à manquer une bonne occasion. »

Borabé le regarda fixement. « Qui raconter histoire, frère, toi ou moi ?

— Très bien, continuez », concéda Philip en agitant la main.

« Homme, moi dire, prendre femme tara. Elle être mère de moi.

— Il a épousé ta *mère* ? s'écria Tom.

— Bien sûr. Sinon, comment nous être frères ? »

Tom resta sans voix tant qu'il n'eut pas vraiment digéré le sens de ces propos. Il dévisagea Borabé comme pour la première fois. Son regard se fixa sur les peintures, les tatouages, les dents pointues, les pendants d'oreilles, mais aussi sur les yeux verts, le front haut, les lèvres à la ligne volontaire et les pommettes finement dessinées. « Bon Dieu ! murmura-t-il.

— Quoi ? s'enquit Vernon. Qu'est-ce qui se passe ? »

Tom lança un coup d'œil à Philip, dont le visage était figé. Le regard rivé sur Borabé, Philip se leva lentement.

Le petit Indien reprit la parole. « Après père épouser mère, mère donner naissance à moi. Moi Borabé, comme père.

— Borabé... répéta Philip. Broadbent. »

Un long silence s'ensuivit.

« Vous avez pigé ? reprit-il. Borabé, Broadbent, c'est le même nom !

— Tu veux dire que c'est notre *frère* ? », s'exclama Vernon, qui venait de comprendre.

Personne ne répondit. Philip fit un pas vers le petit Indien et se pencha pour l'étudier de plus près, comme s'il s'agissait d'un phénomène de foire. Borabé se détourna, ôta la pipe de ses lèvres et rit avec nervosité. « Quoi toi voir, frère ? Fantôme ?

— D'une certaine façon, oui. » Il tendit la main et la posa sur le visage de Borabé.

Très calme, celui-ci restait assis sans bouger.

« Mon Dieu, murmura Philip. Tu es bien notre frère. Le plus âgé. Je n'étais pas l'aîné, mais le deuxième, et je ne le savais même pas.

— Moi te dire ! Nous tous frères. Quoi toi penser quand moi dire ça ? Moi blaguer ?

— On ne croyait pas qu'il fallait prendre ce mot au pied de la lettre, expliqua Tom.

— Alors pourquoi moi sauver vie de vous ?

— On n'en savait rien. Tu as l'air d'un saint. »

Borabé éclata de rire. « Moi ? Toi rigolo, frère ! Nous tous frères. Nous tous avoir même père, Masseral Borabé. Toi Borabé, moi Borabé, nous tous Borabé. » Il se frappa la poitrine.

« Broadbent, on dit Broadbent, corrigea Tom.

— Borabène. Moi pas parler bon. Toi comprendre moi. Moi Borabé longtemps, alors moi rester Borabé. »

Le rire de Sally s'éleva soudain. Elle marchait autour du feu de camp. « Et voilà un autre Broadbent ! Un quatrième ! Comme s'il n'y en avait déjà pas assez ! Le monde pourra-t-il y résister ? »

Vernon, qui avait été le dernier à saisir, fut le premier à reprendre ses esprits. Il se dressa et se dirigea vers Borabé. « Je suis très heureux de t'accueillir parmi nous en qualité de frère », dit-il au petit Indien en le prenant dans ses bras. D'abord interloqué, Borabé le gratifia d'une série de baisers à la mode des Taras.

Vernon s'écarta pendant que Tom s'avançait en tendant la main. Borabé le regardait d'un air éberlué.

« Toi mal à main, frère ? »

C'est mon frère et il ne sait même pas serrer une main, se dit Tom. Il sourit et étreignit Borabé, qui lui répondit par une embrassade rituelle. Il se recula, scruta le visage du petit Indien et s'y reconnut, lui, mais aussi son père et ses autres frères.

Le bras tendu, Philip approcha enfin. « Borabé, je ne suis pas du genre à faire des mamours. Chez les gringos, on se serre la main. Je vais t'apprendre. Tends-moi la tienne. »

Son interlocuteur obtempéra. Philip lui prit la main et la serra énergiquement. Le bras du petit Indien se mit à ondoyer. Quand Philip lâcha Borabé, celui-ci éleva sa paume à hauteur des yeux et l'examina comme pour y chercher la trace d'une blessure.

« Bienvenue au club des fils tarés de Maxwell Broadbent ! s'écria Philip. Décidément, le nombre de ses adhérents croît de jour en jour !

— Quoi être club fistaré ? »

Philip agita la main. « Laisse tomber… »

Sally prit Borabé dans ses bras. « Moi, je ne suis pas une Broadbent, expliqua-t-elle dans un sourire. Dieu merci ! »

Ils regagnèrent leur place autour du foyer. Un silence embarrassé planait sur le petit groupe.

« Quelle réunion de famille ! lâcha Philip en secouant la tête d'un air incrédule. Cher vieux Père, tu nous étonneras toujours. Même mort !

— Ça être chose moi vouloir dire à vous, enchaîna Borabé. Père *pas* mort. »

50

Dans les profondeurs de la sépulture où aucune lumière n'avait pénétré depuis mille ans, la tombée de la nuit importait peu. Marcus Hauser enjamba le linteau fracassé, pénétra dans la salle aménagée au cœur de l'édifice et inhala la poussière séculaire qui s'y était déposée. Curieusement, elle dégageait une odeur fraîche et propre, d'où les relents de corruption étaient absents. Tout en promenant autour de lui le puissant faisceau de l'halogène, le privé vit scintiller l'or et le jade qui jonchaient le sol parmi des ossements brunis. Un squelette gisait sur la pierre d'une plate-forme funéraire couverte de glyphes sculptés et jadis richement décorée.

Hauser se pencha pour ramasser un anneau et l'agita pour en faire tomber le doigt qui le portait toujours. Dans le magnifique bijou était enchâssé un éclat de jade taillé en forme de tête de jaguar. Le privé le glissa dans sa poche et tria les autres accessoires laissés sur le mort : un collier en or, des pendants d'oreilles en jade et une autre bague. Il empocha les petits objets en effectuant le tour de la pièce.

Le crâne du défunt reposait à une extrémité de la plate-forme. Ses mâchoires désolidarisées s'ouvraient sur le vide, ce qui lui donnait une expression étonnée. Il avait l'air de ne pas croire à sa propre mort. La majeure partie de sa chair avait disparu, mais un fouillis de cheveux tressés pendait mollement de la calotte. Hauser tendit la main pour le saisir. Retenue par quelques filaments de cartilage desséché, la mâchoire inférieure se relâcha davantage. Les dents de devant étaient taillées en pointe.

« Être ou ne pas être… » déclama le privé.

Il promena sa lampe le long des murs ornés de fresques que le salpêtre et les moisissures avaient assombries. Des poteries gorgées de poussière s'entassaient dans un angle, à l'endroit précis où un antique tremblement de terre les avait jetées. Les racines qui avaient traversé le plafond pendaient en écheveaux dans l'air immobile.

Hauser se tourna vers le lieutenant. « C'est le seul tombeau ? demanda-t-il.

— Sur cette face de la pyramide, oui. Il faut encore explorer l'autre face. Si le plan est symétrique, il y en aura peut-être un deuxième. »

Le privé secoua la tête. Il ne trouverait pas Max dans l'édifice. Ç'aurait été trop facile. Max s'était enterré comme Toutankhamon, dans un endroit discret. C'était son mode de fonctionnement.

« *Teniente*, rassemblez les hommes. Je veux leur parler. On va fouiller cette cité d'est en ouest.

— Bien. »

Le privé s'aperçut qu'il tenait toujours son macabre trophée, lui lança un dernier regard et le jeta. Lorsqu'il heurta le sol, le crâne rendit un son creux et explosa comme s'il avait été fait de plâtre. La mâchoire inférieure roula sur elle-même avant de s'immobiliser dans la poussière.

Il fallait fouiller le site sans ménagements, à la dynamite, temple après temple. Hauser secoua de nouveau la tête. Il aurait aimé que le soldat parti espionner les Broadbent soit rentré. Il y avait une meilleure façon d'agir. Une bien meilleure façon…

51

« Père est toujours *en vie ?* s'écria Philip.

— Oui.

— Tu veux dire qu'il n'est pas encore enterré ?

— Moi finir histoire. Après lui rester un an avec Taras, mère donner naissance à moi. Mais Père parler Cité blanche, aller là plusieurs jours, plusieurs semaines chaque fois. Chef dire interdit, mais Père pas écouter. Lui creuser pour chercher or. Alors lui trouver cimetière, ouvrir tombe ancien roi tara et voler. Avec aide mauvais hommes taras, lui fuir par fleuve avec trésor et disparaître.

— En laissant ta mère seule avec un bébé, siffla Philip d'un ton sarcastique. Comme il l'a fait ensuite pour ses autres femmes. »

Borabé se tourna pour le regarder. « *Moi raconter histoire, frère. Toi aller tirer crampe !* »

Tom éprouva un vif sentiment de familiarité. « Va tirer ta crampe ! » Cette expression purement maxwellienne était une des préférées de son père. Et voilà qu'elle était reprise par un Indien vivant au fin fond de la jungle, à moitié nu, tatoué et les oreilles pendantes. Un vertige s'empara de son esprit. Il s'était rendu aux confins du monde pour y trouver… un frère.

« Après, moi jamais voir Père. Sauf maintenant. Mère morte deux ans derrière. Quand Père revenir, grande surprise. Moi très content connaître lui. Lui dire lui mourir. Lui demander pardon. Lui dire ramener trésor volé à Taras. En échange, lui vouloir être enterré dans tombe de roi tara avec trésor de Blanc. Lui parler à Cah, chef des Taras. Cah dire oui, d'accord, toi revenir avec

307

trésor et nous enterrer toi dans tombe, comme ancien roi. Alors Père partir et revenir avec beaucoup boîtes. Cah envoyer hommes sur côte pour ramener trésor.

— Père se souvenait de toi ? demanda Tom.

— Oh oui ! Lui très heureux. Nous aller pêcher.

— C'est vrai ? s'écria Philip d'une voix irritée. Et qui a pris le plus gros poisson ?

— Moi, répondit fièrement Borabé. Avec lance.

— Joli coup, baron !

— Philip ! gronda Tom.

— Si Père avait passé plus de temps avec Borabé, reprit l'intéressé, il l'aurait détesté comme il nous déteste.

— Allons, tu sais bien qu'il ne nous déteste pas !

— J'ai frôlé la mort. J'ai subi la *torture*. Tu sais ce qu'on ressent quand on est *sûr* de mourir ? Voilà ce que Père m'a légué. Et on se retrouve avec cet Indien peinturluré qui se dit notre frère aîné et qui va *pêcher* avec lui pendant qu'on crève dans la jungle ! »

Borabé demanda : « Toi finir être colère, frère ?

— Je n'ai jamais fini d'être en colère !

— Père colère aussi.

— Tu peux répéter ?

— Toi exactement comme Père. »

Philip roulait des yeux effarés. « C'est le bouquet ! Un Indien psychanalyste !

— Parce que toi exactement comme Père, toi aimer lui beaucoup et lui faire beaucoup mal à toi. Et maintenant, toi avoir encore mal parce que toi découvrir toi pas aîné. *Moi* être aîné. »

S'ensuivit un bref silence auquel Philip mit fin en éclatant d'un rire rauque.

« C'est la meilleure ! Il faudrait que je me sente menacé par un Indien illettré, tatoué et aux dents pointues ? »

Un ange passa, puis Borabé déclara : « Moi continuer histoire.

— J'allais vous en prier ! ricana Philip.

— Cah tout arranger pour mort et funérailles de Père. Quand jour venir, grande fête pour Père. Taras être tous là. Père aussi. Lui beaucoup aimer funérailles. Lui faire beaucoup cadeaux. Tout le monde avoir marmites, casseroles et couteaux. »

Tom et Sally échangèrent un regard.

« Il a dû adorer, dit Philip. Je le vois, ce vieux salaud, présider son propre banquet funéraire.

— Toi avoir raison. Lui adorer. Lui manger, boire trop, rire, chanter. Ouvrir boîtes pour montrer trésor sacré. Nous aimer Mère Marie avec enfant Jésus. Blancs avoir jolis dieux.

— Le Lippi ! s'exclama Philip. Il était en bon état ? Il avait survécu au voyage ?

— C'est plus belle chose que moi voir, frère. Quand moi regarder image, moi voir Blancs comme jamais avant.

— Oui, c'est un des plus beaux tableaux de Lippi. Quand je pense qu'il est enfermé dans un caveau humide ! »

Borabé poursuivit : « Mais Cah tromper Père. Après repas, lui devoir donner à Père poison pour mourir sans souffrir. Mais Cah donner à Père boisson pour *dormir*. Personne savoir, sauf Cah.

— Nous sommes en pleine tragédie shakespearienne, murmura Philip.

— Père endormi emporté dans tombe avec trésor. Porte fermée. Père prisonnier dans tombe. Seul Cah savoir que lui pas mort, lui dormir. Alors Père réveiller dans tombe noire.

— Attends un peu, objecta Vernon. Je ne comprends pas bien.

— Moi si, répliqua Philip. Ils l'ont enterré vif. »
Silence.

« Pas ils, expliqua Borabé. Cah. Taras pas savoir tromperie.

— Sans vivres, sans eau... souffla Philip. *Bon Dieu, quelle horreur*.

— Frères, poursuivit Borabé. Dans tradition tara, beaucoup nourriture et beaucoup eau dans tombe pour vie au-delà. »

Lorsqu'il eut compris les implications de ces propos, Tom sentit un frisson lui parcourir l'échine. Il prit enfin la parole. « Tu crois donc que Père est encore vivant, enfermé dans son tombeau ?

— Oui. »

Personne ne soufflait mot. Le hululement funèbre d'un oiseau de nuit s'éleva dans l'obscurité.

« Et depuis quand ? reprit Tom.

— Trente-deux jours. »

Le jeune homme se sentait nauséeux. C'était inimaginable.

« Chose terrible, continua Borabé.

— Mais pourquoi Cah a fait ça, bordel de merde ? s'écria Vernon.

— Cah pas content Père voler tombe. Avant, Cah petit, lui fils de chef. Père humilier père de Cah en volant tombe. Cah se venger maintenant.

— Tu n'as rien pu faire pour l'en empêcher ?

— Moi savoir trop tard. Alors moi essayer sauver Père. Grande porte en pierre devant tombe. Moi pas pouvoir bouger elle. Cah savoir moi aller Sukia Tara pour sauver Père. Lui très colère. Lui faire moi prisonnier et vouloir tuer moi. Lui dire moi sale, moitié tara, moitié blanc. Alors Blanc fou et soldats venir, prendre Cah, emmener lui dans Cité blanche. Moi fuir. Moi entendre soldats parler de vous. Alors moi partir chercher vous.

— Comment savais-tu que nous serions ici ?

— Soldats dire. »

Le feu se mit à palpiter tandis que la nuit enveloppait les cinq personnes assises sur les bûches. Les paroles de Borabé parurent flotter dans les airs longtemps après qu'il les eut prononcées. Les yeux du petit Indien passaient de l'un à l'autre. « Frère, mort terrible. Pour rat, pas pour homme. Lui notre Père.

— Qu'est-ce qu'on peut faire ? », s'enquit Philip.

Borabé garda le silence avant de répondre d'une voix basse et vibrante : « Nous aller secours de lui. »

52

Hauser se pencha sur le schéma qu'il avait dessiné à gros traits au cours des jours précédents. Ses hommes avaient arpenté la cité à deux reprises, mais elle était à tel point envahie par la végétation qu'il était presque impossible d'en dresser un plan fidèle. Elle abritait plusieurs pyramides, des dizaines de sanctuaires et d'autres édifices. Autant de sites où aménager un tombeau. Il leur faudrait des mois, sauf s'ils avaient de la chance.

Un soldat se présenta à l'entrée du temple et salua.

« Au rapport ! s'écria le privé.

— Ils se trouvent à une trentaine de kilomètres d'ici, avant le gué de l'Ocata. »

Hauser posa lentement le plan. « Vivants ?

— Ils récupèrent. Un Tara prend soin d'eux.

— Des armes ?

— Une vieille carabine de chasse inutile qui appartient à une femme. Des arcs, des flèches et une sarbacane, bien entendu...

— Bon. » À son corps défendant, Hauser éprouvait une certaine admiration pour les trois fils, et surtout pour Philip. Normalement, ils auraient dû être tous morts. Max était comme eux : têtu et veinard. Un mélange explosif. L'image de son ancien compagnon se présenta un instant à son esprit. Max, torse nu, se frayait un chemin à travers la jungle. Son dos en sueur était constellé d'éclats d'écorce, de brindilles et de feuilles. Des mois durant, ils s'étaient enfoncés dans la forêt. Mordus, coupés, infectés, malades. Pour rien. Max l'avait laissé choir pour remonter le fleuve et découvrir seul l'objet de plus

311

d'un an de recherches communes. Rentré chez lui sans le sou, Hauser avait dû s'enrôler. Mais c'était du passé. L'avenir – et la fortune de Broadbent – lui appartenait.

« Je dois envoyer quelques soldats les tuer ? intervint le lieutenant. Cette fois-ci, on est sûrs de les avoir, *jefe*, ma parole.

— Non.

— Je ne comprends pas. »

Hauser regarda l'officier. « Ne leur faites pas de mal. Laissez-les tranquilles. *Qu'ils viennent à moi.* »

53

Philip se remit plus lentement que les autres. Après trois jours des soins que Borabé lui avait administrés, il put toutefois remarcher. Par un matin ensoleillé, les rescapés levèrent le camp et se dirigèrent vers le village tara aménagé au pied de la Sierra Azul. Les décoctions, les onguents et les tisanes du petit Indien avaient produit sur eux un effet remarquable. La machette à la main, Borabé ouvrait la voie d'un pas vif. Vers midi, ils atteignirent le grand cours d'eau où ils avaient découvert Philip. En cinq heures, ils avaient parcouru la distance qu'ils avaient mis cinq jours à franchir lors de leur retraite désespérée. Au-delà de la rivière, lorsqu'ils parvinrent aux premiers contreforts de la montagne, Borabé se mit à avancer en redoublant de précautions. Ils gagnèrent de l'altitude. La forêt semblait plus lumineuse. Les branches des arbres étaient festonnées d'orchidées et des flaques de soleil donnaient un éclat joyeux au chemin qui s'étirait devant eux.

Ils décidèrent de passer la nuit dans un ancien campement tara qui se composait d'un demi-cercle de huttes à toit de palmes, enfouies sous une végétation luxuriante. Progressant dans des herbes qui lui montaient à la taille, Borabé fit siffler sa machette pour dégager un sentier jusqu'aux abris les mieux conservés. Il pénétra dans une petite construction. Tom entendit le bruit sec d'une lame qui s'abat sur le sol, suivi d'un piétinement et de jurons étouffés. Le même phénomène se reproduisit dans une deuxième cabane. Lorsqu'il réapparut, le petit Indien brandissait sa machette, sur la pointe de laquelle était empalé un petit serpent qu'il lança dans la forêt. « Maisons propres. Vous entrer, installer hamacs et dormir. Moi préparer repas. »

Tom jeta un coup d'œil à Sally. Son cœur battait si fort dans sa poitrine qu'il croyait pouvoir l'entendre. Sans échanger un mot, les deux jeunes gens surent ce qu'ils allaient faire.

Ils entrèrent dans la plus petite des huttes. La pièce était chaude et tout imprégnée d'une senteur d'herbes sèches. Des rayons de soleil filtraient parmi les palmes et venaient éclabousser l'intérieur d'une lumière couleur de miel. Après avoir suspendu son hamac, Tom regarda Sally installer le sien. Un mouchetis doré se reflétait sur la chevelure de la jeune femme, comme autant de piécettes qui scintilleraient à chacun de ses mouvements. Quand elle eut fini, il s'avança et lui prit la main. Celle-ci tremblait légèrement. Il attira Sally, lui passa les doigts dans les cheveux et l'embrassa sur la bouche. Elle se rapprocha. Son corps était contre celui de Tom. Il lui redonna un baiser auquel elle répondit en écartant les lèvres. Après avoir connu le goût de sa langue, il embrassa sa bouche, son menton et son cou. Elle se serra encore plus contre lui et lui agrippa le dos. Il effleura des lèvres le haut de sa chemise et descendit lentement en déposant un baiser sur chaque bouton avant de le faire sauter. Lorsqu'il lui eut dévoilé les seins, il embrassa leur tendre pourtour, posa la bouche sur leurs tétons durcis et fit glisser sa main vers le ventre lisse. Il sentait qu'elle lui massait les muscles du dos. Il déboutonna le pantalon de la jeune femme, s'agenouilla pour lui baiser le nombril et lui enserra le creux des reins avant de lui dénuder les jambes. Elle avança les hanches et écarta les cuisses en prenant une courte inspiration. Il continua de l'embrasser en la retenant par les fesses jusqu'à ce qu'il la sente enfoncer les doigts dans ses épaules. Il l'entendit inhaler bruyamment. Soudain, elle haleta. Tout son corps frémissait.

Elle le déshabilla à son tour. Ils s'étendirent dans la pénombre chaude et firent l'amour pendant que le crépuscule tombait. Les taches de lumière rougirent, puis disparurent tandis que le soleil plongeait derrière les arbres, laissant la hutte dans l'obscurité. Les seuls bruits étaient ceux de leurs cris étouffés, qui emplissaient le monde étrange dont ils constituaient le centre.

54

La voix enjouée de Borabé les réveilla. L'obscurité était tombée, l'air avait fraîchi et une odeur de viande grillée flottait jusque dans la hutte.

« Manger ! »

Après s'être habillés, Tom et Sally sortirent d'un air gêné. Le ciel resplendissait d'étoiles et la Voie lactée déployait son arche, tel un fleuve de lumière, au-dessus de leurs têtes. Tom n'avait jamais vu la nuit aussi noire, ni la galaxie aussi claire.

Assis près du feu, Borabé retournait des brochettes tout en perçant des trous dans une courge sèche. Lorsqu'il eut découpé une de ses extrémités, il la porta à ses lèvres et y souffla. Une note basse en sortit, suivie d'une deuxième, puis d'une troisième.

« Vouloir écouter musique ? », demanda-t-il quand il eut mis fin à ses essais.

Il se mit alors à jouer. Les notes vagabondes se rassemblèrent pour former une mélodie envoûtante. Le silence se fit sur la jungle pendant que des sons clairs et purs s'écoulaient de l'instrument, de plus en plus vite, dans les aigus puis dans les graves, en un ruissellement aussi vif que celui d'un torrent de montagne. Parfois, lorsque la musique restait en suspension dans les airs, survenait un moment de calme après lequel elle reprenait. Elle s'acheva sur une série de notes basses qui, par leur caractère fantomatique, évoquaient le gémissement du vent dans une grotte.

Après que Borabé eut posé son instrument, il y eut quelques minutes de silence. Peu à peu, les bruits de

316

la forêt commencèrent à combler le vide laissé par la mélopée.

« Magnifique ! s'écria Sally.

— Tu dois tenir ce don de ta mère, renchérit Vernon. Père n'avait pas l'oreille musicale.

— Oui. Mère chanter très joli.

— Tu as de la chance, reprit Vernon. Nous, on a à peine connu nos mères.

— Vous pas avoir même mère ?

— Non. Elles sont toutes différentes. Père nous a élevés lui-même. »

Les yeux de Borabé s'agrandirent. « Moi pas comprendre.

— Lors d'un divorce… commença Tom avant de s'interrompre. Eh bien, il arrive qu'on confie l'enfant à un parent et que l'autre disparaisse. »

Borabé secoua la tête. « Très bizarre. Moi vouloir avoir Père. » Il retourna les brochettes. « Vous raconter comment vous grandir avec Père. »

Philip partit d'un rire sec. « Bon sang de bois, par où commencer ? Quand j'étais petit, je le trouvais *terrifiant*.

— Il aimait la beauté, précisa Vernon. À tel point qu'il pleurait parfois devant un beau tableau ou une belle statue. »

Un autre ricanement échappa à Philip. « Ouais, parce qu'il ne pouvait pas se les payer. Il tenait à *posséder* la beauté. Il la voulait tout à lui. Les femmes, les tableaux, n'importe quoi. Si c'était beau, il le lui fallait.

— C'est un peu exagéré, objecta Tom. Il n'y a rien de mal à aimer ce qui est beau. Le monde peut être si laid ! Il aimait l'art en soi, et non parce que c'était une mode ou parce que ça lui rapportait.

— Il ne fondait pas son existence sur la règle d'autrui, poursuivit Vernon. C'était un sceptique. Il marchait au rythme d'un autre tambour. »

Philip agita la main. « Comment ? Mais non, Vernon ! Il a culbuté le tambour, il lui a volé son instrument et il a mené le défilé lui-même. C'était sa conception de la vie.

— Quoi vous faire avec lui ? »

Vernon reprit la parole. « Il adorait nous emmener camper. »

Philip s'allongea sur le dos et éclata d'un rire qui ressemblait à un aboiement. « Des excursions merdiques, sous la pluie et au milieu des moustiques, pendant lesquelles il nous brutalisait avec ses corvées !

— J'ai pris mon premier poisson au cours d'une de ces excursions, s'exclama Vernon.

— Moi aussi, dit Tom.

— Quoi c'est camper ? »

Ils avaient oublié la présence de Borabé. « Père avait besoin de fuir la civilisation, de se simplifier l'existence. Il était si compliqué qu'il devait créer de la simplicité autour de lui. Il y parvenait en allant pêcher. Il adorait la pêche à la mouche. »

Philip s'étranglait de rire. « Avec la Sainte Communion, la pêche est sans doute l'activité la plus idiote que l'homme ait jamais inventée.

— Cette remarque est dégradante, déclara Tom. Même pour toi.

— Allons, Tom ! Ne me dis pas que tu t'es mis à ces bondieuseries sur le tard ! Tu me rappelles Vernon et son Octuple Voie. Mais d'où vous vient cette religiosité ? Au moins, Père, lui, était athée. Écoute-moi bien, Borabé ! Il est né catholique, mais il est devenu un athée sensé, droit et solide. »

Vernon s'échauffa. « Il n'y a pas que les costumes Armani dans la vie !

— Très juste. Il y a aussi les Ralph Lauren.

— Attendre ! s'écria Borabé. Vous parler ensemble. Moi pas comprendre.

— C'est toi qui nous as lancés avec ta question, dit Philip en gloussant. Tu en as d'autres ?

— Oui. Comment vous être enfants ? »

Le sourire de Tom s'évanouit sur ses lèvres. La lumière du feu faisait rougeoyer la jungle.

« Je ne suis pas certain de bien saisir, répondit-il.

— Vous dire comment Père être pour vous. Maintenant, moi demander comment vous être pour lui.

— On a été de bons fils, affirma Vernon. On a tenté de se plier à son programme. On a fait tout ce qu'il a voulu. On a obéi à ses règles, on lui a donné ces saloperies de concerts tous les dimanches, on a assisté à tous nos cours et on s'est efforcés de gagner à tous les jeux. On n'a pas toujours réussi, peut-être, mais on a *essayé*.

— Vous faire quoi lui demander, mais quoi faire lui pas demander ? Vous aider lui chasser ? Vous aider lui mettre toit sur maison après orage ? Vous creuser pirogue avec lui ? *Vous soigner lui quand lui malade ?* »

Tom eut soudain l'impression que Borabé l'avait coincé. C'était là que le petit Indien voulait en venir. Il se demanda de quoi Maxwell Broadbent avait parlé à son fils aîné au cours du dernier mois de sa vie.

« Père payait des gens afin qu'ils accomplissent toutes ces tâches pour lui, répliqua Philip. Il avait un jardinier, une cuisinière, une femme de ménage, des couvreurs pour réparer le toit. Et une infirmière. En Amérique, on achète tout ce dont on a besoin.

— Ce n'est pas ce que Borabé a voulu dire, objecta Vernon. Il aimerait savoir ce qu'on a fait pour Père quand il était malade. »

Tom se sentit virer au pourpre.

« Oui. Quand lui malade avec cancer, quoi vous faire ? Vous aller dans maison de lui ? Habiter avec lui ?

— Borabé, lança Philip d'une voix tendue. Il aurait été parfaitement inutile d'imposer notre présence au vieux. Il n'aurait pas voulu de nous.

— Vous laisser étrangère soigner Père quand lui malade ?

— Je ne recevrai de leçon de toi ni de personne sur le devoir filial, s'emporta Philip.

— Moi pas donner leçon. Moi poser question.

— La réponse est oui. On a laissé une étrangère soigner Père. Il nous a rendus si malheureux dans notre enfance que nous l'avons quitté dès que possible. C'est ce qui arrive aux mauvais pères. Leurs fils les abandonnent. Ils partent en courant, ils s'échappent. Ils n'ont qu'une envie : les fuir. »

Borabé se leva. « Lui Père de vous. Bon ou mauvais, lui nourrir vous, protéger vous, élever vous. Lui *faire* vous. »

Furieux, Philip se leva à son tour. « C'est ainsi que tu décris ce vulgaire jaillissement de fluide corporel ? Nous faire ? Nous avons été des accidents, tous autant que nous sommes. Qu'est-ce qu'un père qui ôte ses enfants à leurs mères ? Qui élève ses fils comme s'il expérimentait la création de génies ? Qui les entraîne dans la jungle pour les faire mourir ? »

Soudain, Borabé décocha un uppercut à Philip. Tout alla si vite que les autres eurent l'impression que celui-ci, tiré en arrière par une main invisible, avait été avalé par l'obscurité. Tel un petit dieu de la Colère couvert de peintures multicolores, Borabé serrait et desserrait les poings. Philip se releva et s'assit dans la poussière en toussant. « J'ai dit ! » maugréa-t-il avant de cracher. Sa lèvre ensanglantée enflait à vue d'œil.

Le souffle court, Borabé ne le quittait pas du regard.

Philip s'essuya le menton. Un sourire s'épanouit sur son visage. « Bien. Le frère aîné affirme enfin sa place au sein de la famille.

— Toi pas parler Père comme ça.

— Je parlerai de lui comme il me plaira et ce n'est pas un sauvage illettré qui me fera changer d'avis. »

Borabé serra les poings, mais resta au même endroit.

Vernon aida Philip à se mettre debout. Le blessé tamponna sa lèvre d'un air triomphant. D'abord incertain, Borabé parut alors comprendre qu'il avait commis une erreur. En frappant son frère, il avait en quelque sorte perdu la partie.

« Bon, dit Sally. Assez parlé de Maxwell Broadbent. On ne peut pas se permettre de se battre dans un moment pareil. Vous le savez tous. »

Elle regarda Borabé. « On dirait que le dîner a brûlé. »

Le petit Indien entreprit de récupérer les brochettes noircies et de les envelopper dans des feuilles.

Les propos sans complaisance de Philip résonnaient dans la tête de Tom. *C'est ce qui arrive aux mauvais pères. Leurs fils les abandonnent.* Il s'interrogeait. Était-ce là ce qu'ils avaient fait ?

55

Mike Graff s'installa dans le fauteuil à oreillettes placé près de l'âtre et croisa les jambes avec élégance. L'intérêt et le plaisir se lisaient sur son visage. Skiba ne comprenait pas que, contre vents et marées, cet homme ait pu entretenir l'aura de confiance en soi un peu crispée qui caractérise les anciens élèves des écoles de qualité moyenne. Sur le Styx, manœuvrant la barque de Charon en direction de la porte des Enfers, Graff aurait gardé son expression avenante pour mieux convaincre ses passagers que le Paradis les attendait au détour du méandre suivant.

« Que puis-je pour toi ? demanda Skiba d'un ton affable.

— Qu'est-ce qui arrive à l'action depuis deux jours ? Elle a repris dix pour cent. »

Skiba secoua la tête. La maison était en feu et Graff, dans la cuisine, se plaignait que le café soit froid. « Réjouis-toi qu'on ait survécu à l'article que le *Journal* a consacré au phloxatane.

— Raison de plus pour s'inquiéter de voir l'action remonter.

— Écoute...

— Lewis, la semaine dernière, tu n'aurais pas parlé du *Codex* à Fenner, par hasard ?

— Si.

— Bordel ! Tu sais bien que ce type est un sac à merde. On a assez de problèmes pour ne pas y ajouter un délit d'initié. »

Skiba dévisagea son interlocuteur. Il aurait dû se débarrasser de lui avant, mais Graff les avait tellement compromis qu'il était hors de question de faire machine arrière. Quelle importance ? C'était fini. Pour Graff, pour la société et surtout pour lui-même. Une telle absurdité lui donnait envie de hurler. Un abîme s'était ouvert sous leurs pieds. Ils étaient en chute libre et Graff ne s'en apercevait même pas.

« Il s'apprêtait à descendre Lampe en flammes pour pousser les actionnaires à vendre. J'ai été obligé. Il n'est pas idiot. Il ne dira rien à personne. Il ne risquerait pas de foutre sa vie en l'air pour quelques centaines de milliers de dollars.

— Tu veux rire ? Il assommerait sa grand-mère pour lui piquer trois sous dans son sac à main.

— Il n'y est pour rien. Ce sont les vendeurs à découvert qui confortent leur position.

— Ça n'explique que trente pour cent de ce qui se passe.

— Assez, Mike. *Assez.* Tu ne vois pas ce qui se passe ? C'est fini. Nous sommes finis. Lampe est fini. »

Graff le regarda d'un air stupéfait. « Qu'est-ce que tu racontes ? On va s'arranger. L'orage passera quand on aura récupéré le *Codex*. »

À ces mots, Skiba sentit son sang se figer dans ses veines. « Tu crois vraiment que le *Codex* va régler nos problèmes ? » Il s'était exprimé d'une voix calme.

« Et pourquoi pas ? Quelque chose m'échappe ? Il y a du nouveau ? »

Skiba hocha la tête. À quoi bon ?

« Ce défaitisme ne te ressemble pas, reprit Graff. Où est ta célèbre combativité ? »

Skiba était fatigué, épuisé. Cette discussion ne rimait à rien. C'était fini, bien fini. Il n'y avait plus aucune raison de parler. À présent, tout ce qu'ils avaient à faire, c'était attendre. Ils étaient réduits à l'impuissance.

« On révélera l'existence du *Codex*, poursuivit Graff. L'action Lampe va crever le plafond. Le succès appelle le succès. Les actionnaires nous pardonneront et le président de la SEC arrêtera de jouer les Père la Morale. Voilà pourquoi le délit d'initié m'inquiète. Si quelqu'un a parlé du *Codex* à quelqu'un d'autre, qui en a parlé à sa belle-mère, qui a téléphoné à son neveu de Trifouillis-les-Oies, alors l'accusation nous collera à la peau. C'est comme la fuite de capitaux. De nos jours, tout le monde en est soupçonné. Regarde ce qui est arrivé à Martha…

— Mike !

— Oui ?

— Fous-moi le camp. »

Skiba éteignit les lumières, débrancha les téléphones et attendit la tombée de la nuit. Sur son bureau ne restaient que trois objets : la petite boîte à pilules en plastique, le Macallan de soixante ans d'âge et un verre propre.

C'était l'heure du grand plongeon.

56

Le lendemain, ils quittèrent le village tara abandonné pour gravir les premiers contreforts de la Sierra Azul. Très pentu par endroits, le sentier traversait des forêts, des prairies et des champs en jachère. De temps à autre, Tom entrapercevait, cachée dans la jungle, une hutte à toit de chaume qui tombait en ruine.

Ils pénétrèrent dans une futaie froide et profonde. Soudain, Borabé insista pour ouvrir la marche. Contrairement à son habitude, il se mit à faire du bruit, à chanter, à donner des coups de machette inutiles à la végétation et à leur imposer de nombreuses haltes «pour se reposer», ce que Tom, inquiet, traduisait par «pour reconnaître les lieux».

Il s'immobilisa lorsqu'ils eurent atteint une clairière. «Manger!» s'écria-t-il. Il entonna un chant tonitruant tout en ouvrant les ballots de palmes.

«On a déjà mangé il y a deux heures, s'étonna Vernon.

— Encore!» s'époumona Borabé en se débarrassant de son arc et de ses flèches. Tom remarqua qu'il déposait les armes à bonne distance du petit groupe.

Sally s'assit près de lui. «Il va se passer quelque chose.»

Borabé les aida à se défaire de leurs sacs à dos, qu'il plaça près de son arc et de ses flèches, à l'autre extrémité de la clairière. Il s'avança alors vers la jeune femme et l'attira contre lui en la prenant par la taille. «Toi donner carabine», dit-il à voix basse.

Elle obtempéra. Pour finir, il leur prit leurs machettes.

« Mais qu'est-ce qu'il y a ? demanda Vernon.

— Rien. Nous reposer ici. » Il fit circuler des bananes plantain séchées. « Vous avoir faim, frères ? Bananes très bonnes.

— Je n'aime pas ce qui se mijote », souffla Philip.

Insensible à la tension sous-jacente, Vernon mordit à belles dents dans les fruits. « Délicieux ! s'extasia-t-il, la bouche pleine. On devrait faire deux déjeuners par jour.

— Très bien ! Deux déjeuners ! Bonne idée ! », reprit Borabé en hurlant de rire.

C'est alors que Tom comprit. Sans qu'ils aient entendu un bruit ou détecté un mouvement, ils se retrouvaient entourés d'hommes qui tendaient leurs arcs au maximum et dirigeaient sur eux des centaines de flèches à pointe de pierre. Il eut l'impression que la jungle s'était retirée, comme la mer à marée basse, laissant les guerriers exposés tels des rochers sur la grève.

Vernon poussa un cri, s'écroula à terre et fut aussitôt cerné par des Indiens frémissants. Seuls quelques centimètres séparaient cinquante dards de son torse.

« Pas bouger ! », s'exclama Borabé. Il se retourna pour parler rapidement à ses congénères. Lentement, les arcs se détendirent et les hommes reculèrent d'un pas. Borabé continua de palabrer, moins vite et d'une voix plus grave, mais sur un ton tout aussi pressant. Après avoir fait un autre pas en arrière, les guerriers abaissèrent leurs arcs.

« Maintenant, vous bouger, dit Borabé. Vous lever. Pas serrer main. Regarder eux dans yeux. *Pas sourire.* »

Ils s'exécutèrent.

« Aller chercher sacs et armes. Vous pas montrer peur. Faire visage colère, mais pas parler. Si vous sourire, vous mourir. »

Ils lui obéirent à la lettre. Lorsque Tom ramassa sa machette, les arcs se relevèrent un court instant. Quand il la passa à sa ceinture, ils se rabaissèrent. Conformément aux instructions de Borabé, le jeune homme foudroya les guerriers du regard. Il sentit ses jambes se dérober sous celui qu'ils lui lancèrent en retour.

Borabé, qui avait encore changé de ton, semblait indigné. Il s'adressa à un Indien plus grand que les autres, dont les gros biceps s'ornaient de bandes de tissu d'où pendaient des plumes aux couleurs éclatantes. Le gaillard portait au cou une cordelette à laquelle étaient accrochés quelques déchets de la technologie occidentale : un CD-Rom qui proposait six mois d'accès à AOL, une calculatrice dans laquelle il avait percé un trou et un cadran prélevé sur un vieux téléphone.

Le guerrier avisa Tom, fit un pas dans sa direction et s'immobilisa.

« Frère, toi avancer vers homme et dire avec voix colère que toi attendre excuses. »

Espérant que Borabé maîtrisait toutes les implications psychologiques de la situation, Tom s'approcha du guerrier. « Tu oses pointer ton arc sur nous ? » gronda-t-il.

Borabé joua les interprètes. Leur interlocuteur leur répondit d'une voix irritée, en agitant sa lance devant le visage de Tom.

« Lui dire : « Qui toi être ? Pourquoi toi venir sur territoire tara sans invitation ? » Toi dire avec voix colère que toi venir sauver Père. Toi crier. »

Tom se plia à ces exigences. Il avança d'un pas et, parvenu à quelques centimètres de l'Indien, se mit à brailler. Le géant répondit d'un ton encore plus courroucé, en brandissant son arme sous le nez du jeune homme. Aussitôt, plusieurs de ses compagnons relevèrent leur arc.

« Lui dire Père faire beaucoup ennuis à Taras et lui très fâché. Maintenant, toi devoir être très fâché aussi. Toi dire lui baisser arcs. Toi dire pas parler avant arcs baissés. Ça être grande insulte. »

Suant à grosses gouttes, Tom essaya de chasser sa terreur et de feindre la colère. « Tu oses nous menacer ? s'écria-t-il. Nous sommes venus dans ce pays en paix et tu nous proposes la guerre ? Est-ce ainsi que les Taras traitent leurs hôtes ? Êtes-vous des bêtes ou des hommes ? »

À travers la traduction de Borabé, sans doute enrichie de nuances toutes personnelles, Tom sentit que le petit Indien l'approuvait.

Les arcs se baissèrent une fois de plus. Cette fois-ci, les guerriers reprirent leurs flèches et les rangèrent dans les carquois.

« Maintenant, toi sourire. Petit sourire, pas grand. »

Tom obéit, avant de reprendre un visage grave.

Borabé parla longuement, puis se tourna vers lui. « Toi embrasser lui comme Tara. »

Avec maladresse, le jeune homme prit le grand costaud dans ses bras et lui donna des baisers dans le cou, comme Borabé l'avait si souvent fait avec lui. À la fin de ces effusions, il avait les lèvres et le visage barbouillés de rouge et de jaune. Lorsqu'il lui rendit la politesse, l'Indien lui en passa une deuxième couche.

« Bon, conclut Borabé, que le soulagement faisait presque vaciller. Tout aller bien maintenant. Nous partir village tara. »

Organisé autour d'une esplanade en terre battue, le village se composait de deux anneaux de huttes semblables à celles où ils avaient dormi peu de temps auparavant. Privées de fenêtres, ces habitations ne possédaient qu'une ouverture pratiquée au sommet de leur toit de palmes. Devant nombre d'entre elles brûlaient des feux de cuisine surveillés par des femmes qui, Tom le remarqua, utilisaient les marmites françaises, les sauteuses en cuivre et les couteaux en acier inoxydable de Meissen que Maxwell Broadbent leur avait apportés. Lorsqu'il suivit les guerriers jusqu'au centre de la place, le jeune homme vit des portes de chaume s'ouvrir et plusieurs villageois sortir pour observer les nouveaux venus avec curiosité. Les petits enfants allaient complètement nus. Les plus âgés étaient vêtus de shorts ou de pagnes crasseux. Quant aux femmes, elles ne portaient qu'un morceau de tissu serré à la taille et leur poitrine nue était badigeonnée de rouge. Les lèvres et les oreilles de plusieurs d'entre elles s'ornaient de disques. Seuls les hommes avaient droit aux plumes.

Il n'y eut aucune cérémonie de bienvenue. Les guerriers qui les avaient amenés s'éloignèrent pour vaquer à leurs occupations sans leur prêter la moindre attention. Pendant ce temps, les femmes et les enfants restaient là, bouche bée.

« Qu'est-ce qu'on fait maintenant ? », demanda Tom. Debout au centre de l'esplanade, il promenait les yeux autour de lui.

« Nous attendre », répondit Borabé.

Une vieille Indienne édentée ne tarda pas à sortir d'une hutte. Courbée sous le poids des ans, elle s'appuyait sur un bâton. Ses cheveux blancs coupés court lui donnaient l'air d'une sorcière. Elle s'approcha d'eux avec une lenteur exaspérante, en les fixant de ses yeux ronds comme des billes, en suçotant l'intérieur de ses joues et en marmonnant à voix basse. Elle arriva enfin devant Tom et fixa son regard sur lui.

Borabé déclara avec calme : « Toi rien faire. »

Elle abattit une main flétrie sur les genoux du jeune homme, puis sur ses cuisses, une fois, deux fois, trois fois – avec une vivacité surprenante chez une vieille dame –, sans cesser de murmurer des propos incompréhensibles. Ensuite, elle brandit son bâton, dont elle lui donna un coup sur les tibias et les fesses. Après avoir laissé tomber sa canne, elle soupesa avec obscénité l'entrejambe de Tom, qui avala sa salive et s'efforça de garder son sang-froid face à un examen aussi minutieux de ses attributs. Elle finit par lever les bras en agitant les doigts. Le jeune homme se pencha en avant. Elle l'agrippa par les cheveux et les lui tira avec une telle force qu'il en eut les larmes aux yeux.

Elle recula. De toute évidence, l'inspection était terminée. Elle lui adressa un sourire édenté et s'exprima longuement.

Borabé se chargea de la traduction. « Elle dire contrairement à apparences toi être vrai homme. Elle inviter toi et frères rester dans village comme invités Taras. Elle accepter aidc pour combattre mauvais hommes dans Cité blanche. Elle dire toi responsable.

— Qui est-ce ? » Tom lança un coup d'œil à l'aïeule, qui le toisait du regard.

« Femme de Cah. Attention, elle aimer toi. Peut-être elle venir dans hutte cette nuit. »

Cette sortie les aida à se détendre. Ils rirent aux éclats. Philip semblait s'amuser encore plus que les autres.

« Je suis responsable de quoi ? » s'enquit Tom.

Borabé braqua les yeux sur lui. « Toi chef de guerre. »

Le jeune homme était abasourdi. « Mais comment ? Je suis arrivé il y a dix minutes !

— Elle dire guerriers taras perdre contre Blanc et beaucoup morts. Toi Blanc aussi, peut-être toi comprendre mieux ennemi. Demain, toi mener bataille contre mauvais hommes.

— Demain ? s'écria Tom. Merci bien, mais je refuse une telle responsabilité !

— Toi pas avoir choix, murmura Borabé. Elle dire si toi refuser, guerriers taras tuer nous. »

Cette nuit-là, les villageois allumèrent un feu de joie et organisèrent une sorte de fête. Celle-ci débuta par un festin dont les nombreux mets leur furent présentés sur des feuilles. Un tapir cuit à l'étouffée dans une fosse en constituait le plat de résistance. Après avoir dansé, les hommes, sous la conduite de Borabé, leur donnèrent un concert de flûtes d'une envoûtante étrangeté. Tout le monde alla dormir tard. Au bout de quelques heures, Borabé réveilla le petit groupe. Il faisait encore nuit.

« Nous aller maintenant. Parler à eux. »

Tom le dévisagea. « Je dois faire un *discours* ?

— Moi aider toi.

— Je serais curieux de voir ça », susurra Philip.

De nouvelles bûches avaient été ajoutées au brasier. Tom constata que tous les villageois attendaient son allocution debout, en silence et l'air respectueux.

Borabé chuchota : « Toi dire à moi choisir dix meilleurs guerriers pour combat.

— Mais quel combat ?

— Contre Hauser.

— On ne peut…

— Toi pas parler et *faire quoi moi dire* », siffla Borabé.

Tom obtempéra. Le petit Indien commença à parcourir la foule. Il tapait dans ses mains et assénait de grandes claques sur l'épaule de certains villageois. Cinq minutes plus tard, dix guerriers ornés de plumes, de peintures et de colliers se tenaient côte à côte, l'arc et le carquois en bandoulière.

« Maintenant toi faire discours.

— Et je leur dis quoi ?

— Belles paroles. Comment toi secourir Père, tuer mauvais hommes. Toi pas t'inquiéter, moi arranger tout.

— Et n'oublie pas de leur promettre la poule au pot tous les dimanches », ajouta Philip.

Tom avança d'un pas et parcourut l'assistance des yeux. Le brouhaha des conversations ne tarda pas à se calmer. Chacun le regardait avec espoir. Un frisson le parcourut. Il ne comprenait absolument pas ce qu'il faisait là.

« Euh… mesdames et messieurs. »

Après lui avoir lancé un regard où se lisait le reproche, Borabé prit une voix martiale pour hurler des propos dont l'effet fut nettement supérieur à celui qu'aurait produit cette introduction un peu molle. Un bruissement se fit entendre et tout le monde prit un air pénétré. Tom éprouvait un sentiment de déjà-vu. Il se souvint du laïus que Don Alfonso avait délivré aux habitants de Pito Solo avant son départ. Quand bien même elle ne contiendrait que mensonges et fausses promesses, son allocution devait être calquée sur celle du vieillard.

Il inspira profondément. « Mes amis ! Nous avons quitté une terre lointaine, l'Amérique, pour venir chez les Taras. »

Un frémissement s'empara des villageois lorsqu'il prononça le mot « Amérique ».

« Nous avons parcouru des milliers de kilomètres en avion, en pirogue et à pied. Nous avons voyagé quarante jours et quarante nuits. »

Borabé traduisit sur un ton déclamatoire. Tom s'aperçut que le petit Indien s'était acquis l'attention de son auditoire.

« Un grand malheur s'est abattu sur les Taras. Un barbare appelé Hauser est venu du bout du monde avec des mercenaires pour tuer les Taras et piller leurs tombes. Ils ont enlevé votre grand prêtre et massacré vos guerriers. À l'heure où je vous parle, ils se trouvent dans la Cité blanche, qu'ils profanent de leur présence. »

Lorsque Borabé eut achevé sa traduction, un murmure d'approbation s'éleva du public.

« Nous sommes ici, nous, les quatre fils de Maxwell Broadbent, pour débarrasser les Taras de cet homme. Nous sommes venus sauver notre père des ténèbres du tombeau. »

Il marqua un temps d'arrêt pour permettre à Borabé de traduire. Éclairés par les flammes, cinq cents visages à l'expression captivée se tournaient vers lui.

« Mon frère Borabé nous conduira dans la montagne où nous observerons les mauvais hommes et préparerons notre attaque. Demain, nous nous battrons. »

À ces mots retentit un bruit bizarre, qui évoquait un raclement de gorge ou un rire saccadé. Tom se dit qu'il s'agissait, pour les Taras, d'une sorte d'équivalent des applaudissements et des acclamations. Il sentit Philou se terrer au fond de sa poche de chemise.

« Toi demander eux faire prières et offrandes », chuchota Borabé.

Tom s'éclaircit la voix. « Vous, les Taras, vous avez un rôle important à jouer dans le combat qui s'annonce. Je vous demande de prier pour nous et de faire des offrandes en notre nom. Je vous demande de le faire tous les jours jusqu'à ce que nous revenions en vainqueurs. »

D'une voix de stentor, Borabé se fit l'interprète de ce souhait. Les villageois étaient électrisés. Ils se précipitèrent en avant dans un murmure d'exaltation. Tom se sentit submerger par un sentiment d'absurdité. Ces gens croyaient en lui plus que lui-même.

Tout à coup, une voix éraillée s'éleva. Les Indiens reculèrent aussitôt, laissant la vieille épouse de Cah seule devant l'orateur. Appuyée sur sa canne, elle leva les yeux et les braqua sur Tom. Après un long silence, elle brandit son bâton, prit son élan et l'abattit de toutes ses forces sur les cuisses du jeune homme, qui se retint de vaciller et de grimacer.

Elle se mit alors à brailler d'une voix chevrotante.

« Qu'est-ce qu'elle dit ? »

Borabé se tourna vers Tom. « Moi pas savoir comment traduire. Expression tara très forte. Un peu comme : "Toi tuer ou toi mourir." »

57

Julian Clyve se cala dans son vieux fauteuil grinçant, posa les pieds sur son bureau et se prit la nuque à deux mains. Par la fenêtre, il voyait les feuilles du sycomore subir les assauts du vent, qui soufflait avec violence en ce jour de mai. Absente depuis plus d'un mois, Sally n'avait donné aucune nouvelle. Bien qu'il n'en ait pas attendu, il ne pouvait s'empêcher de juger ce long silence perturbant. Lorsqu'elle était partie, ils s'attendaient tous deux à ce que le *Codex* inaugure un nouveau triomphe académique dans la carrière du professeur. Après y avoir réfléchi une ou deux semaines, Clyve avait changé d'avis. Il était bénéficiaire d'une bourse Rhodes, enseignant à Yale, couvert de distinctions universitaires et il avait plus publié que bon nombre de ses collègues en toute une vie. En réalité, il n'avait besoin de rien d'autre. Ce qui lui manquait, il fallait bien le reconnaître, c'était *l'argent*. L'Amérique était construite sur de fausses valeurs. La véritable récompense, à savoir la richesse, n'était pas accordée à ceux qui la méritaient le plus : les intellectuels qui faisaient avancer la société, le petit cercle des cerveaux qui contrôlaient, dirigeaient et disciplinaient le grand mollusque appelé *vulgus mobile*. Or qui s'enrichissait ? Les sportifs de haut niveau, les chanteurs de rock, les acteurs et les présidents-directeurs généraux. Et lui, le meilleur de sa profession, gagnait moins qu'un plombier. C'était exaspérant d'injustice.

Où qu'il aille, on se ruait sur lui, on lui broyait la main, on l'admirait, on le portait aux nues. Tous les nantis de New Haven voulaient faire sa connaissance, l'avoir à leur table, l'intégrer à leurs collections et l'exhiber en témoignage de leur bon goût, comme un tableau de maître ancien ou une vénérable pièce d'argenterie. C'était non seulement révulsant, mais aussi humiliant et coûteux. Presque tous les gens qu'il fréquentait avaient des moyens supérieurs aux siens. Il avait beau crouler sous les honneurs, rafler tous les prix et publier des kilomètres de monographies, il n'en restait pas moins incapable de régler l'addition dans un restaurant passable de la ville. C'étaient *eux* qui payaient. *Eux* qui l'invitaient aux dîners de charité à tenue correcte exigée, eux qui régalaient toute la tablée en balayant d'un revers de la main ses fausses promesses de remboursement. Et, à la fin, il devait regagner en catimini le ghetto universitaire et ce trois pièces en duplex dont le caractère bourgeois le révoltait, pendant qu'ils partaient retrouver leurs immenses demeures des banlieues chic.

Désormais, il avait enfin le moyen de remédier à cette situation. Il lança un coup d'œil au calendrier. C'était le 31 mai. Le lendemain lui parviendrait le premier versement des deux millions de dollars que le grand laboratoire pharmaceutique suisse Hartz allait lui payer. La confirmation codée devrait bientôt arriver par courrier électronique des îles Caïmans. Bien sûr, il lui faudrait dépenser cet argent hors des États-Unis. Une villa cossue de la côte amalfitaine serait idéale pour les engloutir. Un million pour la maison, un autre pour les frais. À ce qu'on disait, Ravello était un endroit sympa. Sally et lui pourraient y passer leur lune de miel.

Il repensa à sa rencontre avec le président-directeur général et son conseil d'administration si sérieux, si suisse. Bien entendu, toutes les personnes présentes doutaient, mais lorsqu'elles avaient vu la page qu'il avait déjà traduite, l'eau leur était montée à la bouche. Le *Codex* leur rapporterait des milliards. La plupart des labos disposaient de services spécialisés dans l'évaluation des médecines traditionnelles. Clyve venait de montrer aux dirigeants de Hartz, dans un bel emballage, le livre de recettes médicales dont ils rêvaient. Il était pratiquement le seul être sur terre, à l'exception de Sally, à pouvoir en donner une traduction fidèle. Hartz devrait conclure un marché avec les Broadbent, mais le premier laboratoire pharmaceutique du monde était mieux placé que personne pour banquer. De toute façon, sans ses talents de traducteur, à quoi le *Codex* servirait-il aux Broadbent ? Tout serait fait selon les règles. L'entreprise y tenait. On est suisse ou on ne l'est pas.

Il se demanda comment Sally réagirait quand elle apprendrait que le *Codex* allait disparaître dans la gueule d'une gigantesque multinationale. La connaissant comme il la connaissait, il était prêt à parier qu'elle le prendrait mal. Mais lorsqu'ils commenceraient à dépenser ensemble les deux millions que Hartz avait accepté de lui offrir pour le remercier d'avoir apporté cette affaire – sans même parler de la généreuse rémunération que lui vaudrait son travail de traduction –, elle mettrait de l'eau dans son vin. Il lui démontrerait que cette firme était la mieux équipée pour élaborer de nouveaux médicaments et les mettre sur le marché. C'était incontestablement la meilleure solution. Il fallait de l'argent pour concevoir des remèdes inédits. Personne ne le ferait gratuitement. Le profit faisait tourner le monde.

Quant à lui, la pauvreté lui avait convenu quelque temps, lorsqu'il était jeune et idéaliste, mais elle deviendrait insupportable après trente ans. Et cette échéance approchait...

58

Après dix heures de marche dans la montagne, Tom et son groupe atteignirent le sommet d'une crête dénudée et battue par les vents. Un spectacle somptueux les y attendait. Une succession de pics et de vallées formait un océan déchaîné qui se découpait jusqu'à l'horizon en bandes d'un violet toujours plus sombre.

Borabé tendit le doigt. « Sukia Tara, Cité blanche. »

Sous la lumière crue de l'après-midi, Tom plissa les paupières. À environ huit kilomètres s'élevaient deux pitons de roche blanche entre lesquels se nichait un plateau bordé de crevasses et protégé par des pointes déchiquetées. C'était la seule tache verte du paysage. Le jeune homme avait l'impression qu'un lambeau de forêt avait été transplanté entre les deux crocs immaculés et qu'il restait là, vacillant au bord du gouffre. Tom, qui s'attendait à découvrir des tours et des murailles en ruine, ne distinguait qu'une épaisse couche de végétation.

Vernon prit ses jumelles pour examiner le site, avant de les tendre à Tom.

Soudain agrandi, le plateau sauta aux yeux du jeune homme, qui le fouilla lentement du regard. Il était couvert d'arbres et de ce qui ressemblait à un tapis de plantes grimpantes et rampantes. Si ce lieu étrange abritait encore une cité, elle devait se dissimuler sous la jungle. En scrutant la verdure, Tom y vit apparaître des touches blanchâtres dans lesquelles il devina des formes : un angle, un pan de mur écroulé, un carré sombre qui ressemblait à une fenêtre. Plus il observait ce qu'il avait d'emblée pris pour une colline pentue, plus il y reconnaissait les flancs d'une pyramide en ruine et noyée sous la forêt. Une de ses faces présentait un trou béant, telle une blessure blanche dans une chair verte.

La mesa sur laquelle la cité était édifiée se présentait vraiment comme une île en plein ciel. Il vit un fil jaune s'incurver au-dessus du précipice. Un pont suspendu. En l'examinant davantage, il remarqua que l'ouvrage était gardé par des soldats abrités dans un fort qui avait permis aux premiers occupants de protéger leur ville. À la tête du pont, Hauser et ses hommes avaient abattu une grande partie de la forêt pour se doter d'une ligne de tir dégagée.

De l'autre côté, un petit cours d'eau qui prenait sa source dans la montagne se déversait dans le gouffre en un filet gracieux, puis disparaissait dans les brumes en contrebas. Celles-ci s'élevèrent en panaches et cachèrent le pont suspendu, puis la cité elle-même. Elles se dissipèrent, montèrent de nouveau et se délitèrent une fois de plus, dans un incessant ballet où alternaient le clair et l'obscur.

Tom frissonna. Quarante ans auparavant, Maxwell Broadbent s'était sans doute tenu à cet endroit précis. Il avait dû déceler les vagues contours de la cité au sein de la végétation chaotique. C'était là qu'il avait fait sa première découverte et commencé l'œuvre de toute une vie. Et c'était là qu'il avait fini, enterré vivant dans les ténèbres de la tombe. La Cité blanche représentait l'alpha et l'oméga de son existence.

Tom passa les jumelles à Sally. Après avoir longuement examiné les lieux, elle se tourna vers lui. L'exaltation lui rosissait les joues. « C'est un site maya, déclara-t-elle. Au centre, il y a un jeu de balle, une pyramide et des constructions à étages. L'ensemble est de style classique récent. Ses bâtisseurs venaient de Copán, j'en suis sûre. C'est ici que les Mayas se sont repliés après la chute de la cité, en 900. Un grand mystère a trouvé sa clé. »

Ses yeux étincelaient. Le soleil faisait briller ses cheveux dorés. Tom ne l'avait jamais vue aussi énergique.

C'était étonnant, se dit-il, compte tenu du fait qu'ils n'avaient guère dormi.

Elle ne le quittait pas des yeux. Il eut l'impression qu'elle avait deviné ses pensées. Elle rougit et détourna le regard en souriant.

Philip prit les jumelles à son tour et les braqua sur la cité. Tom l'entendit hoqueter : « Il y a des gens là-bas. Ils coupent des arbres au pied de la pyramide. »

Le bruit sourd de la dynamite se fit entendre et un nuage de poussière s'épanouit au-dessus de la ville, telle une petite fleur blanche.

« Il va falloir trouver la sépulture de Père avant eux, murmura Tom. Sinon… » Il laissa sa phrase en suspens.

59

Pour mieux observer Hauser et ses hommes, ils passèrent le reste de l'après-midi à couvert. Un groupe de soldats abattait les arbres qui poussaient sur un temple construit au pied de la grande pyramide, tandis qu'un autre creusait des trous et provoquait des explosions dans une pyramide voisine, de taille plus modeste. Les vents tournants leur faisaient parvenir le bruit étouffé des tronçonneuses et, environ toutes les demi-heures, la détonation lointaine des explosifs. Aussitôt après, ils voyaient se former un nuage de poussière.

« Elle est où, la tombe de Père ? demanda Tom à Borabé.

— Dans falaise sous cité, autre côté. Là cimetière.

— Hauser va la découvrir ?

— Oui. Sentier caché, mais lui finir par trouver. Peut-être demain, peut-être dans quinze jours. »

À la tombée de la nuit, deux projecteurs éclairèrent la Cité blanche, et deux autres le pont suspendu ainsi que ses alentours. Hauser, qui ne laissait rien au hasard, était venu bardé d'un équipement complet, y compris d'un générateur.

Ils dînèrent en silence. Tom put à peine avaler les grenouilles ou les lézards – il n'aurait su les reconnaître – que Borabé leur avait préparés. De son poste d'observation, sur la crête, il avait le sentiment que le site était bien protégé, voire imprenable.

À la fin du repas, ce fut Philip qui exprima la pensée de chacun : « Je crois qu'on ferait mieux de ficher le camp et d'aller chercher du secours. On n'y arrivera jamais seuls.

— Quand ils auront trouvé la sépulture et qu'ils l'auront ouverte, qu'est-ce qu'ils feront, d'après toi ? demanda Tom.

— Ils la pilleront.

— Non. Avant, Hauser tuera Père. »

Philip resta muet.

« Il nous faudrait au moins quarante jours pour rentrer. Si on veut sauver Père, il faut agir *maintenant*, reprit Tom.

— Je ne veux pas être celui qui empêchera les autres de le secourir, mais... Bon sang de bois, on n'a qu'une vieille carabine, peut-être dix cartouches, et quelques guerriers peinturlurés munis d'arcs et de flèches. Eux, ils ont des armes automatiques, des lance-grenades et de la dynamite. En plus, ils ont l'avantage de défendre une position incroyablement sûre.

— Pas s'il existe une entrée secrète.

— Pas entrée secrète, intervint Borabé. Seulement pont.

— Il doit bien y avoir un autre chemin, insista Tom. *Sinon, comment a-t-on aménagé le pont ?* »

Borabé le dévisagea. Heureux d'avoir avancé un argument de poids, le jeune homme se sentit rougir.

« Dieux aménager pont.

— Les dieux n'aménagent pas les ponts.

— Dieux aménager *ce* pont.

— Bordel de merde, Borabé ! Ce pont a été construit par des *gens* qui devaient se tenir de chaque côté du précipice !

— Il a raison, approuva Vernon.

— Dieux aménager pont, confirma le petit Indien. Mais... » Il hésita un instant. « Taras savoir construire pont d'un côté seulement.

— Impossible.

— Frère, toi toujours sûr avoir raison ? Moi dire à toi comment eux faire. D'abord, tirer flèche avec corde et

341

crochet. Planter dans arbre en face. Après, envoyer petit garçon dans panier sur roue.

— Et il traverse comment ?

— Lui tirer sur corde pour avancer.

— Comment une flèche qui entraîne une corde et un crochet peut-elle traverser un gouffre large de deux cents mètres ?

— Taras utiliser grand arc et flèche spéciale avec plumes. Très important attendre jour avec grand vent dans bonne direction.

— Continue.

— Quand petit garçon arriver, homme envoyer deuxième flèche avec corde. Petit garçon attacher deux cordes ensemble, mettre corde autour petite roue...

— Une poulie !

— Oui. Alors homme pouvoir faire traverser beaucoup choses avec poulie. D'abord, dans panier, gros câble qui déroule en chemin. Garçon fixer gros câble à arbre. Alors homme pouvoir traverser sur gros câble. Maintenant, homme et garçon même côté. Homme utiliser deuxième poulie pour faire traverser encore trois câbles. Maintenant, quatre câbles au-dessus canyon. Maintenant, autres hommes traverser dans panier...

— C'est bon. Je vois le topo. »

Ils se turent lorsqu'ils eurent compris qu'ils se trouvaient dans une situation impossible.

« Les guerriers ont essayé de leur tendre une embuscade et de couper le pont ? demanda Vernon.

— Oui. Beaucoup mourir.

— Ils ont essayé d'envoyer des flèches enflammées ?

— Impossible atteindre pont.

— Ne perdons pas de vue, déclara Philip, que si le pont est coupé, Père reste prisonnier dans la cité.

— Je sais bien ! J'envisage plusieurs hypothèses. On pourrait proposer un marché à Hauser. Il laisse Père sortir, moyennant quoi il garde la tombe et ses richesses. On lui donne tous notre parole et le tour est joué.

— Père n'acceptera jamais, intervint Tom.

— Même s'il a la vie sauve ?

— Il se meurt du cancer.

— Même si *nous* avons la vie sauve ? »

Philip les regarda. « N'allez pas croire que Hauser soit digne de confiance et qu'on puisse conclure un marché avec lui.

— C'est vrai, convint Vernon. On a écarté l'hypothèse qui consiste à pénétrer dans la cité par un autre chemin. On a écarté celle d'une attaque frontale. Quelqu'un sait construire un téléphérique ?

— Non.

— Il n'y a donc qu'une solution.

— Laquelle ? »

Après avoir lissé la poussière, Vernon commença à dessiner un plan et à expliquer son projet. Quand il eut fini, Philip secoua la tête et prit la parole.

« C'est dément. On doit rentrer, trouver de l'aide et revenir. Il leur faudra peut-être plusieurs mois avant de découvrir la tombe de Père. »

Borabé s'exprima à son tour. « Philip, toi pas comprendre. Si nous partir, Taras tuer nous.

— Ben voyons !

— Nous promettre. Devoir tenir promesse.

— Je n'ai rien promis, bon sang de bois ! C'est Tom qui a promis. De toute façon, nous pouvons contourner le village des Taras et être loin avant qu'ils n'aient remarqué notre absence. »

Borabé branla du chef. « Ça être lâche, frère. Ça laisser mourir Père dans tombe. Si Taras attraper toi, mort lente et vilaine. Eux couper…

— On sait ce qu'ils font.

— Pas rester assez nourriture et eau dans tombeau pour Père vivre longtemps. »

Le feu crépitait. Tom observait la Cité blanche à travers les arbres. En contrebas, à environ huit kilomètres d'eux, il voyait briller les lumières. Le bruit sourd d'une explosion se fit de nouveau entendre. Hauser et sa troupe travaillaient nuit et jour. Aucune solution ne convenait. Quant au projet de Vernon, il était médiocre, mais c'était ça ou rien.

« Assez parlé, s'exclama-t-il. On a un plan. Qui est pour ?

— Moi », dit Vernon.

Borabé hocha la tête. « Moi.

— Moi », renchérit Sally.

Tous les regards se portèrent sur Philip, qui fit un geste de colère, comme pour les envoyer promener. « Vous la connaissez déjà, ma réponse !

— C'est-à-dire ? demanda Vernon.

— Notez, greffier ! Non, non et non. C'est un plan à la James Bond. Ça ne marchera jamais dans la vraie vie. N'y allez pas. Bon sang de bois, je ne veux pas perdre mes frères, par-dessus le marché. *N'y allez pas !*

— Il le faut, répondit Tom.

— Il ne faut rien du tout ! C'est peut-être un blasphème, mais Père est pour quelque chose dans ce qui lui arrive.

— Alors on se contente de le laisser mourir ?

— Tout ce que je vous demande, c'est de ne pas foutre votre vie en l'air. » Il leva les bras et s'enfonça à pas lourds dans l'obscurité.

Vernon allait lui répondre, mais Tom le prit par le coude en secouant la tête. Peut-être Philip avait-il raison. Peut-être s'apprêtaient-ils à commettre un acte suicidaire. Pour sa part, Tom n'avait pas le choix. S'il ne faisait rien, il ne pourrait jamais plus se supporter. C'était aussi bête que ça.

La lueur palpitante des flammes se reflétait sur leurs visages. En proie à l'incertitude, ils restèrent longtemps silencieux.

« On n'a aucune raison d'attendre, finit par lâcher Tom. On partira cette nuit. Pour descendre, il nous faudra environ deux heures. Chacun sait ce qu'il doit faire. Borabé, explique leur rôle à tes guerriers. » Il lança un coup d'œil à Vernon. C'était son plan. Vernon, celui qui n'avait jamais été le chef... Tom tendit le bras et agrippa l'épaule de son frère. « Bonne chance ! » souffla-t-il.

Vernon lui rendit son sourire. « On se croirait dans *Le Magicien d'Oz* !

— Mais encore?

— Je me suis trouvé un cerveau. Tu t'es trouvé un cœur. Borabé s'est trouvé une famille. Le seul problème, c'est que Philip ne se soit pas encore trouvé du courage.

— Et je n'ai pas l'impression qu'un seau d'eau nous débarrassera de Hauser.

— Oh non, murmura Sally. Certainement pas. »

60

Tom se leva à 1 heure. Il faisait nuit noire. Des nuages obscurcissaient les étoiles et un vent au murmure incessant agitait la cime des arbres. La seule lumière émanait du petit tas de braises qui subsistait dans le cercle du foyer. Elle projetait une lueur rougeoyante sur le visage des dix guerriers assis tout autour. Ils n'avaient ni bougé ni parlé depuis la veille au soir.

Avant de tirer ses compagnons du sommeil, Tom ramassa les jumelles et s'approcha des arbres pour observer une dernière fois la Cité blanche. Les projecteurs du pont suspendu étaient restés allumés et les soldats se trouvaient toujours dans le fort en ruine. Tom songea à ce qui les attendait, lui et ses compagnons. Peut-être Philip avait-il raison lorsqu'il parlait de suicide. Peut-être Maxwell Broadbent était-il mort dans sa tombe, auquel cas ils allaient risquer leur vie pour rien. Mais là n'était pas la question. Il fallait agir.

Tom retourna réveiller les autres, qui étaient, pour la plupart, déjà debout. Borabé ajouta des branchages au feu et mit de l'eau à bouillir dans une marmite. Sally, qui les rejoignit peu après, entreprit de vérifier l'état de sa Springfield à la lumière des flammes. Elle avait les traits tendus, fatigués. « Tu sais quelle est, selon le général Patton, la première victime d'un combat ? demanda-t-elle à Tom.

« Non.

— Le plan de bataille.

— Alors comme ça, tu ne crois pas à la réussite du nôtre ?

— Pas vraiment. » Elle détourna le regard et le fixa sur son arme, à laquelle elle donna un coup de chiffon inutile.

« Qu'est-ce qui va arriver, d'après toi ? », s'enquit Tom.

Elle secoua la tête sans un mot. Des vagues se propagèrent dans sa lourde chevelure dorée. Comprenant qu'elle était en colère, il lui posa la main sur l'épaule. « On doit y aller, Sally.

— Je sais. » Elle opina du bonnet.

Vernon vint les retrouver près du feu. Ils burent leur tisane en silence, après quoi Tom consulta sa montre. Il était 2 heures. Il chercha des yeux Philip, qui n'était pas encore sorti de sa hutte, et adressa un signe de tête à Borabé. Tous se levèrent. Sally passa sa carabine en bandoulière. Ils endossèrent des sacs en palmes qui contenaient des provisions, de l'eau, des allumettes, un réchaud et d'autres objets de première nécessité, puis se disposèrent en file indienne. Borabé ouvrait la marche, que les guerriers fermaient. Ils traversèrent le bouquet d'arbres et commencèrent à descendre la pente.

Au bout de dix minutes, Tom entendit un bruit de pas précipités derrière eux. Ils se retournèrent pour prêter l'oreille. Les Indiens avaient bandé leur arc. Quelques instants plus tard, Philip apparut, hors d'haleine.

« Tu es venu nous souhaiter bonne chance ? », demanda Vernon, une pointe d'ironie dans la voix.

Philip prit un moment pour retrouver son souffle. « Je ne vois pas pourquoi je devrais m'associer à ce projet de dingos. Mais, bordel de Dieu, je ne vous laisserai pas aller tout seuls à la mort ! »

61

Marcus Aurelius Hauser mit la main à sa musette pour y choisir un autre Churchill, qu'il fit rouler entre le pouce et l'index avant de le sortir à l'air libre. Il accomplit le rituel de la décapitation, de l'humidification et de l'allumage, puis le tendit à bout de bras dans l'obscurité afin d'en admirer la grosse extrémité rougeoyante, tout en laissant l'arôme du cubain à tripe longue l'envelopper comme un cocon d'élégance et de plaisir. Décidément, le goût des cigares, se dit-il, semblait plus riche et plus profond dans la jungle.

Caché à un endroit stratégique, dans un fourré de fougères, il voyait parfaitement le pont suspendu et les soldats postés dans leur fortin, de l'autre côté de la gorge. Il écarta quelques plantes et porta une paire de jumelles à ses yeux. Il avait la nette impression que les trois frères Broadbent allaient tenter de franchir l'ouvrage cette nuit. Ils n'attendraient pas. Ils ne le pouvaient pas. S'ils voulaient récupérer quelques-uns des chefs-d'œuvre abrités dans la tombe, ils devaient la découvrir avant lui.

Il aspira plusieurs bouffées avec délectation en repensant à Maxwell Broadbent. Sur un coup de tête, voilà quelqu'un qui avait transporté un demi-milliard de dollars sur ce site. Aussi scandaleux que le geste paraisse, il correspondait parfaitement à la personnalité du bonhomme. Max était porté sur les coups d'éclat et le théâtre. Il était mort comme il avait vécu : sur un grand pied.

Le privé revit en esprit l'inoubliable marche que Max et lui avaient effectuée dans la forêt. Ils avaient entendu parler d'un temple maya dissimulé quelque part, dans les Cerros Escondidos, une région des basses terres guatémaltèques. Ils avaient passé cinquante jours et cinquante nuits à se frayer un chemin au sein d'une végétation luxuriante, à se faire mordre, piquer, griffer, à mourir de faim et à s'exposer à la maladie. Lorsqu'ils étaient arrivés en titubant dans le village lacandon, les Indiens n'avaient rien voulu leur dire. Il ne faisait aucun doute que le sanctuaire se trouvait dans les parages, mais ils avaient gardé le silence. Hauser était sur le point d'arracher des informations à une jeune fille lorsque Max l'en avait empêché. Cette ordure avait pointé un fusil sur le crâne de son compagnon et l'avait désarmé. Ç'avait été le bouquet, la goutte d'eau qui avait fait déborder le vase. Max l'avait chassé comme un chien. Hauser n'avait eu d'autre choix que d'abandonner la partie et de rentrer chez lui, pendant que son ancien ami continuait à chercher la Cité blanche. Après l'avoir découverte, ce salaud y avait pillé un tombeau qu'il s'était approprié quarante ans plus tard.

La boucle était bouclée.

Le privé tira avec délice une longue bouffée de son cigare. Au cours de ses années de combat, il avait appris un point important sur l'être humain : quand les événements tournaient mal, personne ne pouvait dire qui allait s'en sortir et qui allait y rester. Malgré leur crâne rasé, leurs pecs gonflés façon Schwarzenegger et leurs conversations de queutards, les costauds en uniforme incorporés chez les Rangers se défaisaient comme de la viande trop cuite, tandis que les minus de la compagnie, les gars du téléphone ou les mordus d'électronique réussissaient à survivre. On ne savait jamais. *Idem* avec les fils Broadbent. Il fallait les laisser faire. Ils s'en étaient déjà bien tirés. Ils lui rendraient ce dernier service. Ensuite, ce serait pour eux la fin du voyage.

Il se figea pour écouter. Un hululement s'était élevé, suivi de cris. Il reprit ses jumelles. À gauche du fort tombait une pluie de flèches venues de la jungle. Lorsqu'une d'elles toucha un projecteur, il perçut au loin un bruit de verre brisé.

Les Indiens attaquaient. Il sourit. Cette diversion avait pour but de forcer les soldats à détourner leur attention du pont. Il vit ses hommes, accroupis derrière les murs de pierre, épauler leurs fusils et charger les lance-grenades. Il espérait qu'ils s'acquitteraient de la mission qu'il leur avait confiée. Elle consistait à feindre ce à quoi ils excellaient : la défaite.

La plupart des flèches étaient tirées de la forêt. Une autre série de hurlements à vous glacer le sang retentit. Les militaires ripostèrent dans la panique par une première, puis par une deuxième salve. Une grenade retomba sans raison dans la jungle. Il y eut un éclair et une détonation.

Pour une fois, ses gars avaient compris.

Maintenant que les Broadbent étaient lancés, il savait précisément ce qui allait se produire. Tout était aussi prédéterminé qu'une suite de déplacements forcés sur un échiquier.

Ils étaient là, pile à l'heure. Il leva de nouveau ses jumelles. Courbés en deux, les trois frères et leur guide indien traversaient le terrain dégagé qui s'étendait derrière les soldats pour se diriger vers le pont. Ils se croyaient bien malins, alors qu'ils fonçaient tête baissée dans le piège.

Il ne put s'empêcher de rire.

62

Sally se tenait à proximité des soldats qui gardaient le pont. Couchée à plat ventre derrière un arbre, elle appuyait la Springfield sur le tronc lisse. Tout était calme. Elle n'avait pas dit au revoir à Tom. Ils s'étaient contentés de s'embrasser avant de se séparer. Elle s'efforçait de ne pas envisager la suite des événements. Ce plan était fou. Elle doutait qu'ils puissent jamais franchir l'ouvrage. Même s'ils y parvenaient et s'ils sauvaient Maxwell Broadbent, il leur serait impossible de rebrousser chemin.

C'était exactement le genre de pensées qu'elle voulait éviter. Elle se concentra sur sa carabine. La Springfield 03 datait d'avant la Première Guerre mondiale, mais elle semblait en bon état et elle était dotée d'une excellente optique. Chori en avait pris grand soin. Après avoir calculé la distance – un peu moins de deux cents mètres – qui la séparait du fort en ruine où se trouvaient les militaires, Sally avait réglé la portée en conséquence. Les munitions que Chori lui avait laissées étaient celles que les soldats utilisaient le plus fréquemment : du 30-06 à balles de 9,75 grammes. Si elle avait disposé du tableau d'équivalences, ce qui n'était pas le cas, aucun calcul supplémentaire n'aurait donc été nécessaire. Elle avait aussi adapté la visée à son estimation approximative des conditions de vent. À cette distance, elle avait toutes ses chances d'atteindre sa cible, surtout si celle-ci était aussi statique et aussi grosse qu'un homme.

Dès qu'elle s'était dissimulée derrière le tronc, elle s'était interrogée sur le fait de tuer un être humain et sur sa capacité à accomplir ce geste. Désormais, quelques minutes seulement avant le début de l'action, elle savait qu'elle y parviendrait. Pour sauver la vie de Tom. Philou Apoil était assis dans une cage de lianes tressées. Elle était heureuse qu'il soit là pour lui tenir compagnie. Contrarié par son emprisonnement, mais aussi par l'absence de son maître, il s'agitait en grognant. Elle prit une poignée de noix, lui en donna quelques-unes et mangea les autres.

Il n'y en avait plus pour très longtemps.

Au moment convenu, elle entendit un cri s'élever de la forêt, non loin des soldats, suivi par un concert de hululements et de hurlements qui semblaient émaner d'une centaine, et non d'une dizaine de guerriers. À la vitesse de la foudre, des flèches s'élevèrent de la jungle ténébreuse. Elles filaient droit vers le ciel pour retomber sur les militaires en décrivant un angle aigu.

Sally s'empressa d'observer la scène à travers la lunette de visée. En proie à la panique, les soldats chargeaient les lance-grenades et prenaient position derrière le mur de pierre. Lorsqu'ils ripostèrent, ils tirèrent des coups de feu au petit bonheur dans la muraille de végétation qui se dressait à deux cents mètres d'eux. Une grenade fila en vain sur la forêt, manqua son but et éclata en produisant un éclair. Les suivantes explosèrent dans les hautes branches et dénudèrent les arbres. Ce déploiement d'adresse militaire s'était révélé particulièrement inefficace.

Sally détecta un mouvement sur sa gauche. Les quatre Broadbent traversaient l'espace dégagé et couraient ventre à terre en direction du pont. Il leur fallait traverser deux cents mètres de broussailles et de souches, mais ils s'y prenaient bien. Les soldats semblaient mobilisés par la fausse attaque qui menaçait leur flanc. Prête à couvrir ses compagnons, Sally continua de les observer.

Un des militaires se leva pour aller chercher d'autres grenades. Le doigt sur la détente, la jeune femme le visa à la poitrine. Sous une pluie de flèches, il se précipita, saisit deux grenades dans leur boîtier et regagna son poste, les yeux au sol.

Le doigt de Sally se relâcha. Les Broadbent avaient atteint l'ouvrage. Conçu à la perfection, celui-ci enjambait un gouffre large de cent quatre-vingts mètres. Quatre câbles de fibre torsadée en supportaient le poids. Des cordages verticaux tendus entre les deux du haut et les deux du bas formaient une sorte d'armature, à mi-hauteur de laquelle s'alignaient des tronçons de bambou. Un par un, les Broadbent se glissèrent au-dessous de cette passerelle et s'aidèrent d'un des deux câbles inférieurs pour franchir le vide en se retenant aux cordages. Le moment était bien choisi, car la brume se levait. À cinquante mètres de la tête du pont, les frères devinrent invisibles. À grand renfort de braillements et de jets de flèches, l'assaut dura encore dix minutes, puis s'arrêta. Le miracle avait eu lieu. Ils avaient traversé. Le projet dément avait réussi.

À présent, il ne leur restait plus qu'à revenir.

63

Le pont de bambou s'étirait devant Tom. Les courants d'air ascendant qui le faisaient osciller et grincer projetaient des fragments de lianes et des éclats de bois dans le gouffre profond qui s'ouvrait au-dessous du jeune homme. Une brume dense s'élevait, de sorte que celui-ci n'y voyait pas à plus de cinq mètres. Le bruit d'une chute d'eau lui parvenait, pareil au rugissement lointain d'une bête furieuse. L'ouvrage frémissait à chaque pas.

Borabé était passé en premier, suivi de Vernon et de Philip. Tom venait en dernier.

Cachés par les rondins de bambou, ils avançaient en crabe le long du câble. Tom allait aussi vite que la prudence le lui permettait. Le brouillard rendait le câble humide et glissant. Les fibres étaient spongieuses, voire pourries, et de nombreux cordages verticaux s'étaient rompus, laissant apparaître des jours dans l'armature. À chaque coup de vent monté des profondeurs, le pont se mettait à vibrer. Tom devait s'immobiliser en s'agrippant aux cordages jusqu'à ce que le calme revienne. Il essaya de se concentrer sur les quelques dizaines de centimètres de câble qu'il apercevait devant lui. *Un pas à la fois*, se dit-il. *Un pas à la fois*.

Soudain, une corde plus endommagée que les autres lui resta dans la main. Terrorisé, il vacilla un instant au-dessus de l'abîme, saisit la suivante et marqua une pause pour laisser s'apaiser les martèlements de son cœur. Lorsqu'il reprit sa progression, il vérifia la résistance de chaque corde en tirant dessus avant de s'y retenir et garda les yeux fixés droit devant lui. En partie dissimulées par la brume, les vagues silhouettes de ses frères baignaient dans un clair-obscur changeant, dû au puissant projecteur qui brillait dans leur dos.

Plus ils avançaient et plus l'ouvrage s'agitait. Comme animés d'une vie propre, les rondins de bambou crissaient et les câbles mugissaient. Les courants d'air avaient forci et ils fouettaient les quatre frères, qui avaient effectué la moitié du trajet. De temps à autre, une violente bourrasque faisait bouger toute la structure. Horrifié, Tom ne pouvait s'empêcher de penser à Don Alfonso, à son histoire d'abîme, ainsi qu'aux corps qui tournaient sur eux-mêmes dans leur chute infinie avant de se désintégrer et de finir en poussière. Il frissonna et s'efforça de ne pas regarder en bas. Avant de poser le pied, il lui fallait pourtant tourner les yeux vers le vide étourdissant qui s'ouvrait entre deux colonnes de brume dont la base disparaissait dans l'obscurité. Il voyait la courbure du pont atteindre son point le plus bas, puis se relever et rejoindre l'autre côté de la gorge.

Un souffle d'air particulièrement puissant s'éleva soudain et fit trembler l'ouvrage. Tom, qui faillit glisser, affermit aussitôt sa prise. Il entendit un cri étouffé et aperçut, devant lui, deux morceaux de corde pourrie qui tombaient en tourbillonnant. Philip, un bras replié sur le câble, pendait dans le vide en agitant les pieds.

Bon Dieu ! se dit le jeune homme. Voulant faire vite, il manqua de glisser également. Son frère ne pourrait tenir que quelques secondes. Tom parvint à la hauteur de Philip, qui essayait de lancer ses jambes par-dessus le câble. Incapable de dire un mot, son aîné affichait un visage déformé par la terreur. Borabé et Vernon s'étaient évanouis dans la brume.

Tom s'accroupit, passa un bras autour du câble et tenta de coincer Philip sous son autre bras. Tout à coup, ses pieds dérapèrent et il se retrouva ballottant dans l'abîme. Lorsqu'il eut effectué un rétablissement, il sentit son cœur battre la chamade. L'effroi obscurcissait sa vision et rendait sa respiration difficile.

« Tom ! », éructa Philip, dont la voix suraiguë rappelait celle d'un enfant.

Tom s'aplatit sur le câble au-dessus de son frère. « Balance-toi, lui dit-il d'un ton qui se voulait rassurant. Aide-moi. Balance-toi pour que je t'attrape. » Prêt à saisir la ceinture de Philip, il tendit la main.

Son aîné essaya de s'exécuter et de reposer les pieds sur le câble. Sa tentative échoua. En outre, elle lui demanda un tel effort que son bras se desserra. Il poussa un cri et parvint à croiser les mains pour s'assurer une meilleure résistance. Sur les doigts de Philip, Tom voyait les articulations blanchir.

« Encore ! s'exclama-t-il. Balance-toi. Vas-y ! »

Philip obtempéra en grimaçant. Tom essaya encore une fois de l'attraper par la ceinture, mais son pied dérapa de nouveau. Sa jambe pendait dans le vide. Il s'aperçut avec horreur qu'il ne se retenait plus qu'à une corde pourrie, se hissa tant bien que mal sur le câble et chercha à ralentir les battements de son cœur. Un tronçon de bambou que cette agitation avait désolidarisé de l'ensemble tomba en tournoyant et disparut dans le gouffre.

Il n'en a plus que pour cinq secondes, se dit Tom. C'était la dernière chance de Philip. « Balance-toi. Donne-toi à fond, même si tu dois tout lâcher. Prêt ? Un, deux, trois ! »

Philip obéit. Cette fois-ci, Tom se pencha suffisamment pour saisir la ceinture de son frère. Tous deux restèrent en suspens une minute. La corde pourrie supportait la majeure partie de leur poids conjugué. Alors, dans un effort surhumain, Tom souleva sa charge jusqu'au câble. Philip s'y coucha de tout son long en s'y cramponnant comme à une bouée de sauvetage.

Agrippés au câble, trop effrayés pour parler, ils restèrent immobiles. Tom entendait le souffle rauque de son frère.

« Philip ? finit-il par articuler. Ça va ? »

La respiration de Philip se faisait plus régulière.

« Ça va bien, reprit Tom en essayant d'adopter le ton de l'affirmation. C'est fini. Tu es sain et sauf. »

Un nouveau coup de vent fit vaciller le pont. Un gargouillis sortit de la gorge de Philip, qui se plaqua au câble.

Une minute s'écoula. Une très longue minute.

« Il faut continuer, dit Tom. Lève-toi. »

Une autre bourrasque fit danser le pont.

« Je ne peux pas », se lamenta Philip.

Tom comprenait. Lui-même ressentait un besoin irrépressible d'envelopper le câble et d'y rester collé à jamais.

La brume s'épaississait. De nouveaux coups de vent, venus eux aussi d'en bas, mais plus forts que les précédents, faisaient osciller l'ouvrage. Le mouvement irrégulier s'achevait sur une sorte de torsion, de basculement, qui menaçait à chaque fois de les projeter dans les ténèbres.

Le pont retrouva enfin son immobilité.

« Redresse-toi.

— Non.

— Il le faut. Allez ! » Le temps était compté. Le brouillard se dissipait et le projecteur brillait d'un éclat aveuglant. Les soldats n'avaient qu'à se retourner pour les voir. Tom allongea le bras. « Prends ma main pour que je te relève. »

Philip tendit des doigts tremblants que Tom attrapa pour aider son frère à se remettre lentement debout. Quand le pont vacilla, Philip dut se retenir aux cordages. Une nouvelle série de bourrasques fit trembler l'ouvrage, qui retrouva son effroyable mouvement de balancier. Philip geignait de terreur. Projeté de droite et de gauche, Tom s'agrippait avec l'énergie du désespoir. Les cinq minutes qui suivirent furent les plus longues de sa vie. Sous l'effort, son bras commençait à le faire souffrir. Le pont finit par se stabiliser.

« Allons-y. »

Philip avança maladroitement un pied, puis l'autre, remua les mains et reprit sa marche en crabe. Cinq minutes plus tard, ils avaient atteint l'autre côté du précipice, où Borabé et Vernon les attendaient dans le noir. Les quatre frères s'élancèrent à toutes jambes vers la forêt.

64

Borabé menait le groupe à travers la jungle. Derrière lui, ses trois frères marchaient en file indienne. Ils étaient éclairés par une étrange lueur phosphorescente que Tom connaissait bien. La moindre souche pourrie baignait dans une lumière vert pâle qui lui donnait un aspect fantomatique. Aux yeux du jeune homme, ce spectacle avait perdu toute sa beauté. Il n'était plus que menaçant.

Au bout de vingt minutes, ils virent une muraille en ruine se dresser devant eux. Borabé s'immobilisa et s'accroupit. Il y eut un éclair, puis il se releva, une poignée de roseaux enflammés à la main. Le détail de l'obstacle se fit plus clair. Il se composait d'énormes blocs de calcaire, qu'un lourd manteau de plantes grimpantes recouvrait dans sa quasi-totalité. Tom y remarqua un relief où se devinaient des visages de profil, une rangée de crânes aux orbites creuses, des jaguars aux yeux grands ouverts et des oiseaux aux serres démesurées.

« Les remparts », souffla-t-il.

Après avoir longé l'enceinte, ils y découvrirent une petite ouverture devant laquelle des lianes pendaient, telle une tenture de perles. Ils écartèrent le rideau végétal et franchirent la porte.

Borabé tendit les mains dans la pénombre, attrapa le bras de Philip et l'attira contre lui. « Petit frère Philip, toi courageux.

— Non, je suis horriblement lâche et je vous ralentis. »

Borabé lui donna une claque affectueuse sur le bras.
« Pas vrai. Moi faire dans mon frac.

— Dans mon *froc* !

— Mertchi ! » Le petit Indien protégea le brandon
d'une main et souffla dessus pour en raviver la flamme.
Sous cet éclairage, ses yeux verts brillaient comme de
l'or. Sa mâchoire et ses lèvres finement dessinées étaient
bien celles d'un Broadbent. « Maintenant, nous aller
cimetière. Nous trouver Père. »

Ils débouchèrent dans une cour d'un côté de laquelle
s'élevait un escalier. Borabé courut d'un pied léger vers
les marches et les gravit. Les autres lui emboîtèrent le
pas. Après avoir tourné à droite, il longea le sommet du
mur en cachant d'une main la lumière de sa torche. Les
quatre frères descendirent un deuxième escalier aménagé de l'autre côté. Soudain, un cri retentit dans un
arbre et toutes les cimes s'agitèrent avec violence. Tom
sursauta.

« Singes », murmura le petit Indien. Il s'immobilisa,
secoua la tête d'un air préoccupé et reprit sa marche. Ils
se trouvaient dans une cour encombrée de tambours de
colonnes abattues et de blocs de pierre, dont certains
mesuraient trois mètres de côté, qui formaient jadis une
gigantesque tête. Tom distinguait ici un nez, là un œil,
ailleurs une oreille, qui émergeaient en désordre d'une
végétation foisonnante et de racines enchevêtrées. Ils
enjambèrent les décombres et passèrent une autre
porte, flanquée de jaguars en pierre, qui ouvrait sur
une galerie. Malgré sa fraîcheur, l'air sentait le moisi.
À la lumière palpitante du brandon, ils découvrirent un
tunnel aux murs saturés de salpêtre et au plafond couvert de stalactites. Des insectes virevoltaient ou déta-
laient sur les parois humides pour fuir la clarté. La tête
dressée, prêt à l'attaque, un gros serpent replié en S
sifflait en se balançant légèrement de droite à gauche.
Les minces fentes de ses yeux reflétaient l'orange de la
flamme. Ils lui décochèrent un coup de pied et poursuivirent leur course. Par les orifices du plafond effondré,
Tom voyait un semis d'étoiles scintiller à travers les

frondaisons fouettées par le vent. Ils dépassèrent un vieil autel de pierre jonché d'ossements, sortirent de la galerie et traversèrent une plate-forme ornée de statues brisées, dont les têtes et les membres surgissaient d'un fouillis végétal, telle une foule de monstres noyés sous un océan de lianes.

Brusquement, ils se trouvèrent au bord du précipice. Ils venaient de traverser le plateau. Devant eux s'étendait une mer de pics déchiquetés dont les silhouettes sombres se découpaient sur le ciel étoilé. Borabé marqua un temps d'arrêt pour allumer une nouvelle torche et lancer dans le gouffre celle qu'il venait d'utiliser. La flamme palpita un instant avant de disparaître dans le noir. Il leur fit alors emprunter un sentier qui longeait le vide, puis s'enfonça dans une anfractuosité, soigneusement cachée parmi des rochers, qui semblait livrer accès au sommet d'un mamelon. Le chemin creusé à même la roche se changea en escalier qui redescendait sur l'autre face de l'élévation. Au bas des marches s'étendait une terrasse couverte d'un pavement de pierres assemblées avec soin. Cette sorte de balcon, en réalité un renfoncement de la falaise, était invisible d'en haut. D'un côté s'élevait la roche tourmentée de la mesa. De l'autre se creusait un vide profond de plusieurs centaines de mètres. Au-dessus d'eux, l'à-pic était percé de centaines de portes noires que des sentiers et des escaliers vertigineux reliaient entre elles.

« Cimetière », chuchota Borabé.

Chargé d'un parfum de fleur nocturne d'une écœurante douceur, le vent soufflait en rafales autour d'eux. Les bruits de la jungle qui les surplombait ne leur parvenaient plus. L'endroit était irréel, envoûtant.

Mon Dieu, se dit Tom, *quand je pense que Père est enterré quelque part dans cette falaise !*

Borabé leur fit franchir une porte aménagée dans la paroi rocheuse, puis gravir un escalier en spirale. Celui-ci desservait des niches contenant des ossements, un crâne sur lequel subsistaient quelques mèches de cheveux, des mains décharnées aux doigts ornés de bagues étincelantes, ainsi que des corps momifiés grouillant d'insectes, de souris et de petits serpents qui, dérangés par la lumière, se repliaient dans l'obscurité. À l'intérieur de quelques-unes, des cadavres récents, d'où émanait une forte odeur de décomposition, étaient envahis de parasites encore plus nombreux. Ils virent un mort que de gros rats étaient occupés à dévorer.

« Père a pillé combien de ces tombes ? demanda Philip.

— Seulement une, répondit Borabé. Mais elle être plus riche. »

Certaines portes des sépultures étaient fracassées, soit en raison des agissements de pillards, soit à la suite d'anciens séismes. Soudain, Borabé se figea, puis ramassa un objet qu'il tendit en silence à Tom. C'était un écrou à ailettes flambant neuf.

L'escalier aboutissait à une saillie large d'environ trois mètres, qui se situait à mi-hauteur sur la face de la falaise. Ils se tenaient devant une porte de pierre. C'était la plus grande qu'ils aient vue jusque-là. Elle faisait face à l'océan des montagnes noires et au ciel émaillé d'étoiles. Borabé l'éclaira de sa torche pour qu'ils l'observent en détail. Toutes les autres portes étaient dépourvues de décor. En revanche, celle-ci s'ornait d'un glyphe maya sculpté. Le petit Indien recula d'un pas et récita une sorte de prière dans sa langue. Enfin, il se tourna vers eux et murmura : « Tombe de Père. »

65

Les vieillards au teint cireux étaient assis en rang d'oignon à la table du conseil d'administration. L'immensité désertique du plateau de bois ciré séparait Julian Clyve de ces momies. À travers les baies vitrées, il découvrait une vue de Genève, de son lac et de son gigantesque jet d'eau dont le panache, vu d'en haut, ressemblait à une petite corolle blanche.

« Nous avons cru comprendre, commença le président, que vous aviez reçu l'avance. »

Clyve opina du chef. Un million de dollars. Pas grand-chose, par les temps qui couraient, mais plus qu'il ne gagnait à Yale. Ces gens avaient fait une affaire et ils le savaient. Peu importait. Les deux millions étaient destinés à acheter le manuscrit. Ils devraient en outre lui payer sa traduction. Bien sûr, d'autres que lui pouvaient déchiffrer le maya ancien, mais il était le seul à pouvoir contourner les difficultés liées au dialecte archaïque dans lequel le texte était rédigé. Enfin... le seul avec Sally. Il n'avait pas encore négocié le coût de son intervention. Chaque chose en son temps.

« Nous vous avons demandé de venir, reprit le même homme, car une rumeur circule. »

Il s'exprimait en anglais, mais Clyve décida de lui répondre en français, une autre langue qu'il parlait couramment, pour le déstabiliser. « Si je peux rendre service... »

Un tressaillement de gêne parcourut la muraille grisâtre. Le président poursuivit en anglais. « Il existe aux

États-Unis un laboratoire pharmaceutique qui s'appelle Lampe-Denison. Le connaissez-vous ? »

Clyve s'exprima de nouveau en français. « Je crois. C'est un des plus grands. »

Son interlocuteur acquiesça de la tête. « Selon cette rumeur, Lampe serait en train d'acquérir un codex maya du IXe siècle, qui renfermerait deux mille pages de prescriptions médicales autochtones.

— Il ne peut y en avoir deux. C'est impossible.

— Très juste. Et pourtant, le bruit court. En conséquence de quoi la valeur de l'action Lampe a augmenté de plus de vingt pour cent la semaine dernière. »

Dans l'attente de sa réponse, les sept vieillards dévisageaient Clyve. Il s'agita sur son siège, croisa les jambes et les recroisa en sens inverse. Un frisson de peur le parcourut. Et si les Broadbent avaient pris d'autres dispositions ? Non, ce n'était pas le cas. Avant son départ, Sally lui avait expliqué la situation en détail. Depuis lors, les Broadbent s'étaient enfoncés dans la jungle. Ils n'avaient pu appeler personne pour conclure de nouveaux engagements. Le *Codex* était disponible. Clyve faisait confiance à Sally pour exécuter ses ordres. Elle était capable, intelligente et presque entièrement soumise à sa volonté. Il haussa les épaules. « Cette rumeur est fausse. Je contrôle le *Codex*. Il arrivera bientôt du Honduras pour tomber entre mes mains. »

Silence.

« Nous nous sommes volontairement abstenus de nous immiscer dans votre vie privée, monsieur Clyve, reprit le président. Mais aujourd'hui, vous détenez un million de nos dollars, ce qui signifie que nous sommes partie prenante. Peut-être ce bruit est-il mensonger. Fort bien. Mais j'aimerais que vous nous expliquiez le *pourquoi* de son existence.

— Si vous me soupçonnez d'avoir manqué de prudence, je peux vous garantir que je n'ai parlé de cette affaire à personne.

— À personne ?

— Sauf à ma collègue, Sally Colorado, naturellement.

— Et elle ?

— Elle se trouve en plein milieu de la forêt hondurienne. Elle ne peut même pas me joindre. Comment
contacterait-elle quelqu'un d'autre ? En plus, c'est la discrétion incarnée. »

Autour de la table, chacun resta coi une minute. C'était
pour cette raison qu'ils l'avaient convoqué à Genève ? Il
n'aimait pas ça du tout. Il n'était pas à leur botte. Il se
leva. « Ce sous-entendu est blessant, déclara-t-il. Je res-
pecte mes obligations contractuelles. Vous n'avez pas à
en savoir plus, messieurs. Vous aurez le *Codex*, vous me
verserez le deuxième million et nous discuterons de mes
honoraires de traducteur. »

Un ange passa. « Vos honoraires de traducteur ? répéta
enfin le président.

— À moins que vous ne comptiez traduire le *Codex*
vous-mêmes… » Ils avaient l'air d'avoir avalé de travers.
Bande de charlots ! Clyve méprisait ces hommes d'affaires mal élevés et incultes, qui cachaient l'avidité dont ils
étaient esclaves derrière l'élégante façade de leurs coûteux costumes sur mesure.

« Nous espérons que vous tiendrez votre promesse. Il
y va de votre intérêt, monsieur.

— Ne me menacez pas !

— Il ne s'agit pas d'une menace, mais d'un avertissement. »

Clyve s'inclina. « Bonne journée, messieurs. »

66

Sept semaines avaient passé depuis que Tom et ses frères s'étaient retrouvés aux portes de la propriété paternelle, mais elles leur semblaient aussi longues que toute une vie. Ils avaient enfin réussi. Ils se tenaient devant la sépulture.

« Tu sais l'ouvrir ? demanda Philip à Borabé.

— Non.

— Père a dû y arriver, puisqu'il l'a pillée », déclara Vernon.

Lorsque le petit Indien eut déposé des torches enflammées dans certaines niches du mur, ils se livrèrent à un examen minutieux de la porte. Taillée dans une pierre solide, elle occupait une embrasure aménagée dans le calcaire blanc de la falaise. Ils n'y voyaient ni serrure, ni poignée, ni panneau ou levier secret. Tout autour, la roche était restée en l'état. Seuls quelques trous apparaissaient autour de l'imposant battant. Tom posa la main sur un de ces orifices et y sentit un souffle d'air frais. De toute évidence, ils permettaient l'aération du caveau.

À l'est, l'aurore éclaircissait le ciel. Ils scrutèrent les abords de la sépulture. Tout en appelant, ils frappèrent à la porte, y donnèrent de grands coups de poing, la poussèrent et la tirèrent pour essayer de l'ouvrir. Rien n'y fit. Une heure plus tard, elle n'avait pas bougé.

« Ça ne va pas. Il faut trouver un autre moyen », finit par lâcher Tom.

Ils reculèrent sur la saillie. Au-delà des montagnes, les étoiles avaient disparu et le ciel se faisait lumineux.

Pareils à des dents implantées sur les gencives vert pâle de la jungle, les pics blancs et déchiquetés composaient un paysage aussi fantasmagorique que grandiose. « Si on regardait un peu une de ces portes cassées, proposa Tom, on pourrait peut-être comprendre leur mode de fonctionnement. »

Ils revinrent sur leurs pas. Après avoir longé trois ou quatre tombes, ils arrivèrent devant un battant, fendu en son milieu, dont une moitié avait basculé vers l'extérieur. Borabé alluma un autre brandon d'un air hésitant.

Il se tourna vers Philip et lui tendit la torche. « Moi lâche. Toi plus courageux que moi, petit frère. Toi aller. »

Philip lui serra l'épaule, prit la torche et entra dans la sépulture, suivi de Tom et de Vernon.

Ils se trouvaient dans une salle assez petite, d'environ deux mètres cinquante sur trois, au centre de laquelle s'élevait une plate-forme de pierre. Une momie emmaillotée y était assise, le dos droit, les genoux à hauteur du menton et les bras croisés sur la poitrine. Ses cheveux noirs et nattés lui descendaient aux reins. Ses lèvres desséchées se retroussaient sur ses dents. Un objet était tombé de sa bouche ouverte. Quand Tom s'en approcha, il vit un éclat de jade sculpté en forme de chrysalide. Le défunt tenait un cylindre en bois poli, orné de glyphes, qui mesurait une cinquantaine de centimètres. Autour de lui étaient réparties quelques pièces de son mobilier funéraire, des figurines de terre cuite, des poteries brisées et des tablettes gravées.

Le jeune homme s'agenouilla pour examiner la structure de la porte. Le sol présentait une rainure qui contenait des billes de pierre polie, sur lesquelles le battant avait reposé. Tom en ramassa une et la montra à Philip, qui la tourna et la retourna dans sa paume.

« Le mécanisme est simple, dit-il. On fait rouler la porte et elle s'ouvre toute seule. Comment la faire rouler ? Telle est la question… »

Ils examinèrent les lieux sans y trouver de réponse. Ils sortirent à l'air libre et rejoignirent Borabé, qui les avait attendus. L'inquiétude se lisait sur son visage.

« Quoi découvrir ?

— Rien », répondit Philip.

Vernon les rejoignit. Il tenait le cylindre de bois qu'ils avaient remarqué dans la main du mort. « C'est quoi ça, Borabé ?

— Clé pour monde souterrain. »

Vernon sourit. « Intéressant. » Il emporta l'objet. Arrivé devant la tombe de leur père, il l'enfonça dans plusieurs orifices. « C'est marrant, déclara-t-il, ce bout de bois s'adapte parfaitement aux bouches d'aération. On sent l'air en sortir. Vous voyez ? » Il posa la main sur un trou pour percevoir le souffle et se figea soudain. « Il y en a un qui ne laisse pas passer l'air. »

Il inséra le bâton sur une quarantaine de centimètres. Les dix centimètres restants refusaient d'entrer. Il ramassa alors une grosse pierre lisse qu'il tendit à Philip.

« À toi l'honneur. Donne-lui un bon coup. »

Philip prit le morceau de roche. « Qu'est-ce qui te fait croire que ça va marcher ?

— Une intuition, voilà tout. »

Philip soupesa la pierre, se prépara, tendit le bras en arrière et frappa violemment l'extrémité du bâton. Quand le cylindre disparut dans l'orifice, un bruit sourd se fit entendre. Puis le silence revint.

Rien ne bougeait. Philip examina le trou. Le cylindre y était complètement enfoncé.

« Bordel de merde ! », s'écria-t-il, hors de lui. Il se précipita sur la porte et y décocha un coup de pied. « Ouvre-toi, saloperie ! »

Soudain, un grincement fit vibrer l'air. Le sol frémit et le battant s'entrouvrit. Une fente noire allait s'élargissant à mesure que la porte glissait dans la rainure sur ses billes de pierre. Au bout de quelques secondes, elle émit un claquement sec et s'immobilisa.

Le tombeau était ouvert.

Ils fouillèrent du regard le rectangle noir qui se dessinait devant eux. Au loin, le soleil qui pointait au-dessus des montagnes inondait les rochers d'un éclat doré. Ses rayons étaient trop obliques pour pénétrer à l'intérieur de la sépulture, où régnait une obscurité absolue. Trop effrayés pour parler ou appeler, les quatre frères étaient paralysés. Une vapeur chargée d'une odeur de putréfaction pestilentielle – la puanteur même de la mort – les enveloppait.

Le doigt appuyé sur la détente patinée de son Steyr AUG, Marcus Aurelius Hauser patientait dans l'agréable lumière de l'aube. Hormis son propre corps, cette arme était sans doute l'objet qui lui était le plus familier. Sans elle, il se sentait bizarre. Le canon de métal chauffé par un contact permanent semblait presque vivant et la crosse de plastique que ses mains avaient polie depuis tant d'années était aussi lisse que la cuisse d'une femme.

Il était confortablement calé dans une niche creusée au bord du sentier qui descendait le mamelon. S'il ne pouvait voir les Broadbent de son poste d'observation, il savait qu'ils se trouvaient en dessous de lui et qu'ils devraient reprendre le même chemin au retour. Ils avaient fait exactement ce qu'il espérait : ils l'avaient mené à la tombe de Max. Et pas juste à sa tombe, à toute une nécropole. Incroyable ! Certes, il aurait bien fini par découvrir ce sentier, mais beaucoup plus tard.

Les Broadbent avaient accompli leur mission. Rien ne pressait. Le soleil n'était pas encore assez haut. Le privé voulait leur laisser tout le temps de prendre leurs aises, de se détendre et de se croire en sécurité. Il tenait à réfléchir à la suite de l'opération. La patience était une des grandes qualités qu'il avait apprises au Vietnam. C'était grâce à elle que le Viêt-Cong avait gagné la guerre.

Il promena le regard autour de lui avec ravissement. La nécropole était stupéfiante. Elle regroupait mille tombeaux pleins à craquer de mobilier funéraire. C'était un arbre dont les fruits mûrs n'attendaient que d'être cueillis. Sans parler des antiquités de prix, des stèles, des statues, des reliefs et des autres trésors qu'abritait la Cité blanche... Et pour couronner le tout, il y avait ce demi-milliard de dollars d'œuvres caché dans la sépulture de Broadbent. Lui, Hauser, allait rapporter le *Codex* et quelques objets légers qui lui permettraient de financer son prochain voyage. Oui, il reviendrait à coup sûr. La Cité blanche valait des milliards. *Des milliards*.

Il mit la main à sa musette et caressa un cigare en regrettant de ne pouvoir le sortir. Le parfum du Churchill ne devait pas parvenir aux narines des Broadbent.

Il fallait bien accepter quelques petits sacrifices...

68

Pétrifiés, les quatre frères gardaient les yeux fixés sur le rectangle noir. Les secondes se changèrent en minutes, pendant lesquelles des relents infects s'échappèrent sans discontinuer du tombeau. Personne ne fit un pas pour y entrer. Ils ne tenaient pas à voir l'horreur qui les y attendait.

C'est alors qu'ils entendirent un bruit – une toux – et un deuxième – des pas traînants.

Muets, ils attendirent.

Autre bruit de pas. Désormais, Tom était sûr que son père était vivant et qu'il sortait de la tombe. Pourtant, comme ses frères, le jeune homme se sentait incapable de remuer. Au moment où la tension devenait insupportable, un visage spectral commença à se deviner au centre du rectangle noir. Il y eut de nouveaux bruits de pas, puis une silhouette apparut dans les ténèbres. Encore quelques pas. Le personnage s'était matérialisé.

Il était presque plus effroyable qu'un cadavre. Peinant à garder son équilibre, il s'immobilisa devant eux. Il était nu, voûté, crasseux, squelettique et tout imprégné d'une odeur de mort. De la morve s'écoulait de ses narines. Sa bouche était ouverte comme celle d'un dément. Il cligna des paupières, renifla et cligna de nouveau des paupières dans la lueur de l'aube. Ses yeux décolorés étaient inexpressifs.

Maxwell Broadbent.

Les secondes s'écoulaient sans que les quatre frères, frappés de stupeur, puissent faire un geste.

Broadbent les dévisageait. Une de ses pommettes était animée d'un frémissement irrépressible. Il cilla une dernière fois et se redressa. Ses yeux vides, noyés dans de grandes nappes de chair sombre, glissaient d'un visage à l'autre. Il prit une longue et bruyante inspiration.

Malgré son désir de bouger ou de parler, Tom restait médusé. Il vit leur père se redresser un peu plus. Broadbent tourna un regard plus pénétrant vers eux. Après avoir toussé, il remua les lèvres sans produire aucun son. Il leva une main tremblante et un marmonnement éraillé sortit de sa bouche. Les quatre frères se penchèrent vers lui pour mieux le comprendre.

Il s'éclaircit la gorge, avança d'un pas, prit une nouvelle inspiration et finit par articuler:

« *Vous en avez mis un temps, bordel de merde!* »

Sa voix profonde se répercuta sur les rochers, qui en renvoyèrent l'écho vers le tombeau. Le sortilège était rompu. Leur vieux père se tenait devant eux, en chair et en os. Tom et les autres se précipitèrent pour l'embrasser. Il les serra sauvagement contre lui, en groupe, puis séparément. Ses bras avaient conservé une force surprenante.

Au bout d'un long moment, il recula. Il semblait avoir repris sa taille normale.

« Mon Dieu, dit-il en s'essuyant le visage. Mon Dieu! »

Ils le regardèrent sans savoir quoi répondre.

Il secoua sa grosse tête chenue. « *Dieu tout-puissant*, quel bonheur de vous voir! Je dois puer. Regardez-moi ça. Je suis dans un état! Répugnant!

— Pas du tout, dit Philip. Tiens, prends ça. » Il défit sa chemise.

« Merci. » Broadbent enfila le vêtement de son fils et le boutonna avec maladresse. « Qui fait la lessive? Cette liquette est immonde! » Lorsqu'il essaya de rire, il fut pris d'une quinte de toux.

Voyant Philip ôter son pantalon, il leva sa grande main. « Je m'en voudrais de dépouiller mes fils.

— Père...

— On m'a enterré à poil. Je m'y suis habitué. »

Borabé mit la main à son sac de palmes, d'où il sortit un long pan de tissu décoré. « Toi porter ça.

— Tu veux me déguiser en Indien ? demanda Broadbent en s'efforçant d'enrouler le pagne autour de ses hanches. Comment ça s'attache ? »

Borabé lui tendit une cordelette de chanvre.

Le vieillard la noua et resta là, sans prononcer une parole. Personne ne savait que dire.

« Dieu merci, tu es vivant, déclara enfin Vernon.

— Au départ, je n'en étais pas sûr moi-même, répondit Broadbent. À un moment donné, je me suis cru mort et arrivé en Enfer.

— Toi, vieil athée, tu crois à l'Enfer ? », s'écria Philip.

Broadbent leva les yeux vers son fils, sourit et branla du chef. « Tellement de choses ont changé !

— Ne me dis pas que tu as rencontré Dieu ! »

Broadbent hocha la tête, abattit la main sur l'épaule de Philip et le secoua affectueusement. « C'est bon de te revoir, mon fils ! »

Il se tourna ensuite vers Vernon. « Et toi aussi, Vernon. » Il braqua ses yeux chiffonnés sur ses garçons. « Tom, Vernon, Philip, Borabé… Je suis bouleversé. » Il posa la paume sur la tête de chacun. « Vous avez réussi ! Vous m'avez trouvé. Je n'avais presque plus rien à manger et à boire. J'aurais tenu encore un jour ou deux. Vous m'avez donné une seconde chance. Je ne la mérite pas, mais je vais la saisir. J'ai beaucoup réfléchi dans ce caveau obscur… »

Il fixa les yeux sur l'océan des montagnes violettes et le ciel doré, se redressa et inspira profondément.

« Ça va ? demanda Vernon.

— Si c'est du cancer que tu parles, sache qu'il est encore là. Il ne m'a pas encore donné le coup de grâce. J'en ai pour deux ou trois mois. Ce fils de pute a gagné mon cerveau. Je ne vous l'avais pas dit. Mais jusqu'ici tout va bien. Je me sens en pleine forme. » Il regarda autour de lui. « Foutons le camp d'ici ! »

« — Malheureusement, ça ne va pas être facile, objecta Tom.

— Et pourquoi donc ? »

Le jeune homme lança un coup d'œil à ses frères. « On a un problème qui s'appelle Hauser.

— Hauser ! » Broadbent était éberlué.

Tom acquiesça de la tête et lui raconta par le menu leurs périples respectifs.

« Hauser, répéta Broadbent en dévisageant Philip. Tu as fait équipe avec cette pourriture !

— Je regrette. J'ai cru…

— Tu as cru qu'il saurait où j'étais allé. C'est ma faute. J'aurais dû y penser. C'est un sadique qui a failli tuer une jeune fille. La plus grande erreur de ma vie, ç'a été de m'acoquiner avec lui. » Il s'assit sur le rebord d'une roche et secoua sa tête hirsute. « Je n'arrive pas à croire que vous ayez pris autant de risques pour venir ici. Mon Dieu, quelle erreur j'ai faite ! La dernière d'une longue liste, à vrai dire…

— Toi notre père, déclara Borabé.

— Et quel père ! grommela Broadbent. Vous imposer une épreuve aussi ridicule que celle-ci ! Au début, je trouvais l'idée bonne. Je ne sais pas ce qui m'a pris. Quelle vieille ordure, quel sale con j'ai été !

— Tu nous as rejoué *Le Laboureur et ses enfants* ! s'exclama Philip.

— Et ses *fils*, corrigea Borabé.

— Parce que nous avons aussi des sœurs ? » demanda Vernon en haussant le sourcil.

Broadbent eut un geste de dénégation. « Pas que je sache. J'avais quatre beaux fils et j'ai été trop bête pour m'en apercevoir. » Il leva ses yeux bleus vers Vernon. « Cette barbe, Vernon ! Mon Dieu, quand est-ce que tu vas nous couper cette touffe de poils ? On dirait un mollah ! »

— La tienne aurait bien besoin d'être taillée ! », rétorqua Vernon.

Broadbent agita la main en riant. « Oublie ce que je viens de dire. Les vieilles habitudes ont la vie dure. Garde ta saloperie de barbe. »

Un silence embarrassé s'ensuivit. Le soleil prenait de la hauteur au-dessus des montagnes et la lumière dorée blanchissait. Un vol d'oiseaux criards passa devant eux. Dans un bel ensemble, ils piquèrent vers la terre, s'élevèrent dans les cieux et changèrent brusquement de direction.

Tom se tourna vers Borabé. « Il faut réfléchir à la façon de repartir.

— Oui, frère. Moi déjà penser. Nous attendre nuit ici. Après, nous rentrer. » Il leva les yeux vers le ciel clair. « Cette nuit, pleuvoir. Bonne protection.

— Et Hauser ? demanda Broadbent.

— Lui chercher tombe dans Cité blanche. Pas penser regarder dans falaise. Nous tromper lui. Lui pas savoir nous ici. »

Broadbent observa les environs. « Vous n'auriez pas emporté à manger, par hasard ? Ce truc qu'ils m'ont laissé dans la tombe était pire qu'un plateau-repas sur un vol intérieur. »

Borabé sortit des vivres de son sac en palmes et les répartit devant Broadbent, qui se pencha sur eux en vacillant. « Mon Dieu, des fruits frais ! » Il ramassa une mangue et y planta les dents. Le jus s'écoulait de sa bouche et tachait sa chemise. « Le Paradis ! » Il finit le fruit, en engloutit un deuxième, puis essuya de la main deux *curubas* et quelques filets de lézard fumé.

« Borabé, tu devrais ouvrir un restaurant. »

Tom regardait son père sans parvenir à le croire vivant. La situation lui paraissait irréelle. Tout avait changé et en même temps rien n'avait changé.

Quand Broadbent fut rassasié, il s'appuya contre la roche et laissa son regard errer sur les sommets.

« Père, demanda Philip, si ça ne t'ennuie pas, tu pourrais nous raconter ce qui t'est arrivé dans cette tombe ?

— Je vais tout te dire. On a organisé de grandes funérailles. Borabé vous en a certainement touché un mot. J'ai bu la potion infernale de Cah. Quand j'ai repris connaissance, tout était noir comme dans un four. En bon athée, j'avais toujours cru que la mort équivalait à la fin de la conscience. Point final. Et voilà que j'étais *encore conscient*, alors que j'étais sûr d'être mort. Je n'ai jamais eu aussi peur de ma vie. Et, pendant que je paniquais en tâtonnant dans les ténèbres, je me disais : « *Non seulement tu es mort, mais en plus tu es descendu en Enfer !* »

— Tu ne le pensais pas vraiment », avança Philip.

Broadbent secoua la tête. « Si. Tu n'as pas idée de la terreur que j'éprouvais. Je gémissais comme une âme en peine. Je suppliais Dieu, je Le priais à genoux, je me repentais, je jurais d'être bon s'Il m'accordait une seconde chance. Je me sentais comme les misérables du *Jugement dernier* de Michel-Ange, qui implorent le pardon alors que des démons les entraînent dans un lac de feu.

« Après m'être copieusement lamenté sur mon sort, j'ai commencé à recouvrer mes esprits. J'ai fait le tour du propriétaire à l'aveuglette et je me suis aperçu que je me trouvais dans un tombeau. Alors, j'ai compris que je n'étais pas mort du tout et que Cah m'avait enterré vif. Il ne m'avait jamais pardonné mon comportement envers son père. J'aurais dû m'en douter. Il m'a toujours fait l'effet d'un vieux renard. Quand j'ai découvert la nourriture et l'eau, j'ai deviné que cet enfermement serait ma punition. J'avais tout prévu pour que ce défi vous soit léger. Et soudain, ma vie même dépendait de votre réussite.

— Un défi léger ? répéta Philip d'un ton sceptique.

— Je voulais provoquer un choc en vous pour que vous accomplissiez un acte important. Je n'avais pas saisi que c'était déjà le cas pour chacun de vous. Vous vivez la vie qui *vous* plaît. Je suis qui pour en juger ? » Il marqua une pause, se racla la gorge et branla du chef. « J'étais là, emprisonné avec ce que je croyais être mon trésor, *l'œuvre de toute une vie*. Du vent ! Ça ne servait à rien. Tout à coup, ça ne voulait plus rien dire. Dans cette obscurité, je ne pouvais même pas admirer ma collection. Être enterré vivant m'a remué au plus profond de moi-même. J'ai revu mon passé avec une espèce de dégoût. J'avais été un mauvais père, un mauvais mari, j'avais fait preuve de rapacité et d'égoïsme. Tout à coup, je me suis mis à prier !

— Pas possible... », lâcha Philip.

Broadbent opina de la tête. « Que faire d'autre ? Et après, j'ai entendu des voix, un coup, des bruits et la lumière s'est faite. Vous étiez là ! Mes prières avaient été exaucées.

— C'est donc sérieux, reprit Philip. Tu as trouvé la foi ? Tu es devenu croyant ?

— Exactement, nom de Dieu ! » Il se tut et contempla le panorama des montagnes et des forêts qui s'étendaient à l'infini en contrebas. Puis il s'agita et toussa. « C'est drôle. J'ai l'impression d'être mort et de ressusciter. »

69

De sa cachette, Hauser entendait les voix que le vent faisait monter jusqu'à lui. Sans comprendre ce qui se disait, il devinait parfaitement ce qui se passait. Les Broadbent prenaient leur pied à piller la tombe du père. Sans doute projetaient-ils d'emporter les objets les plus petits, y compris le *Codex*, dont cette Sally Colorado connaissait la valeur. Ce serait la première chose qu'ils prendraient.

Le privé parcourut en esprit la liste des trésors enfermés dans la sépulture. Une grande partie de la collection, dont certaines de ses pièces les plus coûteuses, était facile à transporter. Elle comprenait de rares pierreries sculptées, originaires du sous-continent indien, de nombreux petits bibelots en or incas et aztèques, ainsi que des monnaies grecques anciennes. Il y avait aussi deux inestimables statuettes étrusques en bronze, hautes d'une trentaine de centimètres et pesant chacune moins de dix kilos. Un homme pouvait charger toutes ces œuvres sur son dos. Valeur : de dix à vingt millions.

Ils pourraient aussi récupérer le Lippi et le Monet, qui étaient relativement petits – 71 × 45,5 cm pour l'un, 91 × 66 cm pour l'autre. Tous deux avaient été emballés sans leur cadre. Le premier, peint sur bois, pesait cinq kilos, et le deuxième quatre. Les caisses qui les protégeaient ne dépassaient pas quinze kilos pièce. On pouvait les attacher ensemble à l'armature d'un paquetage et les porter, elles aussi, sur le dos. Valeur : plus de cent millions.

Bien entendu, quantité de pièces devraient rester sur place. Le Pontormo, qui cotait de trente à quarante millions, était trop grand. *Idem* pour le portrait de Bronzino. Les stèles mayas et les bronzes de Soderini étaient trop lourds. En revanche, les deux Braque étaient transportables. Le plus petit, un des premiers chefs-d'œuvre cubistes du peintre, allait chercher dans les cinq à dix millions. Il y avait aussi une statue romaine d'époque impériale tardive, représentant un enfant et approchant les cinquante kilos – sans doute trop pour la prendre. Quant aux statuettes cambodgiennes en pierre, aux deux ou trois vieilles urnes chinoises en bronze et aux plaques mayas en mosaïque de turquoise... Ah, Max avait l'œil ! Il recherchait la qualité, pas la quantité. Au fil des ans, un grand nombre d'œuvres lui étaient passées entre les mains, mais il n'avait retenu que les plus belles.

Oui, pensait Hauser, les quatre d'en bas pouvaient emporter sur leur dos environ deux cents millions de dollars, soit presque la moitié de la valeur totale de la collection. C'était compter sans lui.

Il changea de position et étendit ses jambes menacées par les crampes. Le soleil était haut et chaud. Le privé regarda sa montre. 9 h 55. Il avait décidé de bouger à 10 heures. Ici, le temps importait peu, mais l'habitude de la discipline lui plaisait. Il s'agissait plus, se disait-il, d'une philosophie de la vie que d'autre chose. Il se leva, s'étira et inspira plusieurs fois en profondeur. Il vérifia rapidement l'état de son Steyr AUG. Comme toujours, l'arme était prête à fonctionner. Il se lissa les cheveux et examina ses ongles. L'un d'entre eux présentait un croissant de saleté qu'il extirpa du bout de sa lime avant de l'envoyer valser d'une pichenette. Ensuite, il scruta le dos de ses mains. Sur sa peau blanche, lisse et glabre, les veines restaient invisibles. Il avait les mains d'un trentenaire, pas d'un homme de soixante ans. Il les avait toujours soignées. Le soleil se reflétait sur la superposition de lourdes bagues en or et en diamant qui ornaient ses doigts. Il s'assouplit les phalanges en les pliant et en les dépliant cinq fois, défroissa son pantalon kaki, joua des chevilles et fit rouler cinq fois sa tête sur son cou. Il ouvrit grand les bras, inspira, souffla et inspira de nouveau. Enfin, il étudia sa chemise blanche empesée. Il considérerait cette opération comme un succès si, à la fin, cette chemise était restée immaculée. Il était si difficile de garder des vêtements propres dans la jungle !

Il mit le Steyr AUG sur son épaule et commença à descendre le sentier.

70

Les quatre frères et leur père se reposaient à l'ombre d'une saillie qui jouxtait la porte du tombeau. Lorsqu'ils eurent fait un sort à presque toutes les provisions, Tom fit circuler une gourde d'eau. Il avait des milliers de choses à dire à son père et soupçonnait ses frères d'éprouver la même envie. Pourtant, après cette première avalanche de propos, ils restaient tous silencieux, comme s'il leur suffisait d'être ensemble. La gourde passa de main en main. Chacun y but en produisant un gargouillis. Tom, le dernier à s'y désaltérer, en revissa le bouchon et la rangea dans son petit sac à dos.

Maxwell Broadbent prit enfin la parole. « Alors comme ça, Marcus Hauser est quelque part dans le coin et il cherche à piller *ma* tombe. » Il secoua la tête. « C'est un monde !

— Je regrette, répéta Philip.

— C'est ma faute, poursuivit Broadbent. Je n'ai aucune excuse. Tout est ma faute. »

Voilà une nouveauté, se dit Tom. Maxwell Broadbent reconnaissait ses torts. Sous ses dehors inchangés de vieil ours, il n'était plus le même. Plus du tout.

« Tout ce que je veux, c'est que mes quatre fils s'en sortent vivants. Je vais vous retarder. Laissez-moi ici. Je prendrai soin de moi. Je vais réserver à ce Hauser un accueil dont il se souviendra.

— Quoi ? s'exclama Philip. Après tout ce qu'on a fait pour te secourir ? » Il était réellement scandalisé.

« Allons ! De toute façon, dans un mois ou deux, je serai mort. Je m'occuperai de ce salaud pendant que vous fuirez. »

Furieux, Philip se leva. « On n'a pas fait tout ce chemin pour t'abandonner à Hauser.

— Vous risquez votre vie pour rien.

— Sans toi, nous pas partir, décréta Borabé. Vent venir d'est. Apporter orage cette nuit. Nous attendre obscurité ici. Après, nous aller. Traverser pont pendant orage. »

Broadbent souffla et se passa la main sur le visage.

Philip s'éclaircit la voix. « Père...

— Oui, mon fils ?

— Je ne voudrais pas me montrer inconvenant, mais on fait quoi avec les objets contenus dans la tombe ? »

Tom pensa aussitôt au *Codex*. Il devait l'emporter. Non seulement pour lui-même, mais aussi pour Sally et pour le monde entier.

Broadbent fixa les yeux au sol avant de répondre. « Je n'y avais pas réfléchi. Pour moi, ça n'a plus d'importance. Cela dit, je suis content que tu aies abordé le sujet. Je pense qu'on devrait prendre le Lippi et tout ce qui peut se transporter facilement. On pourra au moins sauver quelques objets des griffes de ce vautour. Ça me tue de penser qu'il va récupérer la majeure partie de ma collection, mais je crois qu'on n'y peut rien.

— Quand on sera rentrés, on saisira le FBI, Interpol...

— Il partira avec tout. Tu le sais bien, Philip. Ah ! J'y repense tout à coup. Dans la tombe, les caisses me paraissaient bizarres et je me demandais bien pourquoi. Ça ne m'amuse pas d'y retourner, mais je dois vérifier quelque chose.

— Je vais t'aider, dit Philip en se levant d'un bond.

— Non. J'y vais seul. Borabé, donne-moi de quoi m'éclairer. »

Après avoir allumé une botte de roseaux, le petit Indien la tendit à son père.

Le vieillard franchit la porte. Tom voyait le halo jaune se déplacer dans le caveau parmi des caisses et des cartons. La voix de Maxwell Broadbent tonna. « Dieu sait pourquoi toutes ces merdes ont tant compté pour moi!»

La lumière s'enfonça dans les ténèbres et disparut.

Philip se mit à marcher en rond à grands pas. Il alluma sa pipe. «Je n'aimerais pas que Hauser mette la main sur le Lippi.»

Une voix froide et goguenarde résonna alors à ses oreilles.

«Il me semble qu'on parle de moi?»

Levant son arme, prêt à faire feu au moindre mouvement, Hauser les regardait d'un air doux, presque apaisant. Les trois frères et l'Indien assis de l'autre côté de la porte du tombeau tournèrent la tête vers lui. Une terreur aveugle se lisait dans leurs yeux.

« Ne prenez pas la peine de vous lever. Ne bougez pas, sauf pour cligner des paupières. » Il se tut un instant. « Philip, quelle joie de vous retrouver en bonne santé ! Ah, il a bien changé, le petit snobinard décadent qui est entré dans mon bureau il y a deux mois en fumant cette pipe de bruyère ridicule ! »

Il avança d'un pas. Concentré, il n'attendait qu'un geste pour les descendre en même temps. « Que c'est gentil de m'avoir conduit à la tombe ! Vous m'avez même ouvert la porte ! Très aimable à vous… Et maintenant, écoutez-moi bien. Si vous suivez mes instructions, vous serez bien traités. »

Il se tut pour mieux étudier les quatre visages qui lui faisaient face. Personne ne paniquait ou ne cherchait à jouer les héros. Ces garçons étaient sensés. Il prit un ton aussi doux et plaisant que possible. « Dites à l'Indien de déposer son arc et ses flèches. Sans brusquerie, s'il vous plaît. »

Après s'être délesté de ses armes, Borabé les laissa tomber devant lui.

« Alors comme ça, il parle anglais, cet Indien ? Bon. À présent, je vais vous demander de dégainer vos machettes et de les lancer par terre. Vous d'abord, Philip. Restez assis. »

Philip s'exécuta.

« Vernon ? »

Vernon l'imita, suivi de Tom.

« Philip, je veux que vous alliez à l'endroit où vous avez laissé vos paquetages et que vous me les apportiez. Gentiment ! » Il agita le canon de son arme.

Philip obtempéra.

« Bravo ! Maintenant, videz vos poches, retournez-les et laissez-les pendre à l'extérieur. Faites tout tomber à vos pieds. »

Ils obéirent. Hauser eut la surprise de constater que, contrairement à ce qu'il croyait, ils n'avaient encore rien prélevé sur le trésor.

« Levez-vous tous ensemble et *lentement*. Bien. Reculez à petits pas en gardant les bras *immobiles*. Restez groupés. Voilà ! Pas à pas... »

Plus ils se repliaient, plus Hauser avançait. D'instinct, ils se serraient les uns contre les autres, comme des êtres en danger, mais surtout comme les membres d'une même famille menacés par une arme à feu. Le privé avait déjà assisté à ce genre de scène. Dans ces conditions, tout était plus facile.

« Parfait, susurra-t-il. Tout ce que je veux, c'est le trésor de Max. Comme tous les professionnels, j'ai horreur de tuer. » *C'est sûr...* Son doigt effleura la courbe en plastique lisse de la détente, trouva sa place et commença à la repousser pour que le Steyr AUG passe en mode de fonctionnement automatique. Ils se tenaient au bon endroit. Ils ne pourraient rien faire. Ils étaient déjà morts.

« Personne ne souffrira », lança-t-il. Et il ne put s'empêcher d'ajouter : « Vous ne sentirez rien. » Il pressa le doigt et perçut dans la détente le relâchement quasi imperceptible qu'il connaissait si bien, ce flottement d'un millième de seconde qui succède à la sensation de résistance. Au même instant, il détecta du coin de l'œil un mouvement rapide. Il y eut une gerbe d'étincelles et de flammes, puis il s'écroula en tirant comme un dément dans le vide. Les balles ricochèrent sur la paroi de pierre. Juste avant de toucher le sol, il entraperçut la créature qui l'avait fait tomber.

Elle était sortie de la tombe. À moitié nue, environnée d'une infecte odeur de décomposition, elle avait un visage d'une blancheur de vampire, des yeux enfoncés dans leurs orbites, et des membres décharnés aussi gris et creux que ceux d'un squelette. Après avoir lancé sur lui une torche embrasée, elle continuait d'avancer. Sa bouche aux dents jaunes s'ouvrait sur un hurlement.

Nom de Dieu, n'était-ce pas le fantôme de Maxwell Broadbent ?

Après avoir touché le sol, Hauser roula sur lui-même sans lâcher son arme et se contorsionna pour tenter de se remettre en position de tir. Trop tard. Le fantôme de Maxwell Broadbent s'était jeté sur lui en vociférant et lui assénait des volées de torche en pleine figure. Les étincelles retombaient en pluie. Le privé, qui sentait une odeur de cheveux brûlés, essayait de retenir les coups d'une main et refermait l'autre sur son fusil. Il ne pourrait pas faire feu tant que son agresseur s'efforçait de l'énucléer à l'aide du brandon. Quand il parvint à se dégager, il tira à l'aveuglette par-dessus son épaule et promena le canon de gauche à droite en espérant faire mouche. Le spectre semblait s'être volatilisé.

Le privé cessa le feu et s'assit avec difficulté. Il avait l'impression que son œil droit, mais aussi tout son visage, étaient brûlés. Il sortit la gourde de son sac et s'aspergea d'eau.

Bon Dieu, quel mal de chien !

Il s'essuya du revers de la main. Des braises projetées par la torche s'étaient logées à l'intérieur de son nez, sous une paupière, parmi ses cheveux et sur ses joues. Cette créature monstrueuse sortie du tombeau, était-ce vraiment un fantôme ? Il ouvrit avec peine son œil droit, palpa la zone douloureuse, et comprit que seuls la paupière et le sourcil avaient été touchés. La cornée, elle, était intacte. Il n'avait donc pas perdu la vue. Il imbiba un mouchoir d'eau, l'essora et s'en tamponna le visage.

Qu'est-ce qui s'était passé, saloperie ? Lui qui s'attendait à tout, y compris à l'inattendu ! Il n'avait jamais connu pareille surprise. Il *reconnaissait* ces traits, même après quarante ans. Il les retrouvait dans leurs moindres détails, leurs moindres expressions, leurs moindres tics. Le doute n'était pas permis. C'était bien Broadbent qui était sorti de sa tombe en hurlant comme un damné. Broadbent, qui était censé être mort et enterré. Blanc comme un linge, avec des cheveux et une barbe hirsutes, squelettique, fou furieux.

Hauser laissa échapper un juron. Comment n'y avait-il pas pensé ? Broadbent était en vie. À cet instant même, il s'enfuyait. Saisi d'une rage soudaine, le privé secoua la tête pour s'éclaircir les idées. Bordel de merde, qu'est-ce qui lui avait pris ? Après s'être laissé éborgner, il restait assis là, en leur laissant au moins trois minutes d'avance sur lui.

Il se hâta de passer son Steyr AUG à l'épaule, fit un pas en avant et s'immobilisa.

La terre était maculée de sang. Une jolie tache, de la taille d'une pièce de cinquante cents. Et là-bas une autre, plus généreuse. Il sentit un semblant de calme lui revenir. Comme pour mettre fin aux doutes de sa victime, le prétendu fantôme de Broadbent perdait du vrai sang. Hauser avait réussi à le toucher. Peut-être aussi quelques-uns des autres. Après tout, une rafale de Steyr AUG, même tirée au hasard, ce n'était pas de la rigolade. Il s'attarda pour examiner la structure des taches, leur nombre et le trajet qu'elles indiquaient.

Il ne s'agissait pas d'une blessure légère. Tout compte fait, il n'avait peut-être pas perdu l'avantage.

Il leva les yeux vers l'escalier de pierre et se mit à en gravir les marches deux par deux. Il allait suivre leur piste jusqu'au bout. Après quoi il les abattrait.

73

Ils s'élancèrent dans l'escalier tandis que l'écho des coups de feu se répercutait dans les montagnes. Après avoir atteint le sentier aménagé au sommet de la falaise, ils foncèrent vers le rideau de lianes et de plantes grimpantes qui protégeait les remparts en ruine de la Cité blanche. Lorsqu'ils eurent rejoint cette ombre protectrice, Tom s'aperçut que son père titubait. Du sang gouttait sur une jambe de Maxwell Broadbent.

« Attendez ! Père est touché !

— Ce n'est rien. » Le vieillard tituba de plus belle et poussa un grommellement.

Ils se figèrent un instant au pied du mur.

« Laissez-moi ! » rugit Broadbent.

Sourd à cette injonction, Tom essuya la coulée avant de chercher sur le blessé le point d'entrée et de sortie de la balle. Celle-ci avait traversé en biais la partie inférieure de l'abdomen et perforé le muscle grand droit avant de ressortir dans le dos, où elle semblait avoir épargné le rein. Il était impossible de savoir si la cavité péritonéale avait été endommagée. Le jeune homme écarta cette éventualité et palpa la région touchée. Son père laissa échapper un gémissement. Sa blessure était grave. Il perdait du sang, mais aucune artère, aucune grosse veine n'avaient été sectionnées.

« Vite ! » s'écria Borabé.

Tom ôta sa chemise et y déchira sauvagement deux bandes qu'il noua de son mieux à la taille de Broadbent pour tenter de contenir l'hémorragie.

« Mets un bras sur mon épaule, dit-il.

— Et l'autre sur la mienne », ajouta Vernon.

Tom sentit le bras décharné et dur comme un câble d'acier s'appuyer sur lui. Il se pencha en avant pour mieux supporter le poids de son père. Il sentait le sang chaud du vieillard couler le long de sa propre jambe.

« Allons-y.

— Aïe ! », lâcha Broadbent. Il vacilla légèrement lorsqu'ils repartirent.

Ils longèrent la muraille en y cherchant une ouverture. Soudain, Borabé s'enfonça dans un rideau de lianes qui dissimulait une porte. Ils traversèrent à grand-peine une cour, passèrent une deuxième porte et empruntèrent une galerie effondrée. Grâce au double soutien de Tom et de Vernon, Maxwell Broadbent marchait assez vite. La douleur lui arrachait toutefois des grognements et des sifflements de poitrine.

Borabé se dirigeait tout droit vers le cœur de la cité en ruine. Ils coururent dans des couloirs obscurs et des chambres souterraines à demi écroulées, dont les plafonds à caissons étaient transpercés par d'énormes racines. En chemin, Tom pensa au *Codex* et à tous les objets qu'ils laissaient derrière eux.

À tour de rôle, ils aidaient leur père à avancer. Ils parcoururent une succession de tunnels sombres. Borabé les forçait à décrire des virages abrupts et à revenir sur leurs pas pour semer la confusion dans l'esprit de leur poursuivant. Ils émergèrent dans un bosquet d'arbres gigantesques que flanquaient deux murs massifs. Seule une lueur verdâtre les éclairait. Pareilles à des sentinelles, des stèles ornées de glyphes mayas se dressaient çà et là.

Tom entendit le souffle court de son père, ainsi qu'un juron étouffé.

« Pardon de te faire souffrir, dit-il.

— Ne t'inquiète pas pour moi. »

Ils marchèrent encore vingt minutes et parvinrent à l'endroit où la jungle se faisait plus luxuriante. Des plantes grimpantes enserraient les troncs, auxquels elles donnaient l'aspect de fantômes. Au sommet des arbres, des rameaux en quête d'un nouveau support se dressaient comme des cheveux coupés en brosse. De lourdes fleurs pendaient de partout. Des gouttes d'eau ruisselaient en permanence.

Borabé s'immobilisa et promena le regard autour de lui. « Par là ! s'exclama-t-il en montrant du doigt la partie la plus dense de la forêt.

— Comment on va faire ? », demanda Philip en observant la muraille de verdure infranchissable.

Le petit Indien se mit à quatre pattes et se faufila dans une brèche. Ils l'imitèrent. Max hoquetait de douleur. Tom découvrit, caché sous le tapis de la flore, tout un réseau de pistes que des animaux avaient tracées. La végétation était percée de tunnels qui s'enfonçaient dans toutes les directions. Celui qu'ils empruntèrent était le plus touffu et le plus obscur. Pendant un laps de temps qui leur parut interminable, mais qui ne dépassa sans doute pas vingt minutes, ils rampèrent à travers un fantastique dédale de pistes qui se scindaient en plusieurs branches, lesquelles se scindaient à leur tour en d'autres branches. Ils émergèrent enfin dans une trouée qui ressemblait à une grotte creusée parmi les plantes. Ils se trouvaient sous un arbre, emprisonné par les lianes, dont les basses branches formaient une sorte de tente parfaitement impénétrable.

« Nous rester ici, déclara Borabé. Nous attendre nuit. »

Broadbent se laissa aller contre le tronc en geignant. Tom s'agenouilla près de lui, détacha les bandages imprégnés de sang et examina une fois de plus la blessure. Elle avait vilaine allure. Borabé s'accroupit à ses côtés et étudia la plaie à son tour. Il saisit des feuilles qu'il avait arrachées pendant leur fuite, les écrasa, les frotta entre ses paumes et en fit deux cataplasmes.

« À quoi ça sert ? murmura Tom.

— Arrêter sang, soulager douleur. »

Ils en couvrirent le point d'entrée et de sortie de la balle. Vernon céda sa chemise, que Tom déchira en bandes avec lesquelles il maintint les cataplasmes.

« Aïe ! lâcha encore une fois Broadbent.

— Excuse-moi, Père.

— Vous allez arrêter, tous autant que vous êtes ? J'aimerais bien pouvoir gémir sans avoir à entendre des excuses. »

— Père, tu nous as sauvé la vie, précisa Philip.

— Une vie que j'avais mise en danger.

— On serait morts si tu n'avais pas sauté sur Hauser.

— Ce sont mes péchés de jeunesse qui reviennent me hanter. » Il grimaça.

Assis sur ses talons, Borabé les regarda l'un après l'autre. « Moi aller. Revenir dans demi-heure. Si pas revenir, quand nuit tomber, vous attendre pluie et traverser pont sans moi. D'accord ?

— Tu vas où ? s'enquit Vernon.

— Chercher Hauser. »

Il se leva d'un bond et disparut.

Tom hésitait. C'était le moment ou jamais d'aller récupérer le *Codex*.

« Moi aussi, j'ai quelque chose à faire.

— Quoi donc ? » Philip et Vernon le dévisageaient d'un air incrédule.

Le jeune homme secoua la tête. Il ne trouvait ni les mots ni le temps pour justifier sa décision. Du reste, peut-être était-elle injustifiable. « Ne m'attendez pas. Je vous retrouverai près du pont ce soir, quand l'orage aura éclaté.

— Tu es devenu fou ? », gronda Max.

Sans répondre, Tom fit volte-face et se glissa dans la jungle.

Vingt minutes plus tard, il était sorti du labyrinthe végétal. Il se redressa pour se repérer. La nécropole se situait à l'est. C'était tout ce dont il se souvenait. À cette latitude, le soleil de fin de matinée restait à l'orient du ciel. Il lui indiquerait la direction. Tom s'interdisait de penser à la décision qu'il venait de prendre. Était-il juste ou pas de laisser son père et ses frères, était-ce fou ou trop dangereux ? Le problème n'était pas là. Un impératif s'imposait à lui : rapporter le *Codex*.

Il s'éloigna vers l'est.

74

Hauser fouillait le sol du regard et y lisait comme dans un livre ouvert. Une graine enfoncée dans la terre, un brin d'herbe froissé, une feuille que la rosée ne couvrait plus. Tous ces signes, il avait appris à les interpréter au Vietnam. Désormais, ils lui indiquaient le chemin pris par les Broadbent aussi clairement que si ceux-ci avaient semé des petits morceaux de pain derrière eux. Prêt à faire feu de son Steyr AUG, il suivait leur trace avec rapidité et méthode. Il se sentait mieux. Pas en paix, mais détendu. La chasse l'avait toujours exalté. Or rien n'était comparable au sentiment qu'il éprouvait lorsqu'il traquait le gibier le plus dangereux : la bête humaine.

Ses soldats inutiles étaient encore en train de fouiller et de faire sauter la cité. Tant mieux. Ça les occuperait. Poursuivre les Broadbent et les abattre n'était pas digne d'un groupe de militaires incompétents et bruyants, mais du chasseur solitaire qui sait se glisser sans se faire voir dans la jungle. Lui, Hauser, avait l'avantage. Il savait que les Broadbent étaient privés d'armes et qu'ils devaient traverser le pont. Il les rattraperait. Ce n'était qu'une question de temps.

Quand il les aurait éliminés, il pillerait le tombeau à loisir, s'emparerait du *Codex* ainsi que des objets transportables et remettrait le reste à plus tard. Maintenant qu'il avait calmé Skiba, il était sûr de pouvoir lui soutirer plus de cinquante millions. Peut-être beaucoup plus. La Suisse constituerait une bonne base d'opérations. Du reste, c'était ce que Broadbent avait fait. Il avait sorti des antiquités douteuses du pays en prétendant qu'elles provenaient d'une « vieille collection helvète ». Si les chefs-d'œuvre étaient invendables sur le marché officiel – ils étaient trop connus et tout le monde savait qu'ils lui appartenaient –, ils pouvaient être tranquillement laissés en dépôt çà et là. Le privé trouverait toujours un cheikh arabe, un industriel japonais ou un milliardaire américain désireux d'acquérir un beau tableau et peu regardant sur ses origines.

Il abandonna ces agréables rêveries pour reporter son attention sur le sol. La rosée s'écoulait d'une feuille. Du sang tachait les herbes. Toutes ces traces le conduisirent à la galerie en ruine, où il alluma sa lampe. On avait arraché de la mousse à la pierre. Une empreinte de pas marquait la terre meuble. N'importe quel crétin aurait pu suivre cette piste.

Il se laissa guider par les indices en cherchant à les exploiter au maximum. Lorsqu'il parvint devant l'épaisse forêt, il remarqua une trace particulièrement évidente. Dans leur précipitation, ils avaient remué des feuilles pourries.

C'était trop clair. Il se figea, tendit l'oreille, s'accroupit et examina attentivement le terrain. Des amateurs. Les gars du Viêt-Cong se seraient bien marrés en voyant ça. Une pousse recourbée, un tortillon de plante grimpante caché sous le feuillage, un fil tendu en travers du chemin, mais quasi invisible. Il recula prudemment d'un pas, ramassa une badine et la lança sur le fil.

Il entendit un claquement. La pousse se releva brusquement et le tortillon se dégagea. Il sentit un souffle d'air et eut l'impression qu'on le tirait par la jambière du pantalon. Il baissa les yeux et vit, enfoncée dans un pli lâche, une fléchette dont la pointe laissait s'écouler un liquide noir.

Elle l'avait manqué d'un cheveu.

Il resta pétrifié quelques minutes, à scruter le moindre centimètre carré de terrain, le moindre arbre, le moindre rameau. Quand il se fut assuré de l'absence de tout autre piège, il se pencha en avant. Au moment où il allait arracher le dard de son pantalon, il s'immobilisa de nouveau. Juste à temps. Sur la tige étaient fichées deux épines. Presque indétectables, également humectées de poison, elles étaient prêtes à s'enfoncer dans le doigt de qui tenterait d'extraire la fléchette.

Après avoir saisi une brindille, il l'utilisa pour faire tomber le dard.

Pas bête. Trois pièges superposés. Simple, mais efficace. C'était du travail d'Indien. Aucun doute là-dessus.

Pris d'un soudain respect à l'égard de son adversaire, il avança à pas plus lents.

Plus soucieux de rapidité que de silence, Tom courait dans la forêt. Pour éviter de se trouver nez à nez avec Hauser, il s'était écarté du sentier qu'ils avaient emprunté à l'aller. Il traversa un labyrinthe d'édifices en ruine enfouis sous d'épaisses couches de végétation. Privé de lumière, il dut parfois se diriger au toucher le long de galeries obscures ou se faufiler sous des blocs tombés au sol.

Il ne tarda pas à parvenir à l'extrémité orientale du plateau. Il s'immobilisa pour reprendre son souffle, se coucha à plat ventre au bord du précipice et baissa les yeux en s'efforçant de se repérer. Il lui semblait que la nécropole se situait au sud. Il prit à droite un chemin qui longeait la falaise. Dix minutes plus tard, il reconnut la terrasse et les murailles qui dominaient le site sacré. Il retrouva le sentier caché, qu'il dévala en prêtant l'oreille au plus petit bruit. Hauser était parti depuis longtemps. Au bout de quelques instants, le jeune homme arriva en vue du rectangle sombre qui ouvrait sur la sépulture de son père.

Les paquetages étaient restés empilés à l'endroit où les quatre frères les avaient laissés. Tom ramassa une machette, la passa à sa ceinture et s'agenouilla pour fouiller les sacs à dos. Il en sortit des fagots de roseaux et une boîte d'allumettes. Après avoir allumé une torche, il entra dans la tombe.

Il y régnait une odeur pestilentielle. En veillant à respirer par le nez, il se risqua plus avant. Un frisson d'horreur parcourut sa colonne vertébrale lorsqu'il comprit que cet endroit était celui où son père avait passé les dernières semaines, plongé dans une obscurité totale. La lumière clignotante éclairait une dalle funéraire, taillée dans une pierre noire, sur laquelle étaient gravés des crânes, des monstres et d'autres motifs étranges. Tout autour gisaient des cartons ainsi que des caisses entourées de bandes d'acier inoxydable et fermées par des cadenas. Rien à voir avec le tombeau de Toutankhamon. Il se serait cru dans un entrepôt encombré et crasseux.

Il surmonta son dégoût et s'approcha. Derrière les caisses, son père avait dégagé un petit espace. De toute évidence, il avait amalgamé un peu de paille à de la terre pour se confectionner une sorte de couche. Contre le mur sombre étaient appuyées des poteries d'argile qui avaient manifestement contenu des vivres et de l'eau. Elles dégageaient d'épouvantables relents de pourriture. Surpris par la lumière, des rats s'en échappèrent en bondissant et s'enfuirent à toute allure. Pris de nausée, à la fois fasciné et apitoyé, Tom plongea les yeux au fond d'une jarre et y découvrit quelques bananes plantain qui grouillaient de cafards d'un noir luisant. Terrifiés par l'éclat de la torche, ils se bousculaient en cherchant à fuir. Des souris et des rats crevés flottaient dans les récipients pleins d'eau. Le long d'une paroi s'entassaient les cadavres décomposés de rongeurs. Apparemment, son père les avait tués lors des combats quotidiens qu'il avait dû mener pour garder le contrôle de la nourriture. Au fond de la tombe, il vit briller les yeux de rats bien vivants qui n'attendaient que son départ.

Dans l'attente de ses fils, et sans savoir s'ils viendraient jamais, Maxwell Broadbent avait enduré les pires souffrances. Son calvaire dépassait l'entendement. Le fait qu'il ait supporté cette épreuve et qu'il y ait survécu sans perdre espoir révélait une facette de sa personnalité que Tom n'aurait jamais soupçonnée.

Le jeune homme s'essuya le visage. Il devait prendre le *Codex* et partir.

Les caisses étaient étiquetées. Il ne lui fallut que quelques minutes pour trouver celle qui renfermait le document.

Il la traîna hors du caveau et s'assit pour aspirer à grandes goulées l'air frais des montagnes. Couverte d'un emballage en fibre de verre, elle pesait quarante kilos et contenait d'autres livres. Il examina les robustes cadenas et les écrous à ailettes qui retenaient les bandes d'acier passées autour de ses flancs. Les écrous étaient vissés à fond. Il lui aurait fallu une pince pour les desserrer.

Il saisit une pierre, qu'il abattit violemment sur une ailette. Quelques minutes plus tard, après avoir réitéré l'opération, il s'était débarrassé de tous les écrous. Il tira à lui les bandes d'acier. Sous ses coups répétés, l'emballage en fibre de verre se fendilla, ce qui lui permit de l'arracher. Cinq ou six ouvrages enveloppés dans un papier non acide tombèrent à terre. Une bible de Gutenberg, des manuscrits enluminés, un livre d'heures. Il les écarta d'un revers de la main, reconnut le *Codex* à sa couverture de daim et le ramassa.

Il le contempla un moment. Il l'avait souvent vu, protégé par un petit caisson de verre, au salon. À peu près tous les mois, son père le sortait pour le feuilleter. Ses pages étaient couvertes de jolis dessins qui représentaient des fleurs, des plantes et des insectes entourés de glyphes. Tom avait plus d'une fois observé ces étranges signes mayas, leurs points, leurs lignes épaisses et leurs visages grimaçants, comme encastrés les uns dans les autres. Il ne s'était même pas aperçu qu'il s'agissait là d'une forme d'écriture.

Il vida un des sacs abandonnés, y enfouit le livre, le passa à son épaule et reprit le sentier. Il avait décidé de se diriger vers le sud-ouest en prenant garde de ne pas rencontrer Hauser.

Il pénétra dans la cité en ruine.

76

Tous les sens aux aguets, Hauser suivait la piste en redoublant de précautions. Il éprouvait un sentiment d'exaltation mêlé de crainte. L'Indien avait pu poser le piège en moins d'un quart d'heure. Sidérant ! Il était toujours caché quelque part, sans doute occupé à lui tendre une autre embuscade. La fidélité que ce guide autochtone témoignait aux Broadbent étonnait le privé. Intéressant… Hauser avait toujours admiré les Indiens pour leur connaissance de la forêt et leurs talents de chasseurs. Il avait appris ce respect des gars du Viêt-Cong. Sur la piste des Broadbent, il prenait garde d'éviter un nouveau traquenard en se déportant sur le côté et en marquant un temps d'arrêt, à intervalles réguliers, pour étudier le sol ou les broussailles, voire pour humer l'air afin d'y détecter une odeur humaine. Aucun Indien caché dans un arbre n'allait le surprendre en lui décochant une autre fléchette empoisonnée.

Il remarqua que les Broadbent s'étaient dirigés vers le centre de la mesa, où la jungle était plus épaisse. Ils espéraient sans doute s'y terrer jusqu'à la nuit. Ils n'y arriveraient pas. Aucune piste n'avait jamais tenu Hauser en échec. À grand-peine celle de fuyards affolés, dont un perdait du sang en abondance ! De plus, ses hommes et lui avaient déjà exploré l'ensemble du plateau.

La forêt qui s'étendait devant lui était étouffée par les lianes et les plantes grimpantes. À première vue, elle paraissait impénétrable. Il avança à pas lents et baissa les yeux. De petites pistes laissées par des animaux –

surtout des coatis – s'y enfonçaient dans tous les sens. De grosses gouttes d'eau pendaient à chaque feuille, chaque fleur, et attendaient la moindre vibration pour tomber. Personne n'aurait pu franchir ce terrain miné sans priver certaines plantes de leur rosée. Il voyait clairement par où ils étaient passés. Il reprit sa traque dans les broussailles touffues. Soudain, les indices disparurent.

Il scruta le sol. Sur le tapis de feuilles humides, deux genoux d'être humain avaient laissé des traînées quasi indétectables. Tiens donc! Ils avaient suivi la piste des coatis pour pénétrer au cœur de la végétation. Il s'accroupit et tourna le regard vers les ténèbres vertes. Les narines frémissantes, il baissa de nouveau les yeux. Laquelle avaient-ils prise? Il aperçut, à trois pas de lui, un petit champignon écrasé et une feuille froissée. Ils s'étaient enfouis sous cette masse pour y attendre la nuit. L'Indien avait certainement préparé un autre coup tordu. C'était l'endroit idéal. Le privé se leva pour examiner les différents étages de la forêt pluviale. Oui, le guide devait se cacher sur une branche, au-dessus de ce dédale de pistes, prêt à décocher un dard mortel à Hauser dès que celui-ci ramperait en contrebas.

Il fallait piéger le piégeur.

Le privé réfléchit un moment. L'Indien était futé. Il avait dû anticiper. Il savait que son adversaire craindrait une nouvelle embuscade sur *cette* piste. Par conséquent, il ne l'attendait pas là. Non. Il avait prévu que Hauser ferait un détour et qu'il se présenterait par l'autre côté. Il le guettait donc au-delà de ce gigantesque fouillis.

Le privé se mit à contourner la colonie de plantes rampantes en s'efforçant de se mouvoir avec la discrétion et la souplesse d'un autochtone. Si ses suppositions se révélaient correctes, l'Indien se trouvait à l'extrémité opposée. Le privé en finirait d'abord avec cet homme qui incarnait le danger, puis il pousserait les autres vers le pont, où ils seraient facilement capturés et éliminés.

Il progressait en s'immobilisant régulièrement pour examiner l'étage médian de la forêt. Si l'Indien avait fait ce que Hauser avait prévu, il devait se dissimuler quelque part à droite. Le privé avançait avec la plus grande prudence. La manœuvre lui demandait du temps, mais il n'en manquait pas. Il restait au moins sept heures avant la tombée de la nuit.

Il marchait en observant les alentours. Tout à coup, il aperçut quelque chose dans un arbre. Il marqua un temps d'arrêt, fit un léger mouvement et observa de nouveau. Un minuscule pan de la chemise rouge de l'Indien se devinait sur une branche, une cinquantaine de mètres à sa droite. Hauser vit distinctement l'extrémité de la petite sarbacane pointée sur lui.

Il se déplaça en crabe jusqu'à ce que la tache rouge constitue une meilleure cible. Après quoi il leva son fusil, visa avec soin et tira.

Rien. Et pourtant, il savait qu'il l'avait eu. La panique s'empara subitement de lui. C'était un autre piège. Il se jeta sur le côté au moment même où l'Indien se laissait tomber sur lui comme un félin, un bâton pointu à la main. Recourant à un mouvement de jiu-jitsu, il s'élança en avant, puis en biais, et profita de l'élan pris par son agresseur pour le déséquilibrer. Il se releva aussitôt et arrosa d'une rafale de balles l'endroit où l'adversaire était tombé.

Celui-ci s'était volatilisé.

Hauser étudia les lieux. Une seconde auparavant, le guide se tenait à un pas de lui. Lorsque le privé leva les yeux, il vit le petit morceau de tissu rouge et la pointe de la sarbacane à l'endroit même où l'Indien les avait installés. Il déglutit. Ce n'était pas le moment de se laisser aller à la peur ou à la colère. Il avait du pain sur la planche. Il n'allait plus participer à ce jeu du chat et de la souris où, il s'en doutait, il serait perdant. Il était temps d'utiliser la force brute pour débusquer les Broadbent.

Il fit volte-face, longea la colonie de plantes et se carra devant elle, jambes écartées. Il leva son Steyr AUG et colla son œil à la lunette de visée. Un coup retentit, suivi d'un deuxième. Il avança un peu plus, sans cesser de tirer sur la végétation dense. Cette méthode produisit le résultat escompté. Les Broadbent signalaient leur présence. Il les entendait fuir à grand bruit, comme des perdrix effarouchées. Désormais, il savait où les trouver. Il courut à toutes jambes le long de la masse végétale pour leur couper la route au moment où ils en sortiraient et les forcer à se diriger vers le pont.

Soudain, il entendit un craquement derrière lui. Il se retourna pour affronter l'homme qui incarnait le danger, appuya sur la détente et fit pleuvoir les balles sur l'endroit d'où provenait le bruit. Des feuilles, des lianes et des brindilles jaillirent de la colonie et volèrent en tous sens. Le claquement des balles qui s'enfonçaient dans le bois lui parvenait d'un peu partout. Il perçut un mouvement et arrosa de nouveau la végétation d'un feu nourri. C'est alors qu'un couinement s'éleva, suivi d'un froissement de feuillages.

Bordel, il avait touché un coati !

Il se retourna, concentré sur l'espace situé droit devant lui, abaissa son fusil et tira en direction des Broadbent. Dans son dos, le coati poussait des petits cris de douleur et froissait le tapis de feuilles sous son poids. Hauser comprit *in extremis* que ce bruit ne provenait pas de l'animal blessé, mais de l'Indien.

Il se laissa choir, roula sur lui-même et appuya sur la détente – pas pour tuer, car son adversaire avait déjà disparu parmi les lianes, mais pour le contraindre à prendre à droite, en direction de l'espace dégagé qui précédait le pont. Il le ferait détaler dans le même sens que les Broadbent. Il le pousserait à fuir avec les autres. Toute la difficulté consistait à les harceler sous un feu constant et à les empêcher de dévier de leur trajectoire pour tenter de le prendre à revers. Courbé en deux, il filait en tirant de brèves rafales pour leur ôter toute idée de repli dans la cité en ruine. En les arrosant sur leur gauche, il les poussait toujours plus près du gouffre et les forçait à rester groupés. Constatant que son chargeurétaitvide,ilarrêtadecourirpourenchanger.Lorsqu'il repartit, il entendit, plus loin dans la jungle, le vacarme des Broadbent qui s'échappaient dans la direction voulue.

À présent, il les tenait.

77

Tom avait traversé la moitié du plateau lorsqu'il entendit le *staccato* produit par le fusil de Hauser. D'instinct, il se mit à courir vers ce bruit dont les conséquences l'effrayaient. Il écarta vigoureusement des fougères et des lianes, bondit par-dessus des souches et franchit avec peine des murs effondrés. La deuxième et la troisième rafale lui parvinrent peu après. Désormais plus proches, les tirs semblaient venir de sa droite. Il bifurqua dans leur direction en espérant trouver le moyen de défendre son père et ses frères. Après tout, il était armé de la machette avec laquelle il avait pourfendu un anaconda et un jaguar. Pourquoi ne pourrait-elle pas tuer Hauser ?

Tout à coup, il émergea de la végétation et se retrouva en plein soleil. Cinquante mètres plus loin, la falaise plongeait à près de deux kilomètres de profondeur dans un énorme tourbillon de brume et d'ombre. Il s'approcha du bord. À sa droite, sous l'effet des courants d'air ascendant, l'armature gracile du pont suspendu se balançait au-dessus du gouffre.

Il entendit d'autres coups de feu derrière lui, se retourna et entraperçut un mouvement. Face à lui, Vernon et Philip quittaient la forêt aussi vite que possible en soutenant leur père. Borabé s'efforçait de les rattraper. Une pluie de balles faisait ployer les fougères derrière eux. Tom comprit trop tard qu'il était lui aussi pris au piège. Il courut vers le petit groupe tandis qu'une nouvelle rafale semblait sortir des arbres. Il vit alors Hauser, quelques centaines de mètres plus loin, tirer sur la gauche des Broadbent pour les contraindre à filer vers le précipice. Il s'élança en direction de la tête du pont, qu'il atteignit en même temps que les autres. Les membres du petit groupe s'accroupirent. De l'autre côté du gouffre, les soldats, alertés par le bruit, avaient déjà pris position à couvert pour les empêcher de passer.

«Hauser essaie de nous forcer à traverser», s'écria Philip.

Une autre rafale arracha des feuilles à une branche de l'arbre sous lequel ils se tenaient.

«On n'a pas le choix!», lâcha Tom.

Quelques instants plus tard, ils couraient sur l'ouvrage qui oscillait sous leur poids. Maxwell se faisait porter et traîner en même temps. De l'autre côté, les militaires à genoux pointaient leurs armes sur eux.

«On continue!», s'exclama Tom.

Les soldats qui gardaient le fortin ouvrirent le feu au-dessus des Broadbent dès que ceux-ci eurent franchi le premier tiers de l'ouvrage. Il ne s'agissait que d'un coup de semonce. À cet instant, une voix s'éleva derrière les fugitifs. Tom fit volte-face. Le privé et d'autres militaires les empêchaient de rebrousser chemin.

Les Broadbent étaient pris en tenaille. Tous les cinq.

Les soldats tirèrent une nouvelle rafale. Cette fois-ci, leurs balles survolèrent la tête des fuyards en bourdonnant comme des abeilles. Tom et les siens avaient atteint le milieu de la passerelle, que leur course faisait tressauter. Le jeune homme lança un regard derrière, puis devant lui. Ses compagnons se figèrent. Il n'y avait plus rien à faire. C'était la fin.

«On ne bouge pas!», lança Hauser en avançant sur le pont. Son fusil braqué sur eux, il arborait un large sourire. Ils le regardèrent approcher. Tom jeta un coup d'œil à son père, qui observait le privé avec autant de crainte que de haine. Il eut plus peur de l'expression qui se peignait sur les traits de Maxwell Broadbent que de la situation elle-même.

Hauser s'immobilisa à trente mètres d'eux et assura son équilibre. «Bien bien…, susurra-t-il. Ce *bon vieux Max* et ses trois fils. Quelle jolie réunion de famille!»

78

Pour une raison mystérieuse, Sally avait passé les douze heures durant lesquelles elle était restée cachée derrière son arbre à se remémorer son père. Au cours de son dernier été, celui-ci lui avait appris à tirer. À sa mort, elle avait continué à descendre au verger pour s'entraîner sur des pommes et des oranges, puis sur des pièces de monnaie. Elle était devenue excellente, mais ses talents restaient inemployés. La compétition et la chasse ne l'intéressaient pas. Elle s'amusait bien, voilà tout. Certaines personnes aimaient le bowling, d'autres le ping-pong. Elle, c'était le tir. Bien sûr, à New Haven, ce goût était on ne peut moins politiquement correct. Lorsqu'il l'avait découvert, Julian avait été horrifié. Il lui avait fait promettre d'arrêter et de n'en rien dire à personne. Non qu'il ait eu une dent contre les armes, mais il jugeait ce loisir vulgaire. Julian… Elle le chassa de son esprit.

Elle souffrait de crampes aux jambes et aux orteils. De fait, tous ses muscles étaient contractés. Elle donna une autre poignée de noix à Philou, qui était toujours assis, l'air boudeur, dans sa cage de lianes. Elle lui savait gré de lui avoir tenu compagnie, malgré son humeur maussade, durant ces longues heures. Le pauvre! Lui qui aimait tant la liberté…

Soudain, il poussa un petit cri. Elle recouvra aussitôt ses esprits. C'est alors qu'elle entendit des coups de feu. Elle reconnut, là-bas, dans la Cité blanche, le bruit étouffé d'une arme automatique. Il y eut une rafale, puis une deuxième. À l'aide de ses jumelles, elle examina la forêt qui se dressait de l'autre côté de la gorge. D'autres tirs s'élevèrent, et d'autres encore, toujours plus forts. Au bout de quelques minutes, elle vit quelqu'un bouger.

C'était Tom qui courait au bord de la falaise. Devant lui, Philip et Vernon surgirent de la jungle. Ils supportaient un blessé, un vieillard en haillons qui devait être Maxwell Broadbent. Borabé, apparu en dernier, était le plus proche du précipice.

De nouveaux coups de feu retentirent. Elle aperçut alors Hauser, qui sortait de la forêt en arrosant les fuyards de ses balles. Il les poussait, comme du gibier, en direction du pont.

Elle abaissa les jumelles et leva sa Springfield, dont la lunette de visée lui permit d'observer le drame. La situation était désespérée. Les Broadbent allaient se faire coincer au-dessus de l'abîme, mais ils n'avaient pas le choix. Hauser se trouvait derrière, et le gouffre à côté. Arrivés à la tête du pont, ils hésitèrent et s'élancèrent sur les rondins de bambous. Le privé, à découvert, appelait les soldats postés en face de lui. Ils mirent un genou à terre et tirèrent une salve d'avertissement.

Les cinq Broadbent étaient prisonniers au beau milieu de l'ouvrage. En compagnie de quatre militaires, Hauser se tenait d'un côté. Quatre soldats attendaient de l'autre. Les fuyards étaient faits comme des rats. Les tirs cessèrent et le silence retomba.

Son fusil braqué sur le petit groupe, Hauser avança en grimaçant sur le pont vacillant.

Elle sentait son cœur battre à tout rompre. Son heure était venue. Ses mains tremblaient. Elle transpirait. Elle revit le visage de son père. *Respire calmement. Retiens ton souffle. Concentre-toi sur ton rythme cardiaque. Entre deux battements, tire.*

Elle visa Hauser, qui progressait toujours. Le pont se balançait. Elle avait autant de chances de le toucher que de le manquer. Elle le sentait. S'il s'arrêtait de marcher, les probabilités de réussite augmenteraient.

Il se figea à trente mètres des Broadbent. Elle pouvait le descendre. Elle *allait* le descendre. Au centre de la lunette, une croix se dessinait sur le torse du privé. Au lieu d'appuyer sur la détente, elle se demanda : *qu'est-ce qui arrivera quand je l'aurai tué ?*

La réponse à cette question n'était pas difficile à trouver. Elle ne jouait pas dans *Le Magicien d'Oz* et les soldats honduriens ne déposeraient pas les armes en lui criant : « Salut à toi, Dorothy ! » C'étaient des mercenaires, des brutes. Si elle éliminait Hauser, ils ouvriraient le feu et massacreraient les Broadbent sur le pont. Les militaires étaient neuf. Quatre de son côté, et maintenant cinq de l'autre. Elle ne pouvait espérer les faucher tous, surtout ceux qui se tenaient en face, hors de sa portée. La Springfield ne renfermait que cinq balles. Quand elle les aurait toutes utilisées, elle devrait rétracter la culasse et y glisser cinq nouvelles balles. La manœuvre lui demanderait du temps. En outre, c'étaient les seules munitions dont elle disposait.

Quoi qu'elle fasse, elle devait agir en cinq coups.

La panique l'envahit. Elle devait concevoir un plan à l'issue duquel les Broadbent resteraient tous en vie. Hauser approchait d'eux d'une démarche incertaine. L'arme à la main, il avait manifestement l'intention de les abattre. Si elle le tuait, c'en serait fini des Broadbent.

Un vertige s'était emparé de son esprit. Le moindre faux pas lui était interdit. Elle ne bénéficierait pas d'une seconde chance. Elle devait réussir. Elle envisagea toutes les hypothèses possibles, qui toutes débouchaient sur le même résultat : la mort des Broadbent. Sa main tremblait. La silhouette de Hauser tressautait dans la lunette. *Si je le tue, ils sont cuits. Si je ne le tue pas, ils sont cuits.*

Désemparée, elle vit le privé lever son fusil. Il souriait. Il avait l'air de s'apprêter à prendre du bon temps.

Tom vit Hauser avancer sur le pont avec arrogance, un sourire de triomphe aux lèvres. Le privé s'immobilisa à une trentaine de mètres du petit groupe et agita le canon de son fusil. « Enlevez ce sac et posez-le », lança-t-il à Tom.

Le jeune homme se délesta de son paquetage. Au lieu de le poser sur le pont, il tendit le bras. Le sac se balançait au-dessus du vide. « Il contient le *Codex* », s'écria Tom.

Hauser tira une rafale qui fit sauter un éclat de bambou à quelques centimètres des pieds du jeune homme. « *Posez-le !* » rugit-il.

Tom resta immobile.

« Si vous tirez, je le laisse tomber. »

Sans un mot, Hauser pointa son arme sur Broadbent. « Très bien. Posez-le ou je descends Papa. Dernier avertissement ! »

— Qu'il me tue, grommela le blessé.

— Et après Papa, vos deux frères. Ne faites pas l'idiot. Posez-le. »

Tom hésita un instant, puis s'exécuta. C'était la seule solution.

« Et maintenant, la machette. »

Le jeune homme dégaina sa lame et la laissa tomber.

« Bien, bien... » Hauser semblait se détendre. Il tourna les yeux vers leur père. « Max ! Comme on se retrouve ! »

Le vieillard s'agrippa à ses fils pour se redresser et leva le menton. « C'est une histoire entre toi et moi, déclara-t-il. Laisse mes garçons partir. »

Le sourire de Hauser se changea en rictus. «Au contraire! Tu vas avoir le plaisir de les voir mourir avant toi.»

La tête de Broadbent bascula vers l'arrière. Tom renforça sa pression. Le pont oscillait légèrement sous l'action de la brume froide qui montait de l'abîme. Borabé fit un pas en avant. Philip l'arrêta.

«Alors, qui sera le premier? L'Indien? Non, on s'occupera de lui plus tard. Commençons par l'aîné. Philip, écartez-vous des autres, sinon je risque de vous descendre tous en même temps.»

Après un moment d'hésitation, Philip se détacha du groupe. Vernon l'attrapa par le bras pour tenter de le ramener à eux. Son frère se dégagea et fit un autre pas en avant.

«Tu iras brûler en Enfer, Hauser!», brailla Broadbent.

Le privé sourit à belles dents et épaula. Tom baissa les yeux.

80

Le coup ne partait pas. Tom releva les yeux. Le regard de Hauser se portait au-delà du petit groupe. Le jeune homme se retourna et entrevit un éclair noir. Une bête avançait vers eux en bondissant sur un des câbles. C'était un petit singe à la queue dressée.

Philou poussa un cri de joie et sauta dans les bras de Tom. Un cylindre métallique presque aussi gros que lui était attaché à sa taille. C'était une recharge d'alcool à brûler prélevée sur leur réchaud. Quelques mots y étaient gravés :

JE PEUX DESCENDRE CETTE O.

Tom se demanda ce que Sally pouvait bien avoir en tête.

Hauser n'abaissait pas son fusil. « Bon ! On se calme. On ne bouge plus. Montrez-moi ce que ce singe vous a apporté. *Pas de gestes brusques !* »

Tout à coup, le plan de Sally se fit lumineux dans l'esprit de Tom. Le jeune homme détacha l'objet.

« À bout de bras ! Faites-moi voir ce truc. »

Tom obtempéra. « C'est de l'alcool à brûler.

— Lancez-le de ce côté. »

Tom obéit et prit sa voix la plus calme. « Il y a une tireuse d'élite en face de vous. En ce moment même, elle vise cette recharge. Vous savez que l'alcool à brûler est un produit inflammable, voire explosif. »

Le visage de Hauser ne trahissait aucune émotion. Le privé se contentait de braquer son arme sur Tom.

412

« Si elle atteint cette recharge, le pont brûlera, reprit celui-ci. Vous serez isolé, enfermé à jamais dans la Cité blanche. »

Dix secondes s'écoulèrent dans une extrême tension. Hauser finit par articuler. « Si le pont brûle, vous mourrez aussi.

— De toute façon, vous allez nous tuer.

— C'est du bluff. »

Tom ne répondit rien. Les secondes se succédaient sans que les traits de Hauser perdent leur impassibilité.

« Elle peut tout aussi bien *vous* atteindre », insista le jeune homme.

Hauser leva un peu son arme. Au même instant, une balle vint frapper le pont à soixante centimètres de ses pieds. Des éclats de bambou lui volèrent au visage. Un peu plus tard, un écho se fit entendre au-dessus du gouffre.

Le privé se hâta de baisser son fusil.

« Vous avez compris que ce n'était pas de la blague, déclara Tom. Maintenant, dites à vos hommes de nous laisser passer.

— Et puis ?

— Gardez le pont, la tombe et le *Codex*. Tout ce qu'on veut, c'est avoir la vie sauve. »

Hauser passa son arme en bandoulière. « Mes compliments ! » lança-t-il.

Tom ramassa lentement la recharge et la fixa à un câble à l'aide d'un morceau de corde qui s'était détaché.

« Dites à vos hommes de nous laisser passer, répéta-t-il. Vous, restez où vous êtes. S'il nous arrive quoi que ce soit, notre tireuse fera exploser la recharge et votre précieux pont brûlera, avec vous dessus. Compris ? »

Le privé hocha la tête.

« Je n'ai rien entendu, Hauser. »

L'interpellé mit ses mains en porte-voix. « Hé, les gars ! s'écria-t-il en espagnol. Laissez-les passer. Ne leur faites pas de mal. Je les libère ! »

Silence.

« J'exige une réponse, hurla Hauser.

— *Sí señor.* »

Les Broadbent reprirent la traversée du pont.

81

Debout au milieu de l'ouvrage, Hauser avait accepté d'être la cible de la blonde qui avait accompagné Tom Broadbent. *Une vieille carabine inutile*, lui avait affirmé le soldat. *Ben voyons !* À trois cent cinquante mètres de distance, cette fille avait tiré juste à ses pieds. L'idée qu'elle puisse le tenir dans sa ligne de mire était à la fois déplaisante et curieusement exaltante.

Il regarda la recharge attachée au câble. Seule une trentaine de mètres l'en séparait. La championne se trouvait dix fois plus loin. Le pont oscillait au gré des courants d'air ascendant. Elle aurait du mal à atteindre une cible mouvante. En réalité, la tâche était pratiquement impossible. En dix secondes, il pouvait mettre la main sur la recharge, l'arracher au câble et la laisser choir dans l'abîme. S'il retournait vers la Cité blanche, il ferait une cible mouvante qui, de plus, se trouverait vite hors de portée. Quels étaient les risques d'être touché ? Il courrait sur un pont qui se balancerait. La tireuse devrait donc composer avec un triple mouvement. Elle serait incapable de le descendre. Et puis c'était une femme. De toute évidence, elle connaissait son affaire, mais aucune femme n'était capable d'un tel exploit.

Oui, il pouvait en avoir fini avant que les Broadbent se soient enfuis. Elle ne pourrait jamais l'atteindre, pas plus que la recharge. *Jamais*.

Il s'élança vers le cylindre métallique.

Presque aussitôt, une balle claqua devant lui. Un écho retentit. Il continua à avancer et tendit le bras au moment même où un deuxième écho parvenait à ses oreilles. Encore raté. Décidément, c'était trop facile. Il venait de mettre la main sur la recharge quand il entendit un *ploc !* Un éblouissant geyser de lumière surgit soudain devant ses yeux et un sifflement s'éleva. Il ressentit une chaleur intense. Étonné de voir des flammes bleues danser sur ses bras, son torse et ses jambes, il recula en titubant. Il s'effondra et roula sur lui-même en se donnant de grands coups du plat de la main. Tel un roi Midas ardent, il voyait tout ce qu'il touchait prendre feu. Il battit des jambes, hurla, se roula sur les rondins… Et soudain, il se sentit tel un ange dépliant ses ailes éthérées pour prendre son envol. Fermant les yeux, il s'abandonna avec délice à une longue et paisible chute.

82

Tom se retourna juste à temps pour voir Hauser plonger en silence dans l'abîme. Plus le météore humain s'enfonçait au sein des couches de brume, plus la lumière palpitante qui émanait de lui décroissait. Il finit par disparaître, ne laissant derrière lui qu'une traînée de fumée évanescente.

La partie médiane du pont, où il se tenait quelques secondes auparavant, était en feu.

« De l'autre côté, s'écria Tom. Vite ! »

Ils coururent le plus rapidement possible, en soutenant leur père, vers les quatre soldats qui ne tardèrent pas à reculer jusqu'à la terre ferme, où ils s'immobilisèrent afin de bloquer le pont. Le fusil levé, les hommes avaient l'air déboussolés, hésitants, prêts à faire n'importe quoi. Hauser leur avait crié de laisser le passage aux Broadbent. Allaient-ils exécuter son dernier ordre ?

Le chef, un lieutenant, brandit son arme et s'exclama : « Halte !

— Laissez-nous passer ! » lança Tom en espagnol. Le petit groupe poursuivit sa progression.

« Non. Reculez !

— Hauser vous l'a ordonné ! » Tom sentait le pont trembler. Le câble enflammé pouvait céder à tout moment.

« Il est mort, répondit l'officier. Maintenant, c'est moi qui commande.

— Mais le pont brûle ! »

Un sourire s'esquissa sur le visage du *teniente*. « Je sais. »

Comme en réponse à ces propos, l'ouvrage se mit à tressauter. Tom et les siens tombèrent à genoux. Un des câbles, qui avait lâché, projetait une pluie d'étincelles dans le gouffre. Brusquement détendu, le pont tout entier était animé de violents soubresauts.

Le jeune homme se redressa avec peine et aida ses frères à relever leur père.

« Vous devez nous laisser passer ! »

Les militaires répondirent par une salve dont les fuyards sentirent le souffle au-dessus de leurs têtes.

« Vous finirez en même temps que le pont. Telle est ma volonté ! Maintenant, la Cité blanche nous appartient », tonna le lieutenant.

Tom fit volte-face. Alimentées par les courants d'air ascendant, la fumée et les flammes s'élevaient en colonne de la partie médiane. Il vit un deuxième câble, qui montrait des signes de faiblesse, projeter des fragments de fibres ardentes dans les airs.

« Accroche-toi ! » s'écria-t-il en agrippant son père.

Le câble céda dans un sifflement violent et toute la passerelle de bambou bascula, tel un store qui tombe. Les quatre frères se retinrent aux deux câbles restants en s'efforçant de ne pas lâcher leur père affaibli. Le pont s'agitait d'avant en arrière, comme un ressort.

« Soldats ou pas, lança Tom, on doit foutre le camp d'ici. »

Ils commencèrent à longer les deux câbles. Leurs pieds reposaient sur celui du bas et leurs mains sur celui du haut.

Le *teniente* et ses hommes firent deux pas en avant. « Préparez-vous à faire feu ! » Les soldats se mirent en position de tir et épaulèrent.

Tom et les siens se trouvaient à huit mètres de l'extrémité du pont. Les militaires allaient les abattre presque à bout portant. Les membres du petit groupe n'avaient d'autre choix que d'aller vers ceux qui s'apprêtaient à les éliminer.

Lorsque le troisième câble céda, la vibration ainsi produite faillit les faire tomber. Les restes du pont, qui oscillaient d'avant en arrière, n'étaient plus retenus que par le dernier câble.

Le *teniente* pointa son arme sur eux. « C'est l'heure de mourir », dit-il en anglais.

Soudain, un bruit sourd se fit entendre. Il ne s'agissait pas d'un coup de feu. La surprise s'afficha sur les traits de l'officier, qui s'inclina devant eux comme pour les saluer. Une longue flèche ressortait de sa nuque. L'incident sema une panique momentanée parmi les autres soldats. À cet instant précis, un hurlement à vous glacer le sang s'éleva de la lisière de la forêt. Aussitôt, une pluie de dards s'abattit sur les militaires. Les guerriers taras, sortis en trombe de la jungle, traversaient le terrain plat en bondissant et décochaient leurs traits en vociférant. Surpris sur leur flanc et à découvert, les militaires jetèrent leurs armes pour mieux s'échapper. Quelques instants plus tard, ils étaient hérissés de plusieurs dizaines de flèches, qui les avaient frappés simultanément. Ils titubèrent comme des porcs-épics ivres avant de s'effondrer au sol.

Tom et ses frères venaient de regagner la terre ferme quand le dernier câble lâcha en projetant une nuée d'étincelles. Les deux pans de pont en feu se replièrent avec nonchalance en direction des bords du gouffre, où ils vinrent s'écraser dans un bruit de tonnerre. D'innombrables éclats de bambou tombèrent en cascade dans le précipice.

C'était fini. Il n'y avait plus de pont.

Droit devant, Tom vit Sally surgir des broussailles et courir vers lui. Aidés par les Taras à porter leur père, les quatre frères se précipitèrent dans sa direction. Quelques instants plus tard, ils avaient rejoint la jeune femme. Tom la prit dans ses bras. Ils restèrent tous deux enlacés, tandis que Philou, qui avait regagné la poche de chemise où il avait élu domicile, couinait de déplaisir en se sentant étouffé par leur étreinte.

Tom jeta un coup d'œil derrière lui. Les deux pans de pont pendaient le long de la falaise. Ils brûlaient toujours. Quelques hommes, toujours retenus dans la Cité blanche, se tenaient au bord de l'abîme, les yeux fixés sur l'ouvrage détruit. La brume commença à se lever. Peu à peu, leurs silhouettes stupéfaites et silencieuses s'évanouirent.

83

Dans la hutte chaude régnait une senteur de fumée et d'herbes médicinales. Tom y entra, suivi de Vernon, Philip et Sally. Les paupières fermées, Maxwell Broadbent était couché dans un hamac. Dehors, des grenouilles ouvraient de grands yeux sur la nuit paisible. Dans un coin de la pièce, un jeune guérisseur broyait des plantes sous le regard attentif de Borabé.

Tom posa la main sur le front de son père. La température avait grimpé. À ce contact, le blessé reprit connaissance. Ses traits étaient tirés. La fièvre et la lueur du feu faisaient briller ses pupilles. Il s'efforça de sourire. « Dès que je me serai remis, Borabé m'apprendra à pêcher à la lance, comme les Taras. »

Le petit Indien confirma de la tête.

En quête de réconfort, Broadbent promena les yeux sur l'assistance. « Hé Tom ! Qu'est-ce que tu en dis ? »

Le jeune homme essaya de formuler une réponse, mais aucun son ne sortit de sa gorge.

Le jeune guérisseur se leva pour proposer au blessé une coupe d'argile qui contenait un liquide d'un brun sale.

« Ah non, pas ça ! marmonna Broadbent. C'est encore pire que l'huile de foie de morue que ma mère me forçait à avaler tous les matins.

— Toi boire, Père ! lança Borabé. Bon pour toi.

— C'est quoi ? demanda Broadbent.

— Remède.

— Je sais bien ! Mais *lequel* ? Tu ne me feras pas ingurgiter un truc que je ne connais pas. »

Le patient était du genre difficile.

Sally intervint : « C'est de l'*uña de gavilán*, ou *Uncaria tomentosa*, dont la racine séchée a des vertus antibiotiques.

— Je suppose que ça ne peut pas me faire de mal. » Broadbent prit la coupe et avala le breuvage. « Il y a trop de docteurs ici ! Sally, Tom, Borabé et maintenant, ce garçon... Je vais finir par me croire malade. »

Tom lança un coup d'œil à Sally.

« Qu'est-ce qu'on ne fera pas quand j'irai mieux ! » souffla Broadbent.

Tom avala sa salive. Le voyant mal à l'aise, son père – à qui rien n'échappait – tourna la tête vers lui. « Eh bien, Tom... Tu es le seul vrai médecin. Quel est ton pronostic ? »

Le jeune homme s'efforça de sourire. Broadbent l'observa longtemps avant de reprendre sa position initiale en soupirant. « Je ne fais plus illusion... »

Il y eut un silence prolongé.

« Tom, je me meurs du cancer. Tu ne peux rien m'annoncer de pire.

— Euh... commença Tom. La balle a perforé la cavité péritonéale. Tu as une infection. C'est pourquoi tu es fiévreux.

— Donc, ton pronostic ? »

Le jeune homme déglutit une fois de plus. Ses trois frères et Sally le regardaient avec intensité. Il savait que son père ne supporterait que la vérité nue et crue.

« Il n'est pas bon.

— Mais encore ? »

Tom ne pouvait se résoudre à poursuivre.

« Il est si mauvais que ça ? », demanda Broadbent.

Le jeune homme opina du chef.

« Et ces antibiotiques que le guérisseur me donne ? Et ces merveilleux médicaments dont on parle dans le *Codex* que vous avez récupéré ?

— Père, l'infection dont tu souffres n'est pas sensible à n'importe quel antibiotique. Seule une grosse opération peut l'empêcher de se propager. Maintenant, il est sans doute trop tard. Les médicaments ne peuvent pas tout... »

Sans répondre, Broadbent se tourna sur le côté. « Saloperie ! » finit-il par lancer en levant les yeux au plafond.

« Tu as pris cette balle à notre place, dit Philip. Tu nous as sauvé la vie.

— C'est ce que j'ai fait de mieux. »

Tom posa la main sur le bras de son père, qui ressemblait à un bâton brûlant. « Je suis navré.

— J'en ai pour combien de temps ?

— Deux ou trois jours.

— Mon Dieu ! Si peu ? »

Tom hocha la tête.

Broadbent se laissa aller en maugréant. « De toute façon, le cancer m'aurait eu dans quelques mois. Mais j'aurais bien aimé passer ce temps avec mes fils. Même une semaine... »

Borabé approcha et posa la main sur la poitrine de son père. « Moi triste. »

Broadbent mit sa main sur celle de son fils. « Moi triste aussi. » Il se tourna vers ses enfants. « Dire que je ne peux même pas jeter un dernier regard à la Madone de Lippi ! Quand j'étais enfermé dans la tombe, je me disais sans cesse que tout irait bien si je pouvais l'admirer encore une fois. »

Ils passèrent la nuit dans la hutte à veiller le blessé. Celui-ci était très agité. Au moins pour le moment, les antibiotiques semblaient contenir l'infection. Quand l'aube parut, le vieillard avait encore tous ses esprits.

« J'ai soif », dit-il d'une voix caverneuse.

Tom prit une cruche et sortit pour la remplir d'eau au ruisseau voisin. Le village se réveillait à peine. Des femmes allumaient les feux et s'affairaient autour de la belle batterie de cuisine française en cuivre et en nickel. La fumée s'élevait en spirale dans le ciel matinal. Des poulets grattaient la terre de l'esplanade et des chiens efflanqués rôdaient en quête de restes de nourriture. Un enfant sortit d'une hutte en titubant et urina devant

Tom. Il portait un tee-shirt Harry Potter. Même dans une tribu aussi reculée que celle-ci, se dit le jeune homme, le monde faisait sentir sa présence. Dans combien de temps la Cité blanche lui céderait-elle ses trésors et ses secrets ?

Alors qu'il revenait, chargé de sa cruche d'eau, il entendit une voix aiguë. Debout devant son habitation, la vieille épouse de Cah agitait une main crochue dans sa direction. « *Wakha !* » s'écriait-elle.

Intrigué, il s'immobilisa.

Wakha !

Il avança d'un pas précautionneux en s'attendant à se faire tirer les cheveux ou soupeser les testicules.

La vieille le prit par la main et l'entraîna vers sa hutte.

Wakha !

Il suivit avec réticence la silhouette courbée et pénétra dans une pièce enfumée.

Là, dans la lumière tamisée, appuyée contre un poteau, la *Madone aux raisins* de Fra Filippo Lippi lui souriait. Il observa le chef-d'œuvre de la Renaissance et fit un pas hésitant dans sa direction, sans parvenir à croire à la réalité de ce qu'il voyait. Le contraste entre la hutte crasseuse et le tableau était trop marqué. Dans cette semi-obscurité, l'œuvre diffusait toute sa lumière intérieure. La Vierge, une adolescente aux cheveux dorés, tenait l'Enfant, qui portait une grappe de raisin à sa bouche de ses petits doigts potelés. Une colombe planait au-dessus de leurs têtes auréolées d'une feuille d'or.

Éberlué, il se tourna vers la vieille. Elle le regardait. Son visage ridé se fendait d'un large sourire, qui révélait des gencives roses et luisantes. Elle se dirigea vers le tableau, le prit dans ses bras et le lui remit.

Wakha !

Elle lui fit signe de le porter à son père et lui emboîta le pas en le poussant de temps à autre. « *Teh ! Teh !* »

Il traversa la clairière humide en serrant le panneau contre lui. Cah avait dû le garder. C'était un miracle. Il entra dans la hutte et tendit la *Madone* à bout de bras.

Philip y jeta un regard, poussa un cri et tomba à la renverse. Broadbent, pour sa part, écarquillait les yeux sans mot dire. Une expression de crainte sur le visage, il se renfonça dans son hamac.

« Mon Dieu, Tom ! Les hallucinations commencent !

— Non, Père. » Le jeune homme approcha la peinture. « C'est vrai. Touche !

— Non, n'y touche pas », s'écria Philip.

Broadbent tendit une main tremblante et la posa sur le tableau.

« Bonjour », murmura-t-il. Il dévisagea Tom. « Je ne rêve pas ?

— Non.

— Mais, bon sang, tu l'as trouvée où ?

— Chez cette dame. » Le jeune homme se tourna vers la vieille qui, debout sur le seuil, les gratifiait d'un sourire édenté. Borabé commença à lui poser des questions auxquelles elle apporta de longues réponses. Le petit Indien écouta en dodelinant du chef, puis s'adressa à son père.

« Elle dire mari de elle avide. Lui garder beaucoup objets de tombe. Lui cacher dans grotte derrière village.

— Quels objets ? » demanda Broadbent d'un ton sec.

Les deux Indiens s'entretinrent un moment.

« Elle pas savoir. Elle dire Cah voler presque tout trésor pour tombe. Lui emplir boîtes avec pierres. Lui pas vouloir mettre trésor de Blanc dans tombe tara.

— Qui l'eût cru ? s'exclama Broadbent. Quand j'étais dans ce caveau, je me suis rendu compte que certaines caisses étaient plus légères qu'elles ne l'auraient dû. Elles paraissaient presque vides. Dans le noir, je n'ai pas pu les ouvrir. C'est ce que j'allais faire au moment où Hauser est arrivé. J'essayais de résoudre ce mystère. Ce vieux grigou de Cah ! J'aurais dû m'en douter. Il avait tout manigancé depuis le début. Mon Dieu, il était aussi rapace que moi... »

Il reporta les yeux sur le tableau où se reflétait la lumière du feu. Les flammes rougeoyantes dansaient sur le visage juvénile de la Vierge. Il le contempla longtemps sans rien dire, puis ferma les paupières et ordonna : « Apportez-moi un stylo et du papier. Maintenant que j'ai quelque chose à vous léguer, je vais rédiger un nouveau testament. »

84

Ils remirent à Maxwell Broadbent un stylo et un rouleau de papier d'écorce.

« On te laisse ? demanda Vernon.

— Non. J'ai besoin de vous à mes côtés. De vous aussi, Sally. Venez. Installez-vous près de moi. »

Ils firent un cercle autour du hamac. Le mourant s'éclaircit la voix. « Eh bien, mes fils. Et... » Il jeta un coup d'œil à Sally. « ... ma future bru, nous voici réunis... »

Il se tut un instant.

« Quels beaux garçons j'ai là ! Dommage que j'aie mis si longtemps à m'en apercevoir. » Il se racla de nouveau la gorge. « Il ne me reste plus beaucoup de souffle et j'ai la tête comme un compteur. Alors je vais faire court. »

Il promena un regard encore vif autour de lui. « Félicitations. Vous avez réussi. Vous avez gagné votre héritage et vous m'avez sauvé la vie. Vous m'avez montré quel sale con de père j'ai été...

— Allons !

— Ah, ne m'interrompez pas ! Avant mon départ, écoutez ces quelques conseils. » Sa voix se fit sifflante. « Me voici sur mon lit de mort. Qui pourra m'en empêcher ? » Il prit une profonde inspiration. « Philip, de tous mes fils, tu es celui qui me ressemble le plus. Ces dernières années, j'ai vu à quel point l'espoir de faire un gros héritage jetait une ombre sur ta vie. Par nature, tu n'es pas âpre au gain. Mais attendre un demi-milliard de dollars a un effet corrosif sur la personnalité. Je t'ai vu vivre au-dessus de tes moyens, jouer les richards, les connaisseurs sophistiqués dans ton milieu new-yorkais. Tu es atteint du même mal que moi : il faut que tu possèdes la beauté. N'y pense plus. Il y a les musées pour ça. Mène une existence simple. Tu aimes profondément l'art. C'est lui qui te comblera, pas la reconnaissance ou la célébrité. En plus, j'ai entendu dire que tu étais un prof du tonnerre. »

Moyennement ravi, Philip inclina la tête avec raideur.

Broadbent inspira difficilement à deux reprises avant de se tourner vers Vernon. « Toi, Vernon, tu es un chercheur. À présent, je reconnais l'importance de ce choix à tes yeux. Ton problème, c'est que tu te laisses enfermer. Tu es un innocent. Il est une loi ici-bas, mon fils : quand elle fait appel au portefeuille, la religion est une connerie. Prier dans une église, ça ne coûte rien. »

Vernon opina du bonnet.

« Et toi, Tom. De tous mes fils, tu es le plus différent de moi. Je ne t'ai jamais vraiment compris. Tu es le moins matérialiste. Tu m'as rejeté il y a longtemps, peut-être pour de bonnes raisons.

— Père…

— Tais-toi ! Contrairement à moi, tu vis dans la discipline. Je sais que tu voulais être paléontologue et chasser le fossile de dinosaure. Comme un crétin, je t'ai poussé à faire médecine. Tu es un bon véto, encore que je n'aie jamais saisi pourquoi tu gâches ton incroyable talent à soigner des chevaux sur le retour dans une réserve navajo. Ce que j'ai fini par comprendre, c'est que je dois vous respecter, toi et les choix de vie qui sont les tiens. Les dinosaures, les chevaux, peu importe. Fais ce que bon te semble. Tu as ma bénédiction. Ce que j'ai aussi découvert, c'est ton *intégrité*. Elle m'a toujours fait défaut. Ça me rend malade de la voir aussi présente chez un de mes fils. Je ne sais pas ce que tu aurais fait d'un gros héritage et je crois que tu ne le sais pas non plus. Tu n'as pas besoin d'argent. Tu ne cours pas après lui.

— C'est vrai.

428

— Et maintenant, à toi Borabé... Mon aîné, et pourtant mon fils le plus récent. Je ne t'ai côtoyé que peu de temps, mais curieusement je sens que je te connais mieux que les autres. À t'observer, je me suis aperçu que tu étais un peu avide, comme moi. Tu n'as qu'une hâte : ficher le camp d'ici, partir pour l'Amérique et mener la grande vie. Tu n'es pas vraiment à ta place parmi les Taras. Très bien. Tu apprendras vite. Tu as un avantage, car tu as eu une bonne mère et tu ne m'as pas eu, moi, pour te mettre la tête à l'envers. »

Voyant le petit Indien s'apprêter à répondre, Broadbent leva la main. « On ne peut pas prononcer ses dernières paroles sans se faire interrompre, dans cette maison ? Tes frères t'aideront à aller en Amérique et à te faire naturaliser. Une fois là-bas, je suis sûr que tu seras plus américain que les autochtones.

— Oui, Père. »

Broadbent soupira et lança un regard à Sally. « Tom, voilà la femme que j'aurais aimé rencontrer. Tu serais fou de la laisser te glisser entre les doigts.

— Je ne suis pas un poisson, déclara Sally d'un ton vif.

— C'est bien ce que je disais. Un peu susceptible, peut-être, mais étonnante.

— Tu as raison, Père », convint Tom.

Le vieillard marqua une pause et respira avec peine. Désormais, parler lui était difficile. La sueur perlait à son front.

« Je vais rédiger mes dernières volontés. Je veux que chacun de vous sélectionne un objet au sein de la collection cachée dans la grotte. Quant au reste, si vous pouvez le sortir du pays, j'aimerais en faire don à un ou plusieurs musées de votre choix. Nous allons respecter l'ordre de naissance. Commence, Borabé.

— Moi parler dernier, dit le petit Indien. Objet moi vouloir pas être dans grotte. »

Broadbent hocha la tête. « Très bien. Philip ? Je crois que j'ai deviné... » Ses yeux coulissèrent vers la *Madone*. « Le Lippi est à toi. »

Philip essaya de dire quelques mots, mais resta sans voix.

« À toi, Vernon. »

L'intéressé garda le silence. « Je voudrais le Monet, finit-il par déclarer.

— J'en étais sûr. J'imagine que tu pourras en tirer au moins cinquante millions. J'espère que tu le vendras. Mais s'il te plaît, Vernon, pas de secte ! Ne dilapide plus ton argent. Quand tu auras enfin trouvé ce que tu cherchais, tu auras peut-être la sagesse d'en donner un peu, *un tout petit peu*.

— Merci, Père.

— Je vais vous renvoyer aux États-Unis avec un sac de pierres précieuses et de monnaies qui vous serviront à payer ma dette envers l'oncle Sam.

— D'accord.

— C'est ton tour, Tom. Qu'est-ce que tu as choisi ? »

Le jeune homme regarda Sally. « On voudrait le *Codex*. »

Broadbent branla du chef. « Intéressant. Il est à vous. Et maintenant, Borabé, le dernier, mais non le moindre ! Quel est cet objet mystérieux que tu convoites et qui ne se trouve pas dans la grotte ? »

Le petit Indien s'approcha du hamac et murmura quelques mots à l'oreille de Broadbent.

Le vieillard acquiesça de la tête. « Excellent. C'est comme si c'était fait. » Il brandit son stylo. Son visage était en sueur, son souffle court et creux. Tom s'aperçut qu'il ne restait plus à son père que quelques instants de lucidité. Il savait quelle forme prenait la mort par septicémie.

« Et maintenant, murmura le moribond, laissez-moi seul dix minutes pour que je rédige mon testament. Ensuite, on réunira des témoins pour l'exécuter. »

85

En compagnie de ses frères et de Sally, Tom se tenait sous un bouquet d'arbres qui lui rappelait les piliers d'une cathédrale. Il regardait le grand cortège funèbre gravir le sentier sinueux desservant la tombe creusée depuis peu dans les falaises calcaires qui surplombaient le village. Le spectacle était étonnant. Portée sur une litière par quatre guerriers, la dépouille mortelle de Maxwell Broadbent menait la procession. Elle avait été embaumée selon d'antiques techniques mayas. Lors de la cérémonie, le nouveau cacique avait transformé le défunt en El Dorado, « le Doré » de la légende autochtone, l'assimilant ainsi à un ancien empereur. Les villageois l'avaient enduit de miel, sur lequel ils avaient versé de la poudre d'or pour lui faire prendre l'aspect immortel qu'il allait conserver dans l'au-delà.

Derrière la litière, une longue file d'Indiens portait le mobilier funéraire destiné à la sépulture. Tom apercevait des paniers de fruits, de légumes secs et de noix, des *ollas* pleines d'huile et d'eau, mais aussi toutes sortes d'objets d'artisanat maya, dont des statuettes en jade, des poteries peintes, des plats et des cruches en or martelé, des armes, des carquois bourrés de flèches, des filets et des lances. Il y avait là tout ce dont Maxwell Broadbent aurait besoin dans la mort.

Venait ensuite un Indien qui titubait sous le poids d'un Picasso représentant une femme nue, dotée de trois yeux, d'une tête carrée et de cornes. Il précédait deux hommes en sueur qui transportaient l'immense *Annonciation* du Pontormo. Se succédaient enfin le *Portrait de Bia de Médicis* par Bronzino, deux statues romaines, quelques autres Picasso, un Braque, deux Modigliani, un Cézanne et encore des statues. Un mobilier funéraire du XXe siècle. Ce cortège insolite serpentait vers le sommet de la colline.

Un orchestre fermait la marche. Il se composait de flûtistes dont les instruments étaient taillés dans des courges longilignes ou des bambous, d'hommes qui soufflaient dans d'immenses trompes en bois et de percussionnistes qui frappaient des baguettes l'une contre l'autre. En dernier, un petit garçon tapait comme un sourd sur un vieux tambour de basse occidental.

Tom se sentait à la fois triste et soulagé. C'était la fin d'une époque. Son défunt père faisait ses adieux à ses enfants. Devant les yeux du jeune homme passaient les objets qu'il connaissait le mieux, qu'il aimait le plus, ceux avec lesquels il avait grandi. Et aussi ceux que Maxwell Broadbent avait chéris. Hommes et objets confondus disparaissaient dans l'obscurité de la tombe, d'où seuls les porteurs ressortaient, clignant des yeux et les mains vides. La collection de Maxwell Broadbent y serait enfermée en sécurité, bien au sec, protégée jusqu'à ce que ses fils reviennent récupérer leur bien. Évidemment, les trésors mayas y demeureraient à jamais pour assurer au disparu une vie heureuse dans l'au-delà. En revanche, les chefs-d'œuvre de l'Occident confiés à la garde de la tribu appartenaient aux quatre frères. Ces funérailles grandioses n'avaient été réservées qu'aux empereurs. Les dernières en date remontaient à mille ans au bas mot.

Maxwell Broadbent s'était éteint trois jours après avoir rédigé ses dernières volontés. Il avait joui d'une autre journée de lucidité avant de sombrer dans le délire, le coma et la mort. Aucune fin n'était belle à voir, se dit Tom, mais celle-ci avait eu une certaine noblesse.

Ce que le jeune homme n'oublierait jamais, ce n'était pas tant ce décès que les dernières heures de conscience de son père. Les quatre fils étaient restés avec le mourant. Ils n'avaient guère parlé, sauf de broutilles. Ils avaient évoqué des souvenirs, des anecdotes, des lieux oubliés, des moments de joie, des disparus. Cette journée passée à évoquer des riens avait plus compté que leurs grandes discussions, leurs leçons, les exhortations de Maxwell, ses conseils, ses propos philosophiques ou les débats qui suivaient le dîner. Après toute une vie occupée à les contrer, leur père les avait enfin compris, comme eux-mêmes l'avaient compris. Ils avaient pu parler ensemble, pour le simple plaisir d'échanger. Ç'avait été aussi simple, aussi profond que ça.

Tom sourit. Maxwell Broadbent aurait adoré ses propres funérailles. Il aurait été ravi de voir ce magnifique cortège traverser la forêt et d'entendre le beuglement des énormes trompes de bois, le martèlement des tambours, les notes délicates des flûtes de bambou, les hommes et les femmes qui alternaient chants et battements de mains. Sa sépulture inaugurait la nouvelle nécropole des Taras. L'incendie du pont avait isolé la Cité blanche, dans laquelle cinq mercenaires de Hauser étaient restés. Au cours des six semaines nécessaires à l'aménagement de la tombe, des nouvelles des militaires avaient couru chaque jour dans tout le village. De temps en temps, ils s'approchaient du précipice, tiraient des coups de feu, criaient, suppliaient ou menaçaient. Au fil des jours, les cinq hommes s'étaient réduits à quatre, à trois, à deux... À présent, il n'en restait qu'un. Il ne criait plus, n'agitait plus son arme, ne s'en servait plus. Sa petite silhouette droite se tenait immobile. Silencieux, il n'attendait que la mort. Tom avait essayé de convaincre les Taras de lui porter secours. Ils s'étaient montrés inflexibles. Seuls les dieux pouvaient reconstruire le pont. S'ils voulaient sauver le soldat, ils se manifesteraient.

Bien sûr, ils n'en avaient rien fait.

Le vacarme du tambour de basse ramena Tom à la réalité. L'ensemble du mobilier funéraire s'empilait dans le tombeau, qu'il était temps de fermer. Dans la forêt, les villageois avaient entonné une mélopée envoûtante, tandis qu'un prêtre agitait une poignée d'herbes sacrées dont la fumée odorante flottait sur eux. La cérémonie dura jusqu'à ce que le soleil se pose sur l'horizon de l'ouest. Le chef donna un coup à l'extrémité de la clé de bois et la lourde porte de la tombe se referma dans un glissement. Au moment où les derniers rayons disparurent, elle émit un claquement sonore.

Le silence régnait.

Sur le chemin du retour, Tom déclara : « J'aurais voulu qu'il voie ça. »

Vernon le prit par l'épaule. « Il l'a vu. C'est sûr. Il l'a vu. »

86

Assis dans un rocking-chair sur la galerie délabrée de la cabane en planches, Lewis Skiba contemplait le paysage. Les collines se drapaient dans leur gloire automnale et le miroir sombre du lac reflétait le ciel du soir. Tout était resté comme dans son souvenir. Le ponton qui s'avançait en biais sur l'eau, le canot amarré à son extrémité, le parfum des aiguilles de pins qui flottait dans les airs... Le cri mélancolique d'un huard monta des collines situées face à lui. Au loin, un autre oiseau y répondit, d'une voix aussi ténue que la lumière des étoiles.

Skiba prit une autre gorgée d'eau de source et se balança lentement. La chaise et la galerie poussaient des grincements de protestation. Il ne lui restait plus rien. Il avait présidé à l'effondrement d'un laboratoire pharmaceutique qui, par son importance, était le neuvième du monde. Il avait vu le prix de l'action Lampe descendre à cinquante cents avant que les cotations ne soient suspendues à jamais. Il avait été contraint d'invoquer le chapitre 11 et vingt mille employés avaient assisté à la disparition de leurs fonds de pension ainsi que des économies de toute une vie. Il avait été licencié par le conseil d'administration, puis vilipendé par les actionnaires et les comités de surveillance. Il était passé aux journaux télévisés du soir. Il faisait l'objet d'une enquête judiciaire pour comptabilité frauduleuse, malversation, délit d'initié et vente fictive. Il avait perdu sa maison et sa femme. Les avocats avaient avalé la quasi-totalité de sa fortune. Personne ne l'aimait, sauf ses enfants.

Et pourtant, c'était un homme heureux. Nul ne pouvait comprendre ce bonheur. Tout le monde croyait qu'il avait perdu l'esprit, qu'il souffrait d'une sorte de dépression. Ces gens-là ignoraient ce qu'éprouve celui qu'on arrache aux flammes de l'Enfer.

À quoi devait-il le calme qui s'était emparé de sa main, trois mois plus tôt, dans ce bureau obscur ? Ou lors des trois mois suivants ? Ce trimestre, pendant lequel Hauser était resté muet, avait été le plus sombre de toute son existence. Au moment où il se disait que le cauchemar ne s'achèverait jamais, des nouvelles étaient arrivées. Le *New York Times* avait publié un entrefilet annonçant la création de la fondation Alfonso-Boswas, une association à but non lucratif dont l'objectif consistait à traduire et à publier un manuscrit maya du IXe siècle, découvert au sein de la collection de feu Maxwell Broadbent. Au dire de sa présidente, Sally Colorado, le *Codex* était un ouvrage de médecine traditionnelle qui allait se révéler fort utile à la recherche de nouveaux médicaments. La structure avait été élaborée et financée par les quatre fils du défunt. L'article indiquait que celui-ci était brusquement décédé au cours des vacances qu'il passait avec les siens en Amérique centrale.

Point final. Il n'était pas question de Hauser, de la Cité blanche, de la tombe perdue, du père fou qui s'était fait enterrer avec son argent. De rien.

Il avait senti ses épaules se délester du poids de l'univers tout entier. Les Broadbent étaient vivants. Ils n'avaient pas été tués. Hauser n'avait pas réussi à s'emparer du *Codex* et, plus important encore, à les assassiner. Skiba ignorerait à jamais ce qui s'était passé, car il était trop dangereux de se renseigner sur le sujet. Il ne savait qu'une chose : il n'était pas coupable de meurtre. Certes, il avait commis des crimes horribles et il avait beaucoup à se faire pardonner, mais il n'avait pris la vie de personne, pas même la sienne.

Il y avait autre chose. Privé de tout – d'argent, de biens, de réputation –, il avait enfin recouvré la vue. Les écailles s'étaient détachées. Il y voyait aussi clair que s'il était retombé en enfance. Ses mauvaises actions, ses forfaits, son égoïsme, sa rapacité. Avec une parfaite lucidité, il pouvait reconstituer la spirale de la chute dans laquelle s'était perdue son éthique à mesure qu'il progressait dans sa carrière professionnelle. Il était si facile de se laisser abuser, de confondre prestige et honnêteté, pouvoir et responsabilité, perversion et loyauté, profit et mérite. Il fallait être doté d'un esprit particulièrement sain pour préserver son intégrité au beau milieu d'un tel système.

Il scrutait le miroir du lac en souriant. Tout ce à quoi il avait œuvré, tout ce qui avait compté pour lui se dissolvait dans le crépuscule. À la fin, la cabane elle-même devrait disparaître et il ne poserait plus jamais les yeux sur ces eaux.

Peu importait. Il était mort et ressuscité. Désormais, une nouvelle vie pouvait commencer.

87

L'agent Jimmy Martinez, de la police de Santa Fe, se renfonça dans son siège. Il venait de raccrocher le téléphone. Derrière la vitre, les feuilles du cotonnier avaient viré au jaune doré. Un vent froid soufflait des montagnes. Il jeta un regard à son collègue.

«Encore la baraque des Broadbent?» demanda Willson.

Martinez opina de la tête. «Ouais. On aurait pu croire que les voisins s'habitueraient.

— Ah, les riches! On n'est jamais sûr de rien avec eux...»

Martinez émit un grognement approbateur.

«Mais, d'après toi, c'est qui ce type? reprit Willson. T'as déjà vu ça, toi? Un Indien tatoué qui porte les costumes du vieux, fume ses cigares, monte ses chevaux, les balade sur les milliers d'hectares de son ranch, commande ses domestiques, joue les gentilshommes campagnards et insiste pour que tout le monde lui donne du «Monsieur»!

— Il est propriétaire. Tout est conforme à la loi.

— Sûr qu'il est propriétaire! Mais comment il y est arrivé? Ce domaine vaut vingt, trente millions. Rien que pour le gérer, il faut compter deux ou trois millions par an. Merde alors! Tu crois vraiment qu'un gars dans ce genre-là a de l'argent?»

Martinez sourit. «Ouais.

— Quoi, ouais? Jimmy, ce mec a des dents pointues. C'est un *sauvage*!

— Non. C'est un Broadbent.

« — T'es dingue ou quoi ? Tu crois que cet Indien, avec ses oreilles qui traînent par terre, est un Broadbent ? Enfin, Jimmy, qu'est-ce que t'as fumé ?

— Il leur ressemble.

— Tu les as déjà vus ?

— J'en ai rencontré deux. Je te le dis. C'est un autre fils du vieux. »

Abasourdi, Willson le dévisagea.

« À ce qu'on raconte, insista Martinez, ses frères ont récolté les œuvres d'art. Lui, il a eu la maison et un paquet de blé. C'est simple.

— Un *Indien* fils de Broadbent ?

— Exactement. Je te fous mon billet que le vieux a engrossé une gonzesse en Amérique centrale pendant une de ses expéditions. »

Profondément impressionné, Willson se laissa aller dans son fauteuil. « Tu sais, Jimmy, un jour tu finiras inspecteur principal. »

Martinez hocha la tête avec modestie. « Je sais. »

Remerciements

Il est une personne qui, plus que toutes les autres, mérite des remerciements pour sa contribution à l'existence de ce roman. Il s'agit de mon bon ami – collectionneur, érudit et éditeur – l'inestimable Forrest Fenn. Forrest, je n'oublierai jamais ce déjeuner, partagé avec toi il y a bien des années au Dragon Room, le bar du Pink Adobe, au cours duquel tu m'as raconté une histoire insolite et, partant, incité à écrire ce roman. Tu auras, je l'espère, le sentiment que j'ai rendu justice à ton idée.

Après avoir évoqué Forrest, je me sens obligé de préciser que Maxwell Broadbent, mon personnage, est une création entièrement romanesque. De par leur individualité, leur éthique, leur caractère et leurs valeurs familiales, ces deux hommes ne peuvent être plus différents l'un de l'autre. Je tiens à souligner ce point à l'intention de quiconque serait tenté de considérer ce texte comme un *roman à clef*[1].

Il y a longtemps, un jeune responsable éditorial a reçu de deux inconnus un manuscrit à moitié achevé qui s'intitulait *Relic*[2]. Après en avoir acheté les droits de publication, il a adressé aux coauteurs une lettre toute simple, dans laquelle il leur expliquait comment, selon lui, ce texte devait être récrit et porté à sa conclusion. Son courrier a lancé les deux écrivains sur la route

---

1. En français dans le texte *(NdT)*.
2. Publié en français sous le titre *Superstition (NdT)*.

du succès. Placé parmi les meilleures ventes de librairie, leur ouvrage a inspiré un film qui s'est classé premier au box-office. Ce responsable éditorial s'appelle Bob Gleason. Je lui suis extrêmement reconnaissant d'avoir accompagné nos débuts et encadré l'aboutissement de ce roman. Dans le même esprit, j'aimerais remercier Tom Doherty d'avoir accepté le retour du fils prodigue.

Je souhaite ici remercier l'incomparable Lincoln Child, qui est sans conteste la meilleure moitié de notre partenariat littéraire, pour son excellente et très pertinente critique de mon manuscrit.

J'ai une dette infinie envers Bobby Rotenberg, non seulement pour l'assistance judicieuse et pointue qu'il m'a apportée dans la conception des personnages et de l'intrigue, mais aussi pour sa grande et durable amitié.

J'aimerais saluer mes agents, Eric Simonoff, de Janklow & Nesbit, à New York, et Matthew Snyder, à Hollywood. Je veux aussi remercier Marc Rosen de m'avoir aidé à creuser certaines idées de ce roman et Lynda Obst d'avoir su déceler ses potentialités dans un texte de sept pages.

Je suis extrêmement reconnaissant à Jon Couch, qui a lu le manuscrit et émis des suggestions fort utiles, tout particulièrement en matière d'armement. Niccolò Capponi m'a offert quelques-unes des lumineuses idées dont il est coutumier pour que je puisse traiter plusieurs scènes délicates. Je suis aussi l'obligé de Steve Elkins, qui cherche la véritable Cité blanche au Honduras.

Plusieurs livres m'ont été utiles alors que j'écrivais *Codex*, notamment *Help ; ma croisière en Amazonie*, de Redmond O'Hanlon, et *Sastun : mon apprentissage avec un chaman maya*, de Rosita Arvigo, un excellent ouvrage que je conseille à quiconque s'intéresse à la médecine maya.

Ma fille, Selene, a effectué plusieurs lectures du manuscrit et formulé des critiques de toute première qualité dont je lui sais immensément gré. Je tiens enfin à remercier mon épouse, Christine, ainsi que mes autres enfants, Aletheia et Isaac. Merci à tous de votre amour, de votre gentillesse et de votre soutien constants, sans lesquels ce livre, mais aussi tout ce qu'il y a de merveilleux dans ma vie, n'existerait pas.

Dans la même collection

Douglas Preston & Lincoln Child
La chambre des curiosités

Manhattan. Les ouvriers d'un chantier de démolition s'affairent parmi les gravats, lorsque le bulldozer se fige soudainement devant l'horreur du spectacle qui apparaît : des ossements humains.

L'enquête menée par Pendergast, du FBI, l'archéologue Nora Kelly et le journaliste William Smithback établit qu'il s'agit des restes de trente-six adolescents, victimes d'un tueur en série, le Dr Leng, ayant sévi à New York vers 1880.

Les jours suivants, plusieurs meurtres sont commis selon le mode opératoire de Leng.

Se peut-il que ce dingue soit toujours vivant ? Ou aurait-il fait des émules ?

JL 7619

Douglas Preston & Lincoln Child
Les croassements de la nuit

Medicine Creek, un coin paisible du Kansas. Aussi, quand le shérif Hazen découvre le cadavre dépecé d'une inconnue au milieu d'un champ de maïs, il se demande s'il ne rêve pas : le corps est entouré de flèches indiennes sur lesquelles ont été empalés des corbeaux.

Œuvre d'un fou ? Rituel satanique ? Il faut le flair de Pendergast, l'agent du FBI, pour comprendre que cette sinistre mise en scène annonce une suite.

Qui sème parmi les habitants une épouvante d'autant plus vive qu'il ne fait pas l'ombre d'un doute, pour Pendergast, que le tueur est l'un d'eux...

JL 8227

Douglas Preston & Lincoln Child
Ice limit

Un astéroïde géant découvert sur un îlot au large du cap Horn !

Lorsque le collectionneur Palm Lloyd apprend la nouvelle, il n'a qu'une idée en tête : récupérer cette météorite. Peu importent le coût et les risques de l'expédition. Il doit arriver le premier sur l'île Desolación et rapatrier le corps céleste. À l'évidence, le milliardaire n'est pas le seul à convoiter ce fragment doté d'étranges propriétés, dont celle de réduire à l'état de cendres quiconque l'approche de trop près. Et la chasse à la météorite vire au cauchemar...

JL 8433

8602

Composition PCA à Rezé
Achevé d'imprimer en France (La Flèche)
par Brodard et Taupin
le 19 mars 2008. 46302
EAN 9782290008089
1er dépôt légal dans la collection : février 2008

Éditions J'ai lu
87, quai Panhard-et-Levassor, 75013 Paris
Diffusion France et étranger : Flammarion